SETH

LA RÉALITÉ PERSONNELLE

Tome II

votre corps, sculpture vivante

Jane Roberts

SETH
LA RÉALITÉ
PERSONNELLE

Tome II
votre corps,
sculpture vivante

Traduit de l'américain
par
Pierre Lacasse

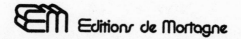

Éditions de Mortagne

Données de catalogage avant publication (Canada)

Roberts, Jane, 1929-
  La réalité personnelle
  Traduction de: The nature of personal reality.
  En-tête du titre: Seth.
  Comprend des références bibliographiques.
  Sommaire: t. 1. Une vision de l'au-delà — t. 2.
Votre corps, sculpture vivante.
  ISBN 2-89074-387-X (v. 1) - ISBN 2-89074-388-8 (v. 2)
  1. Écrits spirites. 2. Réalisation de soi - Miscellanées.
  I. Seth (Esprit). II. Titre.
  BF1301.R59314 1991   133.9'3   C92-001306-6

Édition
Les Éditions de Mortagne
250, boul. Industriel, bureau 100
Boucherville (Québec)
J4B 2X4

Diffusion
Tél.: (514) 641-2387
Téléc.: (514) 655-6092

Traduction
Pierre Lacasse avec la collaboration de
Lysbeth Le Bescond et de Margo Ouimet

Tous droits réservés
Les Éditions de Mortagne
© Copyright Ottawa 1992

Dépôt légal
Bibliothèque nationale du Canada
Bibliothèque nationale du Québec
3ᵉ trimestre 1992

ISBN: 2-89074-388-8

1 2 3 4 5 - 92 - 96 95 94 93 92

Imprimé au Canada

TABLE DES MATIÈRES

INTRODUCTION PAR JANE ROBERTS

Je suis fière de publier le présent ouvrage[1] sous ma signature, même si je ne comprends pas parfaitement les mécanismes de sa production, ni la nature de la personnalité que j'endosse lorsque je transmets ces messages. Cet ouvrage n'a exigé de moi aucun travail conscient. J'entrais tout simplement en transe deux fois par semaine et je parlais comme «médium» au nom ou en tant que Seth. Je prononçais les mots que mon époux, Robert Butts, transcrivait.

Ce livre est «mien», car il n'aurait pas pu être exécuté sans mon concours et sans mes dispositions particulières. Mais je me rends bien compte que beaucoup plus d'éléments sont en cause ici. Par exemple, il m'a fallu lire le manuscrit pour connaître son contenu. Dans cette mesure, le livre ne semble pas m'appartenir. Que se passe-t-il donc?

Voici mon interprétation. Habituellement, nous nous concentrons d'une manière exclusive sur ce que nous pensons être le monde «réel», mais de fait il existe plusieurs réalités. En déplaçant le foyer de notre conscience, nous pouvons entrevoir d'autres réalités ou aspects de la Réalité. Je ne crois pas qu'il soit possible de décrire ces réalités l'une en fonction de l'autre.

Des années durant, j'étais embarrassée pour classer Seth selon les conceptions du vrai et du faux de notre monde factuel. Certains l'ont vu comme un esprit indépendant; les croyants, comme un guide spirituel. D'autres, les scientifiques, le considérèrent comme une portion décalée de ma propre personnalité. Je ne pouvais accepter ni l'une ni l'autre de ces explications, du moins sans nuances.

Si j'avais le malheur de dire: «Voyez-vous, je ne pense pas que Seth soit un esprit au sens traditionnel du terme», ils l'interpréteraient

---

1. Pour le bénéfice du lecteur, nous reproduisons ici l'introduction parue dans le tome I, *La réalité personnelle, une vision de l'au-delà,* publié chez le même éditeur.

comme une reconnaissance de ma part que Seth n'était **qu'une portion**
de ma personnalité. Certaines personnes pensaient que j'étais en train
de diminuer Seth ou encore de leur refuser l'aide d'un «super-être»
qu'elles pensaient enfin avoir déniché. Je crois maintenant que le
«moi» que nous connaissons dans la vie normale n'est que l'actualisation dans le monde à trois dimensions d'un autre moi-source dont nous
recevons l'énergie et la vie. La réalité de ce dernier ne peut être contenue dans le cadre de notre univers créé, mais elle se manifeste à travers
notre individualité.

L'idée de «guides spirituels» est une représentation symbolique
intéressante de cette réalité, et je ne nie pas leur existence. Je dis que
l'idée doit être examinée plus attentivement, car le guide spirituel peut
représenter quelque chose de bien différent de ce que nous pensons.
L'idée peut aussi être limitative si elle place toujours la connaissance
révélée à l'extérieur de nous et si elle nous porte à interpréter littéralement des phénomènes extraordinaires qui nécessiteraient une autre
explication.

Pendant que je cherchais à comprendre Seth sous l'aspect du guide
spirituel je me fermais, dans une certaine mesure, à sa plus grande
réalité; une réalité au vaste pouvoir imaginatif et créateur, débordant le
monde des faits, et que ce dernier ne peut contenir. Ainsi, la personnalité de Seth est bien visible durant nos sessions, mais sa source n'est
pas aussi évidente. Quant à cela, l'origine de **toute** personnalité est
mystérieuse et ne s'apparente pas au monde objectif. Mon rôle est de
faire la lumière sur une conception plus large de cet univers.

Il se peut que les livres de Seth viennent d'un autre niveau de
ma propre conscience, à quoi s'ajouterait l'intraduisible et superbe
création psychique «Seth», une personnalité plus réelle que n'importe
quel «fait». Son existence est peut-être originaire tout simplement d'un
ordre d'événements différent de celui auquel nous sommes habitués.

Je ne dis pas qu'il faille séparer ce que nous apprenons de la réalité
de tous les jours. Au contraire c'est ce que j'essaie de faire, et Seth a
justement écrit le présent ouvrage pour aider les gens à affronter plus
efficacement leur vie quotidienne. J'insiste sur le fait que nous devons
être très prudents pour ne pas interpréter littéralement des phénomènes
multidimensionnels qui ne sont pas liés à notre système physique à trois
dimensions. Nous comprenons souvent intuitivement et émotivement
plus de choses que par des déductions intellectuelles. Essayer de définir
un fonds révélé ou un «Seth» dans les termes limités de la personnalité

humaine équivaut, disons, à vouloir définir ce qu'est une rose par le chiffre 3, ou à expliquer la première en fonction du second.

Il est surprenant qu'une personnalité désincarnée puisse aider les gens à vivre plus efficacement et plus gaiement en leur montrant qu'il existe d'autres réalités que la leur. Dans ce livre, Seth affirme que nous pouvons changer notre expérience en modifiant notre conception de l'existence physique. Pour moi, la «matière de Seth» n'est plus une série de théories fascinantes que l'on doit confronter judicieusement à la réalité. Curieusement, elle est devenue vivante. Les concepts vivent. Je les éprouve, et grâce à cela ma réalité personnelle s'élargit. J'ai commencé à saisir pour moi-même ces plus vastes dimensions intérieures d'où émane notre vie ordinaire et à me familiariser avec des modes différents de perception que l'on peut utiliser non seulement pour voir d'autres «mondes», mais pour nous aider à transiger plus efficacement avec le nôtre.

Parallèlement à la production de Seth, ma propre vie s'enrichit d'une manière extraordinaire, et par des voies imprévisibles. De nombreuses expériences du type psychédélique me sont arrivées de manière concomitante à la dictée de Seth, et mes propres capacités créatrices et psychiques se sont développées dans des sentiers totalement nouveaux.

Ainsi, tout juste avant que Seth ne commence le présent ouvrage, j'ai été entraînée dans une toute nouvelle aventure que j'appelle le développement Sumari. Sumari se réfère à une «famille» de consciences qui partagent un ensemble de caractéristiques communes. Cette expérience met en évidence un langage, une langue qui n'en est pas une en termes habituels. Je pense que ce langage forme un cadre psychologique et psychique qui me libère de la référence verbale normale. Il me permet d'exprimer, de communiquer des émotions intérieures et des données sous-jacentes aux motifs verbaux formels.

L'expérience Sumari s'est continuellement développée tout au long de la production du livre de Seth. Cette expérience se présente sous différents états de conscience. Dans l'un j'écris la poésie Sumari, dans un autre je traduis ce que j'ai écrit. À un autre niveau d'expression je chante en Sumari; je fais montre alors d'une connaissance musicale et d'une finesse d'exécution qui va bien au-delà de mes talents habituels et de mes antécédents en cette matière. Les chants peuvent être traduits; cependant, que les mots soient compris ou non, ils ont une résonance émotionnelle. Et encore dans un autre état dissocié de conscience, je reçois comme des vestiges d'anciens manuscrits du «Speaker[1]». (Cette matière est également traduite par la suite). Seth définit les «Speakers» comme des enseignants, incarnés ou non, qui interprètent et communiquent continuellement la connaissance intrinsèque à travers les âges. Mon époux a également écrit en Sumari mais je devais en effectuer moi-même la traduction.

Pendant que Seth poursuivait la dictée de *The Nature of Personal Reality*[2], j'écrivis un manuscrit complet de poésies, *Dialogues of the Soul and the Mortal Self in Time*[3], qui m'a permis d'élucider certaines de mes croyances, comme le suggérait Seth tout au long de sa dictée. Cette entreprise déboucha sur un autre groupe de poèmes, *The Speakers*. Tout ceci me porte à croire que nous disposons d'un riche filon de créativité et de connaissance qu'il nous est loisible d'exploiter selon nos capacités; cette veine se trouve là, juste sous la surface de la conscience habituelle. Je crois qu'elle fait partie de notre héritage humain et qu'elle est accessible, jusqu'à un certain point, à n'importe quelle personne ouverte aux dimensions intérieures de l'esprit.

Je rassemble actuellement *Dialogues of the Soul and the Mortal Self in Time*, *The Speakers* et certains poèmes Sumari pour une publication en un même volume chez mon éditeur Prentice-Hall. Je considère ce livre comme le compagnon par excellence du présent ouvrage. Il montre ce qui se passait dans ma réalité personnelle lorsque Seth progressait dans son livre, et il révèle comment la poussée créatrice se projette dans toutes les sphères de la personnalité. Seth fait souvent allusion à mes poèmes et à mes expériences qui les ont déclenchés. Plusieurs de ces événements ont eu lieu lorsque j'essayais de comprendre la relation qui existe entre son univers et le mien, et de saisir le lien entre l'expérience intérieure et l'expérience extérieure.

Par ailleurs, et toujours pendant la dictée du présent ouvrage, je me suis soudainement mise à produire un roman, *The Education of Oversoul 7*[4], d'une manière plus ou moins automatique. «Sur-âme sept», le personnage principal de ce roman, a pris en quelque sorte une réalité

---

1. L'Enseignant.
2. Le présent ouvrage.
3. Que l'on pourrait traduire assez librement par: «Dialogues de l'âme et du moi mortel dans le temps.»
4. «L'éducation de Sur-âme 7». L'auteur désigne le personnage principal de ce roman par son petit nom, soit le chiffre sept ou «Seven» en anglais. (*Note du traducteur*)

bien à lui. Ainsi je l'interpellais mentalement: «Eh bien!, "Seven" qu'en est-il du prochain chapitre?», et le contenu de ce chapitre me venait aussi rapidement que je pouvais l'écrire. Certaines portions du livre me vinrent aussi en rêve.

Je sais que «Seven» et son maître «Cyprus» existent sur un certain plan, cependant leur réalité ne peut être expliquée dans les termes de notre monde factuel. Par exemple, le roman comporte plusieurs poèmes Sumari et des portions de manuscrits du «Speaker»; et lorsque je chante en Sumari, je m'identifie à «Cyprus», un personnage soi-disant fictif. De plus, j'ai découvert que je pouvais entrer en contact avec «Seven» pour lui demander de l'aide à l'égard de mes défis personnels.

J'aime me lancer à fond et utiliser mes capacités aussi librement que possible. Pourtant, je suis souvent choquée intellectuellement par ces mêmes événements qui intuitivement piquent ma curiosité, ou encore par les interprétations qu'on en fait. Il est imprudent de prétendre le contraire, et je pense qu'il y a de bonnes raisons derrière ce mélange inconfortable d'intuition et d'intelligence.

J'apprends que les deux éléments sont importants dans mon travail et dans celui de Seth. Mon propre refus d'accepter des réponses toutes faites me porte à faire d'intenses recherches; sans doute est-il responsable en partie de ma «prise de contact» avec un Seth plutôt qu'avec un «cinglé quelconque».

Le développement Sumari, joint aux expériences que je faisais durant la production de *The Education of Oversoul 7* et celle de *The Nature of Personal Reality*, ne manqua pas de soulever chez moi certaines questions qui me forcèrent à rechercher un cadre plus vaste pour comprendre ce qui arrivait.

Comme résultat, je travaille actuellement à la rédaction d'un livre intitulé *Aspect Psychology*[1] qui, je l'espère, présentera une théorie assez large de la personnalité pour englober les propriétés et les activités psychiques de l'être humain. Seth fait parfois référence à cet ouvrage, *Aspects*[2] comme nous l'appelons; il sera vraisemblablement publié en 1975[3].

---

1. Livre qui sera publié plus tard sous le titre de *Adventures in Consciousness: An Introduction to Aspect Psychology*, Prentice-Hall, 1975.

2. «Aspects» pouvant être entendu comme des portions ou facettes de notre plus grande entité ou identité. (*Note du traducteur*)

3. Effectivement publié en 1975.

Pour le moment, je puis affirmer que nous vivons dans un monde factuel, mais que les événements viennent d'un royaume ou d'une source plus profonde de créativité. Au sens strict, les faits sont des fictions qui prennent vie dans notre expérience. Tous les faits. Seth est alors un «fait», comme vous et moi pouvons l'être, et d'une manière étrange il chevauche les deux mondes. J'ose espérer que *Aspects* viendra aussi couvrir le monde des faits et nous ouvrir aux somptueuses réalités intérieures d'où viennent ces faits, car notre expérience renferme ces deux pôles.

Le présent ouvrage, *La réalité personnelle*, a non seulement enrichi ma créativité, mais il a mis au défi mes idées et mes croyances. J'accepte de tout cœur les concepts que Seth présente ici, tout en constatant qu'ils viennent à l'encontre de certains dogmes religieux, sociaux et scientifiques qui ont cours aujourd'hui. Il est certain que ce livre apportera une réponse à tous ceux qui nous ont demandé de l'aide dans l'application des idées de Seth dans leur vie, et je suis convaincue qu'il aidera de nombreuses personnes à faire face aux divers événements et problèmes de leur vie quotidienne. Seth enseigne en premier lieu que nous créons notre réalité personnelle au moyen de nos croyances conscientes sur soi, les autres et le monde. Vient ensuite ce concept selon lequel le présent – et non le passé de cette vie ou de toute autre vie – constitue notre «point de pouvoir». Il insiste sur la capacité chez l'individu d'une action consciente et il propose d'excellents exercices pour montrer à chaque personne comment appliquer ces théories à n'importe quelle situation de la vie.

Le message est clair: nous ne sommes pas à la merci du subconscient ou impuissants face à des forces que nous ne pouvons pas comprendre. La pensée consciente dirige l'activité inconsciente et utilise tous les pouvoirs du moi intérieur. Ces capacités sont mises en branle par les idées que nous tenons à propos de la réalité. «Nous sommes des dieux incarnés», dira Seth, et il nous a été donné la faculté de former notre expérience par l'actualisation de nos pensées et de nos sentiments.

C'est à la session 608 du 5 avril 1972 que Seth mentionna pour la première fois *The Nature of Personal Reality*; Rob[1] et moi venions tout juste de terminer la lecture des épreuves du livre précédant, *Seth*

---

1. Il s'agit de Robert Butts, époux de l'auteur. (*Note du traducteur*)

Speaks: The Eternal Validity of the Soul[1]. Il commença la dictée du présent ouvrage le 10 avril 1972, mais notre réalité personnelle fut soudain perturbée par une inondation provoquée par la tempête tropicale «Agnès» qui nous a tenus captifs. Le travail sur le livre fut de ce fait retardé, comme vous le verrez à la lecture des notes de Rob.

Seth utilise souvent des épisodes de notre vie comme exemples précis de questions plus larges qu'il aborde. Notre expérience dans cette inondation servit d'amorce à un exposé sur les croyances personnelles et les désastres. Il se servit en diverses occasions de situations de notre vie comme matière de base; c'est un changement étonnant dans sa façon de faire.

Depuis le début de nos sessions, fin 1963, Seth me nomme Ruburt, et Rob, Joseph. Ces noms, dit-il, se réfèrent au plus grand «moi» d'où procède notre identité actuelle. Il poursuit cette pratique tout au long de ce livre. Selon son habitude, Rob prend méthodiquement la dictée de chaque session en mode sténographique, puis il en dactylographie le texte. Cette méthode s'est avérée beaucoup plus facile et plus rapide que l'enregistrement sur bande magnétique, l'écoute et la dactylographie. De temps à autre, Rob note l'heure pour indiquer le temps de transmission de certains passages. Seth lui-même indique les mots à souligner[2], et à mettre entre guillemets ou entre parenthèses. Il indique aussi d'autres signes de ponctuation.

Cet ouvrage devrait aider chaque lecteur à comprendre sa propre expérience et à utiliser cette connaissance pour mieux vivre son quotidien, dans la joie et la créativité.

Jane ROBERTS
Elmira, New York
Le 6 novembre 1973

---

1. *L'enseignement de Seth*, J'ai lu, New Age.
2. En caractères gras dans la présente version.

Chapitre 10

L'ILLUMINATION SPONTANÉE ET L'ILLUMINATION ARTIFICIELLE L'ÂME VÊTUE D'ÉLÉMENTS CHIMIQUES

Session 638 (suite) – Le mercredi 7 février 1973, à 21 h 36

(*En transe, Jane resta immobile dans sa berceuse pendant plus d'une minute. Elle gardait les yeux fermés. Elle n'est pas consciente de ces pauses prolongées, elle me l'affirme souvent[1].*)

Voici le titre du prochain chapitre: «L'illumination spontanée et l'illumination artificielle. L'âme vêtue d'éléments chimiques».

Faisons un arrêt, puis nous commencerons le chapitre.

(*21 h 40. Je ne m'étais pas encore aperçu que ceci constituait le «second» titre de Seth pour ce dixième chapitre. Ma distraction venait peut-être du fait que nous n'avions pas reçu de dictée de livre lundi dernier.* [Voir le tome I, fin de la session 637.] *Reprise à 21 h 52.*)

Le jeune homme, assistant d'un excellent médecin, vous écrivit (*le 13 novembre 1972*) et vous demanda la tenue d'une session à son intention. Il est venu dernièrement (*le lundi 5 février*), et le lendemain soir il suivit le cours de Ruburt[2]. Je lui ai parlé en ces deux occasions.

Il avait utilisé les drogues comme moyen thérapeutique à une certaine époque. Avant cela il avait parcouru l'Inde, puis suivi un gourou. Il laissa le maître pour assister le médecin en question. Comme de nombreux jeunes hommes au cours des âges, il faisait son chemin, cherchant la vérité, retournant toutes les pierres dans l'espoir de découvrir la méthode qui l'aiderait à trouver LA VOIE (en majuscules).

---

1. Les propos entre parenthèses sont de Robert Butts, époux de Jane, qui prend la dictée de Seth. (*Note du traducteur*)

2. Seth désigne habituellement Jane sous le nom masculin de Ruburt.

La méditation lui avait donné certains éclaircissements, cependant le gourou [en Inde] lui avait dit de suivre aveuglément ses enseignements. Le médecin lui laissait une plus grande latitude et il gardait espoir que peut-être la chimie lui ouvrirait les portes de la vérité. Ainsi notre chercheur revint-il en son pays pour faire partie d'une grande institution.

Il vit les malades, les malheureux et les névrosés entrer dans ce nouveau temple de la vérité, où les produits chimiques remplaçaient, disons, la communion. Il voyait certains des malades soulagés, mais il craignait aussi que des interventions inutiles, voire dangereuses, puissent se produire.

Il absorba lui-même des drogues à quelques reprises sous observation; d'abord en petites quantités, puis à doses plus importantes. Il eut quelques expériences particulièrement effrayantes. Le médecin lui suggéra d'y faire face avec une autre dose massive, croyant bien qu'il ne poserait pas le geste, mais il se prêta à l'expérience.

Il fut tellement ébranlé qu'il demanda un antidote, malgré les contre-indications. Le médicament lui fut refusé. Il affirma être heureux d'avoir passé l'épreuve; pourtant de sérieux doutes l'amenèrent à nous consulter. Finalement, il abandonna ce genre de thérapie pour essayer d'autres avenues.

Certaines personnes m'ont contacté après un «mauvais voyage». Les jeunes plus particulièrement, toujours à la recherche de la vérité, sont tentés par les drogues, et tout spécialement par le LSD[1] ces derniers temps.

Je ne parle pas ici de marihuana, qui est un produit naturel et qui par surcroît n'est pas du même ordre. Je parle d'un produit chimique issu d'une connaissance technologique.

Lorsque vous êtes relativement heureux et satisfait dans votre vie courante, c'est le fruit de la grâce. Lorsque vous vous sentez unifié avec l'univers ou que vous vivez une expérience de dépassement personnel, vous êtes en état d'illumination; on y trouve plusieurs degrés. Votre santé bénéficie toujours d'un tel état, à moins que quelques croyances ne viennent y faire obstruction.

---

1. Acide lysergique diéthylamide-25. Un «voyage» peut durer de cinq à huit heures, et même plus. Mais l'expérience psychédélique n'est pas identique chez tous les individus en termes de temps ou de contenu; le tout est très personnel. À noter que les affirmations de Seth ne concernent que le LSD absorbé dans certaines conditions. (*Note de Robert Butts*)

(*22 h 14*) Ces états activent au niveau cellulaire le souvenir de réponses agréables «passées», provoquées en cours de vie par divers événements conscients ou non.

Cette mémoire cellulaire intime donne accès à son tour à d'autres couches cellulaires; ici encore il y a des variations. Je le répète, chaque atome ou molécule garde «mémoire» de ses expériences «antérieures». Selon l'état d'illumination ou de grâce, de nombreux souvenirs peuvent être activés; souvenirs qui n'ont pas forcément rapport avec votre propre expérience; cependant votre engagement personnel et les événements de votre vie peuvent s'y retrouver sous des aspects totalement différents de votre cadre habituel.

Chaque événement de votre vie est inscrit dans la mémoire de l'univers. (*Pause*) L'état d'illumination peut donc activer la mémoire cellulaire individuelle et, par delà, vous apporter selon le cas une plus grande compréhension de votre propre naissance et de votre mort.

Veux-tu te reposer?

(«*Non.*»)

Spontanément, il vous arrivera d'éprouver de temps à autre de tels états de grâce ou d'illumination, peu importe les termes employés. Vous serez en paix avec vous-même et l'univers, ou vous dépasserez votre propre individualité pour vous sentir soudain en train de participer à des événements ou des phénomènes extérieurs. Mais dans une certaine mesure, de telles expériences constituent votre héritage naturel.

Votre conscience, encore une fois, fait partie de votre moi intérieur et elle évolue. Pour la conscience de l'espèce, son développement a une grande signification. Elle tire sa force de ces sources vitales intérieures et régénératrices.

Les psychologues reçoivent habituellement des gens en difficulté. L'homme heureux n'a pas besoin de ce genre de consultation. Peu de recherches ont été faites sur l'homme heureux, pourtant les raisons qui sous-tendent cet état seraient des plus révélatrices.

En thérapie, l'emploi de doses massives de LSD provoque instantanément un état de démence entretenu chimiquement. J'entends une situation où la pensée consciente est maintenue dans l'impuissance. Non seulement la psyché est assaillie, mais ici la structure même qui rend possible votre existence rationnelle dans la réalité physique est attaquée. L'*ego*, c'est certain, ne peut être annihilé dans la vie physique. Tuez-en un et tout de suite un autre émergera du moi intérieur, sa source.

Repose-toi.

(*De 22 h 34 à 22 h 39*) Dans ces conditions forcées, vous vivez littéralement la mort de votre conscience égotiste en des circonstances qui n'avaient pas à se produire; et ceci pendant que votre corps lutte pour conserver sa vitalité. Vous faites surgir un dilemme gigantesque.

Le paysage de la psyché apparaît effectivement, apportant une excellente matière au psychiatre. Mais l'expérience du patient – et tout ceci s'applique à l'absorption de doses massives de LSD – personnifie, sous un visage horrifiant, l'éclosion de la conscience de l'espèce et son retour au néant; une **renaissance** s'ensuit, le patient cherchant alors à revenir d'un univers non approprié dans les circonstances.

Les structures biologiques et psychiques les plus profondes sont **modifiées**. Je n'ai pas dit qu'elles étaient endommagées, mais c'est possible selon la situation. La conscience est attaquée à sa base. Les moments de transcendance, s'il en **survient**, représentent la naissance psychique d'une nouvelle personnalité sur les cendres de l'ancienne, et de même origine. Dans certains cas, les messages génétiques ont été modifiés. (*Avec fermeté*) C'est un assassinat psychique dans un cadre technologique.

Sous l'effet du LSD, vous êtes très influençable. Si on vous dit que l'*ego* doit mourir, vous le tuerez. Dans les meilleures conditions, vous suivrez par télépathie les idées de votre guide. (*Longue pause*) La renaissance «psychique» peut vous laisser avec tout un nouvel ensemble de problèmes pour le moment indéchiffrables, issus des anciens.

Le nouvel *ego* est très conscient des conditions de sa naissance. Il sait être né de la mort de son prédécesseur; c'est pourquoi à travers la joie transcendante de ce renouveau il craint pour son propre sort.

L'intégrité **naturelle** de la créature n'est pas la même. Elle n'aura pas la même **confiance** dans l'univers physique. Son alliance avec celui-ci n'est pas apaisante. (*Toujours avec fermeté*) Le «moi» qui est né et qui a grandi avec le corps n'est plus; un autre «moi» est sorti de cette organisation antérieure.

De tels changements arrivent naturellement au cours d'une vie, et lorsque le moi se transforme ainsi il devient réellement tout autre. Lorsque cela se produit «spontanément», il s'agit là d'un acte créateur de la psyché qui vient à son propre rythme; il coule avec les saisons de l'esprit et de la chair, et avec celles de la conscience et des cellules, selon des modes que vous ne saisissez pas encore. Mais la structure entière et tout ce qui en dépend changent complètement; cependant l'esprit conscient n'est pas en mesure d'appréhender les résultats.

Vous vous développez et vous vivez des morts et des renaissances qui se produisent continuellement au cours d'une vie et que vous ne comprenez pas. (*Jane se pencha par insistance.*) De telles doses massives de LSD activent chimiquement **tous** les niveaux de mémoire cellulaire à un tel point que, dans un sens, les cellules ne sont plus **en charge** d'elles-mêmes. Les souvenirs émergent d'une manière imprévisible lorsque le système est dans un tel état de tension. L'alliance ténue entre le biologique et le psychologique est rompue.

Prends un moment de repos.

(*De 23 h 02 à 23 h 24*) Le fait de considérer l'*ego* comme le parent pauvre du soi vous oblige à poser de tels gestes pour accéder à la connaissance intérieure.

Les individus utilisent ces procédés simplement parce qu'ils ne connaissent pas le dynamisme de leur propre conscience. Alors le patient et le thérapeute partagent la croyance que la pensée consciente n'a pas accès facilement à la connaissance dont elle a besoin.

Ils partagent aussi d'autres croyances. Par exemple, que le moi intérieur est un dépôt de peurs et de terreurs réprimées et un lieu de barbarie; qu'il doit être contraint à rejeter cette matière pour dégager son pouvoir et favoriser l'expression positive de son énergie créatrice; et que par conséquent il doit d'abord faire face à toutes les peurs de son passé avant d'être délivré des présentes.

Il s'agit simplement ici d'un autre système de croyances que partagent le patient et le thérapeute. De par leur caractère spontané, de telles séances thérapeutiques **semblent** en effet présenter aux psychiatres et aux psychologues une carte de la psyché. Les données statistiques de traitements individuels, tous différents les uns des autres, suivront bien sûr une même tendance; celle des croyances reconnues et auxquelles on réagit par télépathie. **On pourra** y retracer symboliquement un paysage de la psyché, mais il sera déformé. Ces [*symboles*][1] sont des tentatives de la conscience de représenter la mémoire cellulaire. L'action psychique stimule toujours les molécules. La «connaissance» latente et fluide

---

1. Les crochets sont de Robert Butts. (*Note du traducteur*)

des molécules sous-tend la «connaissance» des cellules (*souriant*). Elles travaillent ensemble harmonieusement. Sous l'agression psychique de doses massives de LSD, la compréhension même des molécules veut éclater. Cependant, ceci ne peut être perçu physiquement. L'intégrité cellulaire peut elle-même être menacée. Ruburt a bien raison en disant que cette intervention est pire qu'une thérapie à base d'électrochocs, d'autant plus que ce n'est pas nécessaire.

Ce traitement repose en fait sur la prémisse que la pensée consciente est incapable de traiter une matière très intuitive ou psychique, qu'elle ne connaît pas les problèmes profonds et que son rôle est simplement analytique. Vos croyances seules produisent cet effet.

(*23 h 38*) Ce genre d'assauts à la conscience ébranle la stabilité de votre espèce et porte atteinte à l'intégrité de la création. Vous objecterez que ces composés sont naturels puisqu'ils existent dans cette réalité, mais le corps reconnaît les ingrédients provenant de la terre. De grandes doses de ces drogues «artificielles» ne sont pas assimilées facilement; elles créent la confusion biologique.

Dans un cadre naturel, certains indigènes d'Amérique utilisent le peyotl à leur manière; mais non pas comme des gloutons, accablant et détruisant leur système. Leur corps l'accepte comme des ingrédients de la structure terrestre. Ils n'essaient pas de s'enlever la vie. Ils l'utilisent pour accroître leurs perceptions innées.

Ils font «un» avec Tout Ce Qui Est[1], comme il se doit, sans mourir à leur vie terrestre. Ils peuvent assimiler leur connaissance et la mettre intentionnellement à profit dans leur vie et dans leur structure sociale. Cette connaissance enrichit bien entendu leur propre système de croyances à travers lequel ils comprennent et acceptent leur état de créature. Ils considèrent la pensée consciente comme un complément, et non un obstacle à l'être biologique.

Comme je l'ai mentionné (voir la session 621, chapitre 4, tome I), deux écoles de pensée ont la faveur populaire.

La première croit que l'esprit et l'intellect possèdent toutes les réponses; ce qui signifie pour cette école que la pensée consciente, analytique avant tout, trouve toutes les réponses par la seule raison. La seconde école croit que les réponses viennent de la sensibilité et des

---

1. Seth nomme souvent sous le vocable de «Tout Ce Qui Est» ce que d'autres appellent Dieu. (*Note du traducteur*)

émotions. Les deux font fausse route. L'intellect et l'intuition **réunis** forment votre existence; il est particulièrement faux de croire que la pensée doit avant tout être analytique, par opposition, par exemple, à une compréhension ou à une assimilation de connaissances psychiques intuitives.

Ni l'une ni l'autre ne comprend la flexibilité et les possibilités de la pensée consciente, et l'humanité commence à peine à en tirer profit.

Ce sera maintenant la fin de la dictée. Avez-vous des questions?

(*«Non.»*)

Les explications concernant le chat sont là à votre disposition.

(*«Oui. Merci.» Il était trop tard; nous étions tous deux fatigués. Seth nous a également souligné la disponibilité de ce renseignement sur la vie et la mort de Rooney, dans une partie éliminée de la session de lundi dernier.*)

Et je suis fier de notre contrat...

(*«Et nous donc!» L'agent-éditeur de Jane chez Prentice-Hall, Tam Mossman, lui a confirmé par téléphone la transmission du contrat de publication de ce livre.*)

... mais à ce moment-là (*souriant*) je le savais déjà, vous comprenez[1].

(*«Oui. Bonne nuit, Seth.»*)

(*Avec plus de force et joyeusement*) Je ne me soucie pas du temps. Nous pouvons tenir trois sessions par semaine si vous le voulez.

(*«Très bien.» Nous devons théoriquement livrer ce manuscrit pour octobre prochain.*)

Je puis tout faire sauf la dactylographie.

(*Fin de la dictée à 23 h 55. «J'ai maintenant beaucoup d'énergie en réserve, dit Jane après être sortie rapidement de transe. Je la sens couler en moi. Je pourrais faire une longue promenade, jouer au badminton ou même tenir une autre session.» Elle blaguait évidemment.*)

(*Il n'est pas contradictoire de parler d'un trop-plein d'énergie chez Jane malgré la fatigue. À minuit, elle exécuta pour moi un court chant en Sumari. Le chant était précis, lyrique et reposant; je me sentais*

---

1. Cela me rappelle qu'avant même la signature du contrat de *L'enseignement de Seth*, Seth avait informé Tam que le livre serait publié. (*Note de Robert Butts*)

plutôt déprimé aujourd'hui et elle essayait de me remonter le moral.
Comme toujours, elle semblait transportée dans ce chant ravissant, la
tête appuyée sur le dossier de sa berceuse et les yeux clos. Certains
passages en Sumari sortent avec puissance alors que d'autres coulent
délicatement. Elle maîtrise très bien sa respiration. Elle n'a jamais pris
de cours de technique vocale.)

(Jane explique ce qu'est le Sumari dans l'introduction du présent
ouvrage. Par ailleurs, vous trouverez en annexe de son roman The
Education of Oversoul 7 *(L'éducation de «Sur-âme 7») des extraits de*
proses et de poésies en langage Sumari. Ce roman sera également
publié chez Prentice-Hall.)

Session 639 – Le lundi 12 février 1973, à 21 h 05

(Après la dernière session, je disais à Jane combien je trouvais
ambigus les deux titres du chapitre 10, mais le dilemme s'estompa
vite.)

Bonsoir.

(«Bonsoir, Seth.»)

La première partie du livre[1] s'intitule: «Ce point de convergence
entre vous et l'univers». L'en-tête qui t'embarrassait correspond à la
deuxième partie du livre *(le présent ouvrage,* Votre corps, sculpture
vivante, *transmis à la session 637, chapitre 9.)* Le titre: «L'âme vêtue
d'éléments chimiques» est celui du prochain chapitre *(chapitre 10),* le
premier de la deuxième partie.

(«Très bien.»)

Ceci dit pour les éclaircissements. *(Pause)* Maintenant, passons à la
dictée. Votre corps est vous fait chair. Comme je l'ai dit dans d'autres
livres, l'âme ne peut jamais s'affirmer **complètement** à travers l'expérience corporelle; dans ces termes, il y a donc toujours des portions de
vous non exprimées.

Votre expérience physique entière doit être axée, évidemment, sur
la réalité corporelle. L'énergie qui meut votre image vient de l'âme.
Vous dirigez votre corps, dans la santé ou la maladie, par vos pensées.
Vos connaissances conscientes vous permettront de guérir la plupart
des maladies de votre corps, selon certaines conditions que nous pré-
senterons plus loin.

---

1. Le tome I, *La réalité personnelle, une vision de l'au-delà.*

Vos idées elles-mêmes suivent certaines lois de la créativité. Elles ont leurs propres rythmes. Les processus associatifs de votre pensée, qui s'effectuent grâce au cerveau, ont un lien étroit avec le comportement élémentaire de vos cellules. En apprenant à utiliser vos pensées, ou même par leur simple mouvement naturel, des transformations se produisent au niveau cellulaire. Il y a un ordre progressif et une relation intime entre les pensées et les cellules.

Lorsque vous prenez des doses massives de LSD, vous créez artificiellement une aire de bouleversement dans l'espoir de préserver l'efficacité du soi. Il est vrai que les liens entre le processus associatif de la pensée et son action habituelle peuvent être brisés, mais il est vrai aussi que la structure interne a été organiquement et physiquement ébranlée.

(*Pause d'une minute à 21 h 21*) Dans la vie courante, et en particulier à travers les rêves, de nombreuses guérisons naturelles se produisent, même lors de cauchemars qui vous sortent avec terreur du sommeil. L'individu prend alors conscience de la situation accablante, mais **après coup** et de façon rétrospective. Le cauchemar peut lui-même servir de traitement choc auto-administré, traitement par lequel la mémoire cellulaire est touchée autant que par une thérapie au LSD.

Mais le soi est pour lui-même le meilleur des thérapeutes. Il sait exactement combien de ces «chocs» la psyché peut absorber et laquelle des associations activer par de tels procédés imaginatifs.

Les cauchemars successifs sont souvent une thérapie-choc de régulation interne. Ils peuvent effrayer grandement le moi conscient mais, au réveil, celui-ci en revient sans doute ébranlé mais en sécurité dans son cadre journalier.

D'autres scènes oniriques oubliées agissent également comme tampon et aident l'individu à supporter les effets d'une telle «thérapie cauchemardesque». De la même manière que certains traitements au LSD donnent en **bout de ligne** un sentiment de renouveau (souvent bien temporaire), une telle période de cauchemars amène naturellement des rêves où le moi fait un rapprochement entre la source de son être et lui.

(*21 h 32*) Si les savants étudiaient le corps et l'esprit du point de vue de leurs capacités naturelles de guérison, ils pourraient apprendre à stimuler **ces fonctions**, car elles servent toute la vie; et le corps possède bien d'autres aptitudes.

Avec de puissantes doses de ces matières, la conscience individuelle est vivement mise en présence d'expériences qui ne lui conviennent pas et qui lui donnent un sentiment d'impuissance. (*Pause*)
Lorsque la pensée consciente est exposée aux tourments de la guerre et
des désastres naturels, elle demeure en contact avec ce monde pour
lequel elle est formée. Dans les moments de grande tension, elle fait
appel au corps et à sa force intérieure pour accomplir des actes d'héroïsme; le pouvoir et l'énergie du soi en période de crise la laissent
ébahie.

Sa propre stabilité peut être renforcée et sa compréhension grandement approfondie. Lors de catastrophes naturelles, les individus peuvent se surprendre de leur grande capacité d'interaction avec les autres,
mais devant les désastres psychiques provoqués par de fortes doses de
LSD l'effet est bien différent. La conscience se trouve en situation de
crise; non pas par une menace extérieure, mais parce qu'elle est forcée
de combattre sur un champ de bataille dont elle ne comprend pas les
règles. Il s'agit d'un univers où ses alliés habituels, à savoir le pouvoir
d'association, la mémoire, les capacités organisatrices du moi intérieur,
sont devenus soudain des ennemis.

Elle est devenue vulnérable à toutes ces forces qui devaient la
guider, au moment même où elle se voit privée de ses capacités logiques naturelles; et en fait de son sens même d'identité. (*Avec fermeté*)
Il n'existe rien d'extérieur sur quoi elle peut s'appuyer, ni de cadre où
trouver un équilibre.

Ruburt rédige actuellement un livre de poésie, «Les dialogues», et
il y évoque ces deux mondes. Un soir par la fenêtre de sa cuisine, sans
le concours de drogues d'aucune sorte, il vit une flaque d'eau se changer tout à coup en une jolie créature vivante, fluide; il la vit se dresser
et marcher sous la pluie qui glissait le long de ses flancs liquides.

Ruburt était rempli de joie en observant cette réalité. Il savait que
dans la réalité physique la flaque était immobile, mais qu'il percevait
une autre réalité, tout aussi solide; en fait, une réalité plus vaste où
résidait cette «créature de pluie».

Pour un moment, il vit ce double monde de son œil physique. Cette
expérience, toute réjouissante qu'elle fût, aurait pu devenir un «cauchemar», n'eut été de sa compréhension du phénomène. Ainsi aurait-il été
traumatisé si, en sortant de chez lui, il avait vu sortir ces créatures
vivantes de chaque mare d'eau et s'il avait été incapable sa vie durant

d'effacer ces visions. Dans les **circonstances**, cette expérience lui fut profitable.

Mais lorsque la pensée consciente est placée dans des situations beaucoup moins plaisantes et qu'elle perd en même temps son pouvoir de raisonnement, alors ses fondements mêmes sont ébranlés.

Prenez maintenant une pause.

(21 h 51. La transe de Jane était vraiment profonde; son débit plus rapide que jamais depuis le début de La réalité *personnelle. Elle bâilla à plusieurs reprises.)*

(À la suite de l'expérience de la flaque d'eau, et une autre dont il est question ci-dessous, je lui demandai de mettre par écrit ses réflexions. C'est ce qui est présenté avec des extraits de Dialogues, *dans les notes de la prochaine pause. Reprise à un rythme plus lent à 22 h 20.)*

Dictée. *(Chuchoté et avec humour)*

(Je repris à voix basse: «Très bien.»)

Ruburt eut une autre expérience immédiatement après celle de la «créature de pluie». Les yeux grands ouverts, il se tenait dans cette étroite cuisine, lorsqu'une douce lumière jaune l'entoura soudainement.

Il la vit physiquement, mais n'en décelait pas pour autant la cause. Elle disparut après quelques secondes. Cet éclair le fit sursauter. La dernière ligne du poème qu'il avait complété avant le repas de midi parlait d'une lumière venant éclairer les deux mondes, celui de l'âme et celui de la chair. Consciemment, il croyait avoir vu un éclair, même s'il savait à un autre niveau que ce n'était pas le cas.

Dans l'instant, la ligne de son poème lui revint; c'est là qu'il fit le lien. La pensée consciente fut distraite un moment, mais elle put assimiler le message. Cette lumière prendra tout son sens avec ses rêves[1], dans une poursuite intuitive du poème et de l'expérience physique.

Ruburt découvrira naturellement la signification de la lumière lorsqu'il sera prêt. Donc, comme pour n'importe quel phénomène passé, cet événement n'est pas complété. Dans l'expérience de prise de drogue mentionnée précédemment (*à la dernière session*), des symboles et événements effrayants se trouvent soudainement imposés à la conscience; et qui plus est, dans un contexte où le temps qu'elle connaît ne

---

1. Cependant, après quelques mois, Jane ne se souvenait pas de rêves sur la lumière...

joue plus. Elle ne peut réagir subjectivement aux phénomènes, car ils se produisent trop rapidement.

Ce déroulement rapide et incohérent ne lui laisse aucune prise sur ce qui se passe. Il ne peut être toléré de séparation entre le soi et l'expérience. Même une expérience exaltante peut être un assaut à la conscience si elle est forcée. Le prix payé est beaucoup trop élevé pour la personnalité dans son ensemble.

Par la suite, dans des séances thérapeutiques de «rebirth» par exemple, la personne peut effectivement sentir de l'exaltation. Les vieilles structures du moi se sont écroulées et les nouvelles la réjouissent dans leur unité et leur vitalité.

Par ailleurs, on observe souvent une tendance suicidaire chez le sujet. La connaissance d'un «moi ancien» déchu est toujours présente; quelle assurance peut avoir le soi-disant «moi nouveau» de sa survie? (*Pause*) Je le répète, le corps est une **sculpture vivante**. Vous êtes en lui et vous le formez; pendant votre existence physique, **il est vous**. Vous devez vous identifier à votre être matériel. Sinon vous vous sentirez détaché de votre identité biologique.

Votre moi physique est l'identité à travers laquelle vous vous exprimez. Vous êtes plus que votre être temporel considéré en lui-même. Votre vie comme créature dépend de votre alliance avec la chair. Vous survivrez à la mort de votre corps, mais en pratique, vous fonctionnez toujours à travers une image de vous-même.

(*22 h 42*) Si vous vous identifiez uniquement à votre corps, vous sentirez que la vie après la mort est impossible. Cependant, si vous vous considérez seulement comme un être rationnel, vous ne vous sentirez pas vivant dans la chair, mais séparé d'elle. Songez que vous êtes maintenant une créature physique. Sachez que plus tard vous fonctionnerez sous une autre forme, mais que maintenant le corps et le monde matériel constituent votre mode d'expression.

Cette attitude est de la plus grande importance. Sous l'influence d'une drogue, à forte dose, vous séparez l'expérience physique de son contexte; vous la percevez de façon telle que ses fonctions normales n'ont plus aucun sens. Le monde pourrait s'écrouler sur vous, que vous n'auriez aucun moyen physique de vous défendre.

Le psychiatre dira peut-être: «Va, entre dans l'expérience; et si nécessaire, sois annihilé.» Ceci va directement à l'encontre de votre héritage biologique et du sens commun.

(*Avec un sourire*) Je suis bien conscient de la distorsion religieuse introduite ici: mourez à vous-même et vous renaîtrez; ne vous enlevez pas la vie. Le moi que vous connaissez meurt et renaît continuellement, comme le font les cellules de votre corps. Organiquement et spirituellement, la nouvelle vie repose sur ces innombrables transformations, ces morts et ces naissances qui suivent le rythme naturel des saisons de la terre et celles de la psyché.

(*Lentement à 22 h 54*) Changez avec «la souplesse de la danse des êtres», telle qu'elle est exprimée dans l'univers du corps et de la pensée. Mais cela n'inclut pas la crucifixion de l'*ego*.

Vous faites appel à la drogue, comme thérapie, lorsque vous ne faites plus confiance au soi naturel. Les individus qui cherchent ce traitement craignent leur propre identité plus que tout au monde. Ils ne demandent pas mieux que de la sacrifier. (*Pause, puis souriant*) Vos pensées et vos croyances forment votre réalité. Comme le soulignait Joseph (*nom que Seth me donne*) à la pause, il n'est pas de thérapie magique; seules compte la compréhension de votre immense créativité et la connaissance de votre rôle d'architecte de votre propre monde.

Dans la vie physique, l'âme est vêtue d'éléments chimiques, et vous utilisez les ingrédients de votre corps pour former une image conforme à vos croyances. Certaines de ces convictions vous viendront certainement de votre culture. D'autres correspondront à votre conception de vous-même dans la chair. Vos croyances concernant un produit chimique en modifient l'effet sur vous. Lors d'une thérapie au LSD, on vous prépare à une réaction forte. Votre expérience concordera avec vos croyances et celles de votre thérapeute, transmises en parole ou par télépathie.

Si vous croyez par ailleurs que les constituants chimiques de certains aliments vous perturberont de façon importante et entraîneront de graves conséquences, alors même de petites doses peuvent vous affecter.

Vous pouvez faire une pause.

(*23 h 05. Jane ne se rappelait de rien de ce qu'elle avait transmis de Seth depuis la dernière pause.*)

(*Je vous présente maintenant des extraits de ce qu'elle avait rédigé à ma demande, le soir du 2 février, sur la «créature de pluie» et sur son expérience de la «lumière». La description de Jane et ses poèmes complètent les remarques de Seth et montrent comment elle a pris* conscience de la singulière transformation de ses inspirations poétiques en une réalité visuelle et comment elle poussa plus loin le processus créatif en convertissant ses nouvelles perceptions en poésie. Nous croyons que ces percées entre les réalités sont fréquentes et généralement spontanées, dans tous les domaines de la «vie». En art, on parle d'inspiration.)

(«Le vendredi 2 février 1973.»)

(«Je me suis acharnée tout le jour, écrivait Jane, sur mon livre de poésies Dialogues of the Soul and Mortal Self in Time. Je travaillais comme une enragée, j'étais sous l'effet de l'inspiration. Avant le souper[1], je me penchais sur cet unique et cependant double univers du soi et de l'âme; la dernière strophe du poème laissait la parole au "moi" mortel:

> Avec notre double vision,
> traversons ces deux mondes en un
> et formons un unique double chant
> qui se projette en ondes
> de pensées et de sang,
> qui tournoie, se tord et se répercute
> dans le double ciel
> de notre unique univers, et éclate
> en un arc-en-ciel résonnant
> de douces berceuses,
> et retombant en lumière
> dans nos deux mondes.

(«Après le souper, Rob sortit faire l'épicerie. Je ne sais quelle heure il était, mais il faisait noir et il pleuvait abondamment; l'on voyait des éclairs au loin. Le temps était doux pour février. Je pensai sortir faire une promenade, mais je m'en abstins... à la suite des deux expériences, soit celle de la "créature de pluie" et celle de la "lumière", relatées par Seth dans la présente session, j'ajoutai ceci à Dialogues:

> Plus tard,
> le moi mortel poursuivit:
> Était-elle réelle
> cette lumière jaillissante;
> frappa-t-elle un but?
> Me voilà debout

---

1. Repas du soir en Amérique. (*Note du traducteur*)

à la fenêtre de ma cuisine,
à regarder la chaussée ruisselante.
Seule l'obscurité
marque la différence.
J'ai écrit tout le jour,
veillé à l'entretien de la maison,
et bientôt nos invités seront là;
je me sens la tête vide.
Pourtant j'étais prise, transpercée.
Les gouttes de pluie tombaient
en milliers de points étincelants
dans une mare tout en bas;
sous ma vue
la flaque d'eau se dressa, s'épaississant
en un tissu hérissé
comme un poumon d'air gonflé,
un porc-épic de lumière;
les gouttes de pluie se développant
en sa périphérie
et en son intérieur tout autant.
Elle buvait les reflets
lumineux, au passage des autos
qui fondaient aveuglément sur elle,
et se gonflait par pulsations,
cette chose vivante, fluide et brillante.
La pluie glissait lentement sur sa peau liquide;
là se tenait cette créature chatoyante;
chaque partie était si fugitive et vivante,
si coulissante et miroitante
que je fermai les yeux.
Je les rouvris immédiatement.
La créature s'affaissa
puis se redressa pour
se projeter en mon âme.
Nos deux mondes se confondirent
et je poussai un cri;
au même instant apparut devant moi
un cercle de lumière douce,
bien démarqué entre le réfrigérateur
et la cuisinière.
Je fus saisie
et fis un mouvement de recul.
Un cercle brillant
flottant doucement dans l'air
à hauteur de tête,
non pas une boule de feu,

mais une lumière immobile,
silencieuse et circulaire;
l'absence de dispersion lumineuse
laissait le reste de la pièce dans le noir.
Éclairant, bien entendu,
le réfrigérateur et la cuisinière,
mais sans reflet revenant de ceux-ci;
ne laissant aucun rayon de lumière
dans ou en dehors de la pièce,
par où elle était venue.
Le cercle apparut soudain dans l'air
comme fleur de tournesol,
plus grande que nature,
sans graines ni tige.
Un présage? Une lumière venant de toi
qui devait unir notre unique
double monde, apparaissant
dans mon univers?
Peu importe la cause et l'origine,
elle m'est apparue pour une raison,
et j'aimerais la connaître.
La mare était naturelle, je sais,
et à plat dans ce monde,
alors qu'en l'autre vision
je vis son pendant
se dresser tout luisant
et marcher presque,
mais si cette lumière vient
du monde qui est mien,
je dois avouer,
je ne sais comment.
Mais chère âme,
je dois couper court
à notre dialogue.
J'entends nos visiteurs,
et je suis heureuse
de m'asseoir là, simplement,
et bavarder en ce soir de tempête,
pendant que souffle le vent pleuvassant.

(«*Dans cette mare vivante je perçus deux réalités – la flaque d'eau "nature" et cette créature débordant notre contexte physique – et j'aurais pu, je crois, passer de l'une à l'autre. Mais la lumière n'avait pas son pendant. Je pense qu'elle venait directement... de cette autre réalité, parce que mes propres "fenêtres" étaient ouvertes.*»)

(Reprise à 23 h 25)

Le cycle normal de la mort et la renaissance des cellules se produit sans heurt ni perte d'orientation; il en est ainsi dans le schème habituel de transformation de l'*ego*. La mémoire cellulaire est facilement transmise d'une génération de cellules à une autre.

Tel que je l'ai mentionné (*dans le premier chapitre, session 610, tome I*), ce que vous nommez «*ego*» est une parcelle de l'identité intérieure qui surgit pour affronter le monde de l'existence physique. Dans le cours normal des événements, il changera de visage, mais il ne mourra pas comme tel, même s'il perd sa situation «privilégiée». Son organisation se modifiera en tant que partie de la psyché vivante.

Lors d'un effondrement forcé, le moi intérieur essaie avec acharnement de réorganiser le tout en «parachutant» des «*ego*-tampons» pour maîtriser la situation; et dans ces termes, plus vous tuerez d'*ego*, plus il en émergera.

Pendant ce temps, la situation du corps est grandement ébranlée, et l'organisme physique est contraint de répondre au mieux à une série d'événements désastreux; événements, il le sent bien, qu'il **ne peut cependant pas** saisir physiquement. Il sait qu'il a affaire à un «simulacre» de bataille, mais il ne peut s'empêcher de libérer les éléments chimiques et les hormones nécessaires pour combattre un mal physique semblable. Cela provoque une grande fatigue du corps et un épuisement inexcusable des énergies naturelles.

Les idées forment la réalité, alors le corps est obligé de réagir à des situations «imaginaires» dans lesquelles, par exemple, l'esprit évoque d'implacables circonstances qui n'existent pas physiquement; celles-ci n'en déclenchent pas moins une suractivité de l'organisme et un état de tension. Dans une thérapie à fortes doses de drogues, le corps se sent des plus menacés; il est forcé d'utiliser toutes ses ressources pendant que ses propres signaux l'avisent que les messages reçus ne concordent pas, et pourtant ils indiquent un état d'urgence extrême.

(23 h 40) Dans une certaine mesure, cela constitue un assaut à sa simple condition de créature. De plus, les images perçues et ces expériences sont conservées, et le soi-disant nouvel *ego* naît avec leur souvenir. Certains psychologues se plaisent à affirmer que vous réagissez inconsciemment à votre propre naissance[1]. Mais en fait, il s'agit d'une

---

1. Jane et moi sommes profondément en désaccord avec cette idée. (*Note de Robert Butts*)

situation où le moi est menacé d'anéantissement, pendant qu'un autre «moi» participe à sa mort pour le supplanter.

(*Longue pause*) Je suis bien conscient que nombre de psychologues et psychiatres ont le sentiment de dresser la «carte» de la psyché avec ces méthodes. C'est une chose de disséquer une grenouille dans l'espoir de saisir ce qui la faisait vivre; mais il est trois fois plus dangereux de pourfendre un psychisme dans l'espoir de lui rendre sa configuration initiale.

Voilà pour la dictée. Nous terminerons la session à moins que vous n'ayez quelques questions.

(*«Tu nous avais promis des explications concernant notre chat Rooney.»*)

(*Rooney est mort il y a une semaine; nous décrivions cet incident à l'ouverture de la session 638. Nous incluons ces propos pour répondre à de nombreux correspondants qui s'interrogent sur le rôle des bêtes dans les familles et leur rapport avec les valeurs véhiculées. Les indications de Seth étaient d'une perspicacité étonnante et touchaient notre vie privée; nous avons dû retrancher certains passages. Nous en présentons suffisamment pour montrer que de telles relations peuvent être d'une grande complexité.*)

Un moment s'il vous plaît... Le chat serait mort cet hiver-là. À votre point de vue, c'était une mort probable. Dans un sens, il mourut de fait à ce moment-là. Dans votre réalité, vous l'avez sauvé. Il avait été enfermé dans cette maison là-bas et il devenait fou, il était terrifié.

(*Construite au tournant du siècle, de conception victorienne, la maison en question était en ruine et occupait le coin de la rue opposé à la nôtre. Jane en avait fait de nombreux croquis de notre fenêtre du salon.*)

(*Elle fut endommagée par le feu il y a quatre ans. La famille qui demeurait là dut l'abandonner et l'on condamna toutes les issues; Rooney, un minet à l'époque, fut ainsi enfermé. Quelques jours plus tard, un passant entendit ses miaulements et le libéra. La maison a été démolie depuis.*)

Ruburt éprouvait une certaine crainte du chat; sa captivité l'aurait, selon lui, rendu sauvage; c'est ainsi d'ailleurs qu'il voyait sa propre mère. Ruburt se sentit donc obligé d'aider Rooney, sans en être aimé pour autant; tout comme dans ses jeunes années [Jane] se sentit obligée de soutenir sa mère.

Le chat était conscient de tout ceci. Il prit du poids comme la mère de Ruburt, mais cessa d'être une menace. Le chat fut finalement castré. Si la mère de Ruburt avait été stérile, il aurait eu forcément une autre mère et des antécédents différents, en supposant que Ruburt se soit incarné.

Le chat était un mâle. Cependant, Ruburt et toi l'appeliez Catherine lorsqu'il était tout petit, avant de réussir à l'entraîner chez vous. Rooney s'attirait des ennuis dans le voisinage, comme le père de Ruburt dans les bars en divers endroits du pays. Le chat était conscient de cette étiquette, mais il était prêt à échanger cela contre quelques autres années de vie physique; ce qui lui aura donné l'occasion de recevoir pour la première fois de l'attention.

Rooney a même appris à s'entendre avec un autre chat; Willy, votre chat plus âgé, lui servit de guide.

La mère de Ruburt avait très peur des chats, les noirs surtout. De temps à autre, Rooney et Ruburt s'échangeaient leurs petits malaises. Le chat n'était cependant pas un récepteur passif. Il eut également la chance d'apprendre de ses rencontres avec les locataires du bas (*qui possédaient aussi un chat*). Nombre de sentiments de Ruburt à l'égard de sa mère sont ensevelis avec Rooney. Rooney, de son côté, est maintenant libre de la méfiance qu'il portait; elle était liée à ses antécédents dans cette maison d'en face, et il vous était reconnaissant pour ce sursis que vous lui avez accordé.

Rooney était aussi le symbole de l'enfance pénible de Ruburt, et il dut prendre le temps de l'amadouer.

Avec la mort de la mère de Ruburt l'an dernier, Rooney avait accompli sa mission quant à Ruburt. Rooney lui a même rendu un ultime service car, à travers sa mort, Ruburt put affronter la peur de la souffrance et de son état de créature, que sa mère par sa vie lui avait transmise.

Ce sera tout.

(«*Merci.*»)

Mes meilleurs salutations.

(«*Toi de même, Seth, et bonne nuit.*»)

(*00 h 08. Jane ne se rappelait de rien. Seth avait touché le sujet des probabilités et laissé planer des choses à propos de la réincarnation en lien avec Rooney; c'est ce que je constatai en examinant mes notes.*

Mais Seth s'est engagé sur une autre piste avec Jane, avant même que je puisse l'interroger sur de telles relations. Puis elle sortit de transe. «Il a quelque chose à dire sur Willy aussi», dit-elle, mais elle était fatiguée. Fin de la session à 00 h 21.)

Session 640 – Le mercredi 14 février 1973, à 21 h 27

(Il tombait une neige fondante après le dîner. Au moment de la session, il nous sembla que cette bordée serait la plus importante de l'hiver. Le voisinage était tout enveloppé et serein; même la circulation automobile était lente, quel soulagement!)

Bonsoir.

(«Bonsoir, Seth.»)

Dictée. Le corps et la psyché utilisent des systèmes naturels de «feed-back» pour établir l'équilibre et favoriser votre croissance. On note certaines différences, comme il a été dit (*à la session 636, chapitre 9, tome I*), entre vous et les animaux à ce sujet, et dans la **manière** dont vous créez votre réalité...

(Pause) J'essaie d'établir un rythme ici qui sera favorable à ta prise de notes...

(«Ça va de mon côté.» La cadence de Seth-Jane avait été inégale depuis le début de la session, et je me demandais si je n'aurais pas à interrompre la transmission pour en connaître la raison. À la suite de cette remarque, cependant, Jane reprit son allure normale, un rythme mesuré.)

Chez l'homme, les pensées conscientes sont des plus importantes, car elles dirigent les activités inconscientes. **En comparaison**, vous êtes donc plus responsable des résultats physiques que les animaux avec leur instinct. Ainsi, vous possédez un double système de «feed-back», l'un conscient et l'autre inconscient, pour évaluer votre expérience et la changer au besoin.

Les systèmes immunitaires ont un rôle important dans cette inter-relation et leur activité est continue. Dans un sens, l'état de grâce ou d'illumination se produit dans un parfait équilibre entre la conscience et autres niveaux de la psyché et le corps; c'est une reconnaissance biologique et spirituelle de l'unicité de l'individu et de sa relation avec l'univers au sens large du terme.

De tels états favorisent la santé, de même que l'efficacité mentale, psychique et physique. La grande latitude de la pensée consciente, s'exerçant via l'intellect en lien avec les sens, permet au moindre événement de déclencher ce genre d'illumination. La pensée consciente possède une grande capacité de concentration, mais comme elle est braquée sur la dimension physique elle peut être qualifiée d'étroite; cependant, dans ce cadre elle est libre d'interpréter la réalité corporelle comme bon lui semble.

Par exemple, elle peut considérer une rose comme le symbole de vie ou de mort, de joie ou d'amertume; dans certaines conditions, son interprétation d'une simple fleur peut déclencher de profondes expériences qui mobilisent les puissantes ressources de l'être. Votre conscience égotiste a été si mal comprise que vous ne considérez habituellement que ses capacités analytiques. Il va sans dire que cette caractéristique est très importante, car elle permet de séparer de vastes ensembles en des champs plus étroits de perception pour votre compréhension. Mais la pensée consciente a aussi une grande capacité de synthèse. Elle regroupe divers éléments de votre expérience en de nouveaux motifs.

Ces nouvelles formes stimulent ensuite les portions internes du soi, renouvelant ainsi son expérience. Le soi réagit alors avec la richesse de son propre tissu psychique et vous transmet en quelque sorte des capacités nouvelles pour faire face aux circonstances extérieures.

(*21 h 45*) Lorsque le corps et l'âme travaillent dans la même direction, leur relation est harmonieuse et leurs systèmes d'équilibre respectifs vous gardent en état de grâce et en bonne santé. Je vous disais précédemment (*voir la session 614, chapitre 2, tome I*) que vos sentiments suivent vos croyances; si cela ne vous semble pas évident, c'est que vous n'êtes pas au fait du contenu de votre pensée. Vous pouvez à volonté fermer vos yeux physiques. De même vous pouvez fermer les yeux de votre pensée consciente et prétendre ne pas voir ce qu'elle dissimule. Votre engouement pour toutes ces thérapies extérieures vient d'un manque de confiance en vos capacités thérapeutiques naturelles ou d'une incompréhension du conscient et de l'inconscient.

La technologie et les inventions vous ont nui à certains égards. Par ailleurs, la technologie vous apporte les bienfaits de la thérapie musicale; la musique active en effet les cellules de votre corps, stimule l'énergie du moi intérieur et aide à faire l'unité entre la pensée consciente et les autres portions de votre être.

La musique est une excellente représentation extérieure du son vivifiant intérieur aux effets thérapeutiques. Ce dernier agit continuellement sur le corps (*voir tome I, chapitre 5*). La musique sert de rappel conscient de rythmes profonds, reliés au son et au mouvement. L'écoute d'une musique que vous aimez vous amène sous différentes formes des images qui évoquent vos croyances.

L'écoute de la pluie peut même favoriser les propriétés thérapeutiques du son. Vous n'avez pas besoin de drogues, d'hypnose ni même de méditation. Vous n'avez qu'à laisser libre cours à votre pensée consciente. Par elle-même, elle suscitera les réflexions et les images qui portent leur propre thérapie.

Vous écartez souvent ce traitement naturel en faisant fi des pensées effrayantes qui, à leur tour, vous conduiraient à la source de croyances «négatives» à résoudre; vous pourriez ainsi les traverser avec un sentiment de joie triomphante. Au lieu de cela, certains d'entre vous prennent la voie des drogues qui vous imposent ou qui font sortir de tels sentiments et de telles pensées, tout en vous refusant le réconfort stabilisateur de l'esprit conscient.

Vous pouvez faire une pause.

(*De 22 h 01 à 22 h 16*) Les rêves sont l'une des plus merveilleuses thérapies naturelles et ils constituent le lien le plus efficace entre vos univers intérieur et extérieur.

Vous ne les analysez habituellement pas en fonction de vos croyances courantes. On vous a appris à les interpréter selon des procédures stéréotypées. On vous dit, par exemple, que certains objets ou certaines images de rêves ont une signification précise – pas forcément la vôtre – selon que vous êtes de telle ou telle école de pensée psychologique, mystique ou religieuse.

Certains de ces systèmes ne sont pas sans fondement, mais ils négligent le caractère très intime des rêves et le fait que vous créez votre propre réalité.

Le feu signifie une chose si vous en avez peur et une autre si vous le considérez comme une source de chaleur; et chacune de ces significations prendra la teinte d'une infinité de circonstances de votre vie. Vous avez de la difficulté à donner un sens à vos rêves parce que vous ne les confrontez pas avec votre réalité consciente. Dans votre conception, le conscient ne peut pas comprendre. Les relations étroites entre vos rêves et votre expérience éveillée vous échappent. Vous ne constatez pas que de nombreux problèmes physiques sont résolus pour vous et par vous dans vos rêves.

Cela se produit très souvent lorsque vous revoyez un problème avant de vous endormir, le définissez clairement, puis vous vous laissez emporter par le sommeil. Cela arrive aussi inconsciemment. Les rêves vous informent de l'état de votre corps, de l'univers en général et des conditions extérieures qu'engendreront vraisemblablement vos croyances actuelles.

L'état de rêve constitue un banc d'essais pour explorer des actions probables et décider de celles que vous actualiserez physiquement. Non pas uniquement les cauchemars, comme nous l'avons dit (*à la dernière session*), mais d'autres rêves ont des propriétés thérapeutiques beaucoup plus grandes que les états provoqués par les drogues. Les somnifères viennent inhiber une telle activité.

Nous reviendrons sur la nature créatrice et thérapeutique des rêves et sur les méthodes les plus simples de les utiliser efficacement. Je veux simplement vous signaler ici quelques voies naturelles d'auto-illumination et d'entrée dans la «grâce». Ces avenues pourront servir de solution de rechange à ceux qui croient qu'il est impossible de «secouer» l'*ego* autrement que par l'utilisation de produits chimiques ou autres méthodes; des moyens conçus pour lui enlever momentanément son pouvoir, plutôt que de lui enseigner à utiliser les grandes capacités d'assimilation dont il dispose.

En plus de vos capacités naturelles de guérison, vous disposez de mécanismes stimulateurs uniques reliés à votre expérience. Vous pouvez les reconnaître et les utiliser.

Dans ce domaine, certains événements prennent une grande importance. Vous pouvez utiliser des circonstances particulières, sans signification pour d'autres, pour ouvrir votre propre centrale d'énergie et de force intérieure. Ceci comprend les événements de rêve et les circonstances de la vie courante. Si vous vous éveillez régénéré à la suite de certains rêves, vous pourrez renouveler l'expérience en pensant à ces rêves avant de vous endormir.

Si une activité, aussi saugrenue soit-elle, vous donne de la satisfaction, poursuivez-la. Toutes ces méthodes naturelles de guérison peuvent mener — au-delà d'un sentiment de bien-être, de force, de santé et de vitalité — à ces sublimes expériences d'illumination et de grâce.

(*22 h 42*) L'exercice d'un art, de par sa nature, est thérapeutique; la création artistique vient d'un mélange exquis du conscient et de l'inconscient. J'essayerai de vous expliquer le lien entre les rêves, la créativité et votre expérience.

Sentir que votre vie extérieure surgit de votre réalité invisible, par l'intermédiaire de votre pensée consciente et de vos croyances, est source de vitalité; c'est le premier pas vers l'illumination véritable. C'est là que vous discernez réellement le pouvoir de votre individualité et de votre identité. Vous devez alors **prendre position**. Vous ne pouvez plus vous considérer comme victime des circonstances. La pensée consciente s'est développée précisément pour vous permettre ces choix, pour vous libérer d'une expérience prédéterminée et laisser libre cours à votre créativité quant à la portée de vos réalisations.

Je dois préciser une chose ici. Vos croyances conscientes dirigent les mécanismes inconscients qui matérialisent vos idées, de sorte que vos pensées causent votre expérience, **sans que vous ayez conscience** du processus (*avec force*).

Par exemple, vous ne pouvez pas vous emporter en disant: «je veux être illuminé» et penser que cela se produira, si vos croyances actuelles sont contraires à ce principe.

Vous pouvez vous sentir indigne ou croire qu'il vous est impossible d'atteindre un tel état; dans ce cas vous émettez des messages contradictoires. Vous n'avez pas à vous préoccuper de la manière dont vos intentions seront traitées inconsciemment, car les mécanismes intérieurs ne sont pas à votre portée.

La sexualité est une autre voie thérapeutique naturelle dont il ne faut pas obstruer le cours par des croyances contraires. Par ailleurs, l'expérience «mystique» naturelle dévoilée dans les dogmes est une thérapie religieuse originale souvent déformée par les organisations ecclésiastiques, mais par elle l'homme reconnaît son unité avec la source de son être et de son expérience.

Veux-tu faire un arrêt?

(*22 h 56. «Non.»*)

L'âme n'est pas habillée des seules substances chimiques, mais elle endosse le tissu de tous les éléments terrestres. Votre organisme sera partiellement changé par toute matière chimique, nourriture ou drogue que vous assimilez, mais leur effet dépendra de vos croyances.

Vos rêves ainsi que les événements physiques modifient continuellement l'équilibre chimique de votre corps. Un rêve peut être intentionnellement expérimenté pour combler une carence dans votre vie de tous les jours. Il mobilisera vos ressources et déclenchera un afflux hormonal, créant ainsi une tension onirique propice à l'action curative de votre organisme, pour mettre fin à certains malaises physiques.

En d'autres occasions, un interlude de «rêve» paisible viendra minimiser un stress provoqué par une suractivité hormonale et chimique.

Ces rêves peuvent vous apporter un grand bien-être, mais seulement à court terme, à moins que la pensée consciente ne révise les croyances qui ont provoqué le déséquilibre. Les doses massives de substances chimiques reçues de l'extérieur amènent une situation tout à fait différente et ajoutent de nouvelles tensions. La conscience se voit alors dans une position encore plus précaire et ressent un affaiblissement de son pouvoir et de son efficacité.

Un sentiment d'exaltation peut découler d'une telle thérapie; cependant la conscience ne trouve aucune explication à toutes ces aventures, et sa capacité d'affronter la réalité physique est amoindrie. Les traitements naturels intérieurs n'entraînent pas ce genre de réaction chez l'individu. Ceux-ci devraient être compris et encouragés par vos psychologues.

Prenez un peu de repos.

(23 h 13. La transe de Jane était excellente, son débit régulier et résolu. Dehors il neigeait abondamment. Reprise de la même manière à 23 h 28.)

Votre corps est votre propre sculpture vivante; non seulement dans sa forme et sa structure, mais dans sa connaissance sensible et son effet particulier sur les autres. De plus, vous avez doté cette sculpture du pouvoir de créer.

(Longue pause) Ces capacités corporelles innées vous soutiennent tout au long de ce processus continu de création de votre image. *(Pause)* Votre identité intérieure, qui n'est jamais complètement exprimée dans la chair, est la **source** de cette créativité; mais ces portions non extériorisées demeurent à votre disposition. Vous réagissez à votre propre corps même si vous en êtes l'auteur. Dans ce contexte, il existe une interaction constante entre le créateur et la créature; et dans cette réalité tridimensionnelle le créateur participe tellement à son œuvre qu'il est difficile de les différencier.

Le peintre fixe une partie de lui-même sur sa toile. Mais vous, vous transmettez tout ce que vous connaissez de vous-même à votre corps; il est donc vous dans la chair. Un artiste aime son tableau. Physiquement parlant, ce dernier est terminé lorsqu'il dépose son pinceau, à son point de vue tout au moins, car le tableau produit des effets. Mais, vous, **vous créez** votre image matérielle tout au long de votre vie et vous **vous** y manifestez.

Le peintre n'observe pas, à travers les yeux de son œuvre, la pièce où elle est suspendue. Pourtant, vous scrutez l'univers à travers vos propres yeux. (*Pause*) Vous ne créez donc pas seulement votre corps, mais son expérience tout entière et le contexte dans lequel il évolue. Il constitue le cadre de votre expérience; vous le créez tout comme l'artiste crée la perspective.

Les arbres d'un paysage peint ne bougent pas malgré le courant d'air dans le hall d'exposition. Le portrait ne fermera pas l'œil s'il est ouvert, mais, vous, **vous vous déplacez** dans l'espace physique que vous avez créé pour vous-même.

(*23 h 44*) Les caractéristiques d'une peinture sont fixées sur une toile ou un panneau rigide, mais votre âme n'est pas peinte sur votre corps. Elle y entre et en fait partie. Vous ne pouvez physiquement contenir toute votre identité, et cette portion «libre» de vous, et dont vous êtes inconscient, crée la chair.

Encore une fois, vous déterminez sa forme par vos croyances, mais la partie inconsciente de vous-même la «produit».

Fin de la session.

(*«Merci.»*)

(*Seth ne nous quitta pas immédiatement. Il revint avec une page de renseignements concernant la poésie de Jane, son travail sur les croyances et ses dernières réflexions sur ses propres capacités psychiques. Il enchaîna avec quelques commentaires sur notre relation et nos liens avec nos parents.*)

(*Plaçant tous ces éléments dans une perspective psychologique globale, il déclara: «Les sessions furent entre autres générées par votre propre expérience comme créature, dans un désir de trouver des réponses personnelles; mais d'une manière plus fondamentale, vous étiez à la recherche d'explications souhaitées par votre race toute entière.» La session prit fin à 23 h 50.*)

Session 641 – Le lundi 19 février 1973, à 21 h 42

(*Jane dut répondre à deux appels téléphoniques prolongés après 20 h 30, ce qui explique le retard de ce début de session.*)

Bonsoir.

(*«Bonsoir, Seth.»*)

(*Amusé*) Êtes-vous prêts pour la dictée?

(*«Plus ou moins.»* *J'étais mi-badin, mi-sérieux dans ma réponse. Pour une raison obscure, j'avais de la difficulté à me mettre dans l'esprit de la session.*)

Pour créer une statue, le sculpteur utilise sa pensée, son talent, son corps et ses ressources intérieures.

Il choisit délibérément de produire une sculpture et il concentre instinctivement ses énergies dans cette direction. Lorsque vous formez la sculpture vivante de votre corps, une entreprise beaucoup plus importante que n'importe quelle œuvre d'art, il n'en va pas autrement. Vous devez canaliser vos énergies pour la réalisation d'un corps au fonctionnement équilibré. Vous formez continuellement votre image. Plusieurs aspects du processus artistique passent inaperçus; ainsi les mécanismes intérieurs de création de votre moi matériel échappent à votre conscience. Ils n'en sont pas moins très efficaces.

La création artistique est intimement liée à l'état de rêve; ainsi en est-il de l'art vivant de votre corps. Son rythme respiratoire est influencé par la remarquable capacité thérapeutique des rêves. Les déséquilibres chimiques sont souvent corrigés automatiquement lors de «jeux de rêves». Vous produisez alors certaines hormones comme s'il s'agissait de situations réelles. (*Voir la note sur les hormones à la session 621, chapitre 4, tome I.*)

Dans une scène de rêve, votre rôle viendra résoudre de manière créative les problèmes qui ont amené ce déséquilibre. Les rêves à forte teneur agressive peuvent dans ce contexte vous être très bénéfiques. Ils permettent à l'individu de se libérer de sentiments généralement retenus et par le fait même de tensions corporelles. Dans une grande mesure, cette thérapie de rêve ininterrompue permet au corps et à l'esprit de s'ajuster. Ainsi votre chair est-elle sensible à vos rêves.

Les objets serviront sans doute de symboles, mais il n'existe pas d'interprétation universelle du symbolisme de rêve; un symbole ne peut avoir une signification générale. Les expériences individuelles sont trop diversifiées. Il est vrai que parfois vous atteignez en rêve les sources profondes de votre être, mais là encore, l'expression de cet être est par trop individuelle pour accorder à des symboles généraux une même signification «inconsciente».

(*21 h 54*) Ici encore il peut être intéressant de faire un rapprochement avec le monde artistique. Les artistes utilisent la même «matière», à savoir l'expérience humaine; mais ce qui fait une «grande» œuvre est cette brillance unique, cette touche individuelle qui ressort du potentiel humain. Plus tard, les critiques pourront classifier, rattacher l'œuvre à une école particulière et faire le lien entre son symbolisme et celui d'autres tableaux; puis ils feront l'erreur de croire que ces symboles sont généraux et qu'ils signifient toujours la même chose partout où on les retrouve. Tout ceci peut être très loin de l'évocation imaginaire de l'artiste et de son expérience personnelle; il se demandera alors comment les critiques ont pu faire une telle lecture de son œuvre.

(*Ce n'est que trop vrai. Étant moi-même un artiste, j'ai à plusieurs reprises constaté ce phénomène de la «critique»; amusant parfois, mais généralement frustrant. On m'a même félicité, ou encore critiqué, sur des aspects que je n'avais même pas remarqués, alors que mes véritables intentions étaient ignorées ou non perçues. Mais une chose plus déroutante encore: «Parlent-ils vraiment de ma peinture?»*)

Il en est de même pour les rêves. Personne d'autre que vous n'en connaît réellement la signification. Si vous croyez que les livres vous donnent la signification exacte de tel ou tel objet de rêve, vous ressemblez à l'artiste qui accepte l'interprétation du commentateur de son œuvre. Vos rêves vous paraîtront étrangers, car vous essayez de les calquer sur un modèle qui ne vous appartient pas.

De toute manière, l'interprétation consciente d'un rêve ne constitue qu'un aspect de la tâche. Le vrai travail se fait en profondeur aux niveaux psychique et biologique, pendant le rêve.

L'événement même de rêve perturbe votre condition physique tout entière; de là son constant effet thérapeutique. Ce résultat dépend du scénario de rêve (*pause*) dans lequel les problèmes et les défis de votre existence sont résolus. De nombreuses actions y sont simulées; celles-ci sont ensuite projetées en un futur probable.

Avec la compréhension de vos propres croyances, vous pouvez apprendre à utiliser plus efficacement vos rêves dans des buts précis. L'état de rêve, siège d'importants développements de votre corps physique, est en même temps le lieu de guérison par excellence.

Vous pouvez faire une pause.

(*22 h 14. Le débit de Jane était régulier. Le sujet des probabilités me rappelle le chapitre 16 de* L'enseignement de Seth. *Voici une affir-*

mation de Seth qui me plaît beaucoup: «Chaque acte mental ouvre de nouvelles dimensions d'actualité. Dans un sens, vos moindres pensées donnent naissance à des mondes.» Reprise à 22 h 33.)

J'aimerais préciser quelque chose ici. Certaines drogues administrées à des malades «mentaux» endiguent en partie le courant thérapeutique des rêves.

Autre chose sur la médecine. Comme je le disais (*voir la session 624, chapitre 5, tome I*), si vous partagez les croyances de la médecine occidentale, je ne vous suggère pas de cesser tout recours aux médecins. Mais tout désordre chimique se corrigera de lui-même lorsque les causes du problème auront été liquidées par différentes méthodes naturelles de guérison.

Le nouvel équilibre indique à l'organisme la résolution d'un problème interne. Le corps, l'esprit et la psyché fonctionnent alors d'un commun accord. S'il arrive de nouveaux défis psychiques, une autre ronde thérapeutique naturelle commence dans un mouvement rythmique. Cependant, lorsque les déséquilibres physiques sont neutralisés par des médicaments, les messages corporels signalent la résolution d'un dilemme intérieur même s'il n'en est rien (*dit avec fermeté*).

L'organisme ne forme pas un tout dans ces conditions. Le problème s'est manifesté et les médicaments sont venus interrompre l'expression particulière du désordre psychique. L'organisme devra alors emprunter d'autres voies pour le démontrer.

S'il y a une nouvelle obstruction, la relation corps-esprit se détériore. Les mécanismes internes sont déréglés. Non seulement le défi premier n'est pas assumé, mais l'expression physique devant amener une solution naturelle est sans cesse déniée.

Plusieurs aspects entrent en considération ici, et dans votre société vous devez évidemment tenir compte de vos systèmes de croyances. Si vous ne croyez pas au processus naturel de guérison, vous bloquerez systématiquement son fonctionnement. La peur de ne pas pouvoir consulter un médecin ne fera qu'envenimer la situation. Par ailleurs, la foi elle-même en la science médicale vous soulagera.

Ce soulagement ne sera que temporaire cependant si les problèmes intérieurs sont éludés. Il arrive pourtant qu'ils **soient résolus** malgré vos croyances, de par la puissante énergie créatrice de votre être et les systèmes de défense dont votre corps est pourvu.

(*22 h 49*) Il en est de même pour les traumatismes mentaux qui parfois peuvent être mieux surmontés **naturellement** qu'à l'aide de thérapies professionnelles; certaines guérisons se produisent en effet malgré vos traitements prodigués avec la meilleure des intentions. L'une de vos dernières trouvailles consiste à croire que certaines maladies mentales proviennent de déséquilibres chimiques. Un correctif à ce niveau donne des effets certains, mais il faut comprendre que de telles instabilités chimiques ne sont pas à l'**origine** de la maladie. Elles sont causées par vos croyances concernant votre propre réalité. Si un tel médicament améliore la situation, il n'en reste pas moins que le problème intérieur relié aux croyances doit être résolu. Dans le cas contraire, d'autres maladies prendront la relève.

Il est très difficile de vous prendre en main de manière «naturelle» dans une culture où médecins, médicaments ou aliments particuliers sont la clé de vos problèmes. C'est donc dire que devant une opposition massive, ceux qui désirent tirer le meilleur avantage de leur capacité innée de guérison ont généralement le fardeau de la preuve.

Malheureusement, plus vous vous appuyez sur les moyens extérieurs, plus il vous semble **impérieux** de vous y fier, et moins vous croyez en vos propres dispositions. Vous serez «allergique» à un médicament simplement parce que le corps sait que s'il acceptait ce produit, il n'y aurait pas d'autres moyens pour régler un problème précis ou qu'une maladie plus grave résulterait du «camouflage» de ce dilemme.

Il est donc ardu de tirer pleinement profit de la thérapie naturelle dans votre société, car son action est sans cesse contrariée depuis votre naissance. Mais elle fonctionne malgré les obstacles et elle peut en tout temps prodiguer santé et vitalité à cette sculpture vivante, siège de votre expérience actuelle.

Faisons une pause.

(*23 h 02. Pendant la pause, un bruit sourd provenant d'un appartement voisin se fit entendre. On aurait dit une troupe occupée à déplacer tout un ameublement. Je fus surpris de voir Jane rentrer en transe à travers ce vacarme. Reprise en un rythme plus lent à 23 h 14.*)

Maintenant. (*Pause*) Les «maladies» mentales font souvent ressortir les contrastes de croyances en un milieu donné. Les sujets ont des convictions tellement différentes de celles de leur société que cela se répercute dans leur comportement. L'individu connaît des moments de crise, tout comme pour les maladies physiques, mais par lui-même il peut tout aussi bien trouver sa propre solution.

Même dans le cas des «désordres» mentaux, le positionnement de l'individu à l'égard de son propre corps est primordial; sont importantes également ses croyances concernant son corps et sa relation avec les autres dans l'espace et dans le temps. (*Pause*) On **notera** souvent des déséquilibres chimiques provoqués inconsciemment par l'individu, dans le but de résoudre une série d'événements «hallucinatoires». Le maintien d'un tel «rêve objectivé» exige une combinaison chimique différente de celle qui prévaut à l'état normal. Il est important de souligner que peu importe la maladie adoptée, mentale ou physique, elle le fut pour une raison, et l'individu sait être en mesure, physiquement et mentalement, d'y faire face d'une manière naturelle.

(23 h 28. Tout est redevenu calme...)

Les différences de personnalité comptent donc pour beaucoup dans le type de maladie acceptée, ou de «supplice» que vous décidez d'infliger à votre propre sculpture vivante!

Il faut comprendre que les problèmes intérieurs rencontrés sont toujours **constructifs**; ces défis favorisent votre développement.

Ainsi, une maladie provoquée par un sentiment de culpabilité vous obligera à affronter et à vaincre l'idée consciente de culpabilité. Le corps lui-même est toujours en état de devenir. Vous vous imaginez qu'il atteint un apogée, puis il se détériore, il s'amoindrit. Vous n'avez donc pas compris qu'il est l'expression de votre être dans la chair?

Il reflète les saisons de la terre et de la chair. Il est le miroir fidèle et confiant de ce que vous croyez être. Il continue de le faire dans la vieillesse. Il montre dans la chair ce que vous êtes, à votre entrée comme à votre sortie; il va sans dire que de nombreuses variantes sont possibles. Plusieurs personnes cessent de créer leur corps et meurent jeunes, et ceci pour différentes raisons, évidemment. Mais certains meurent parce qu'ils **croient** que la vieillesse est honteuse et que seul le corps jeune peut être beau.

Vos croyances concernant l'âge perturberont donc votre corps et toutes ses capacités. Comme je l'ai déjà mentionné (*voir la session 627, chapitre 6, tome I*), vous pouvez devenir sourd parce que vous croyez fermement que l'ouïe diminue avec l'âge. Vous modifierez la composition chimique de votre corps selon vos croyances en son activité aux différents stades de votre vie.

Les organes, les constituants chimiques, les cellules, les atomes et les molécules forment votre sculpture vivante, mais vous en dirigez l'activité par vos croyances conscientes. Ces dernières canalisent cette grande énergie créatrice qui donne vie à votre corps; elles veillent à ce qu'il reflète constamment ce «moi» que vous croyez être.

(*Avec plus de force et souriant, après une transmission résolue*) Fin de la session. Nous approchons la fin du chapitre. Avez-vous des questions?

(*«Je ne pense pas.»*)

Alors je vous souhaite une très bonne nuit...

(*«Merci beaucoup, Seth.»*)

... avec mes respects les plus profonds à vous deux.

(*«Bonne nuit.» 23 h 40*)

Session 642 – Le mercredi 21 février 1973, à 21 h 11

Bonsoir.

(*«Bonsoir, Seth.»*)

Vous pouvez, avec profit, faire appel aux capacités thérapeutiques naturelles du corps, comme nous le verrons dans le chapitre suivant. Nous vous dirons comment vous y prendre et nous vous parlerons du rôle de la pensée consciente comme guide de «l'âme vêtue d'éléments chimiques».

Fin du chapitre.

Chapitre 11

LA PENSÉE CONSCIENTE
PORTEUSE DES CROYANCES
VOS CROYANCES ET LEUR RELATION
AVEC LA SANTÉ ET LA SATISFACTION

Session 642 (Suite)

(*21 h 12*) Le prochain chapitre s'intitule: «La pensée consciente porteuse des croyances. Vos croyances et leur relation avec la santé et la satisfaction».

(*Pause*) Vos croyances personnelles dirigent dans une grande mesure les émotions que vous ressentez à un moment ou l'autre. Vous vous sentirez agressif, joyeux, déprimé ou résolu selon les événements, la vision de vous-même face à ceux-ci, et selon l'idée que vous vous faites de vous-même. Vous ne comprendrez pas vos émotions si vous ne connaissez pas vos croyances. Si vous n'êtes pas attentif aux croyances qui meublent votre esprit, vous vous sentirez agressif ou bouleversé sans raison apparente, car elles génèrent leurs propres émotions.

Par exemple, quelle serait d'après vous l'une des plus grandes causes de dépression? La croyance même que votre pensée consciente est impuissante face aux circonstances qui vous sont imposées de l'extérieur ou devant de puissants événements émotionnels qui vous accablent de l'intérieur.

Dans un sens, la psychologie, la religion et la science ont chacune contribué à accroître la confusion en dépouillant la pensée consciente de ses capacités de direction et en la considérant comme l'enfant pauvre du soi. (*Pause*) Les écoles de «pensée positive» essaient de remédier à cette situation; cependant, elles font souvent plus de mal que de bien parce qu'elles tentent de vous inculquer de force des croyances que vous voudriez bien avoir, mais auxquelles vous ne pouvez accéder dans votre état actuel de confusion.

De par certaines philosophies, vous tremblez d'effroi à l'idée de nourrir des pensées ou émotions «négatives». Dans tous les cas, la clé de votre expérience émotionnelle et de votre comportement se trouve dans votre système de croyances. Certaines croyances sont plus évidentes que d'autres, mais **toutes** sont disponibles consciemment. Si vous croyez n'avoir que peu de mérite, si vous vous sentez inférieur et coupable, vous prendrez différentes attitudes selon vos antécédents personnels et le cadre dans lequel vous avez accepté ces croyances. Ainsi, les émotions agressives peuvent vous atterrer parce que les autres vous semblent plus puissants que vous. De plus, si vous croyez que de telles idées sont mauvaises, vous les repousserez et vous vous en sentirez d'autant plus coupable; ce qui générera de l'agressivité contre vous-même et accroîtra votre sentiment d'indignité.

(*21 h 34*) Si dans cet état d'âme vous suivez des enseignements qui vous incitent à méditer sur la bonté et à tourner immédiatement vos pensées vers l'amour et la lumière lorsque vous êtes irrité, cela vous causera des ennuis. De telles pratiques ne feront que rendre plus effroyables vos émotions naturelles. Vous ne comprendrez pas pour autant leur raison d'être. Vous ne serez que plus habile à les dissimuler, et peut-être tomberez-vous malade si vous ne l'êtes déjà.

Dans cette conjoncture, plus vous essayez d'être «bon», plus vous vous rabaissez à vos propres yeux. Que pensez-vous de vous-même, de votre vie de tous les jours, de votre corps et de vos relations avec les autres? Posez-vous la question. Écrivez la réponse ou enregistrez-la. Rendez-la plus objective.

Lorsque vous sentez la montée d'émotions déplaisantes, prenez le temps d'en identifier la source. Les réponses sont beaucoup plus évidentes que vous ne le pensez. Admettez ressentir ces émotions pour l'instant. Ne les dissimulez pas; ne faites pas la sourde oreille en essayant de leur substituer ce que vous croyez être de bonnes pensées.

Soyez d'abord conscient de la réalité de vos émotions. Avec le temps et plus de vigilance face à vos propres croyances, vous verrez comment elles font naître spontanément certaines émotions. L'homme qui est sûr de lui ne se fâche pas à la moindre offense et ne garde pas rancune. Cependant, celui qui doute de sa propre valeur sera furieux dans ces conditions. Si vous laissez libre cours à vos émotions, elles vous ramèneront toujours à vos croyances conscientes.

Vos émotions modifient continuellement l'équilibre chimique de votre corps et transforment sa production hormonale, mais le danger ne vient que lorsque vous refusez d'examiner vos pensées. La simple intention de vous connaître et d'accepter la réalité de votre expérience vous sera très profitable; elle déclenchera les émotions qui vous fourniront l'énergie et la poussée de départ.

(*Pause*) Personne ne peut le faire pour vous. Vous pouvez croire que pour avoir une bonne hygiène mentale vous devez toujours être joyeux, décidé et aimable, et ne jamais pleurer ni montrer votre désappointement. Cette croyance à elle seule peut vous faire nier des dimensions fort naturelles de l'expérience humaine et endiguer un flot d'émotions qui viendraient purifier votre corps et votre esprit. Si vous êtes convaincu que les émotions sont dangereuses, alors cette croyance engendrera la crainte de toute émotion, et vous vous affolerez de tout comportement chez vous qui ne serait pas «raisonnablement» calme.

Vous pouvez donc penser que vos émotions sont tout à fait imprévisibles, très puissantes et qu'elles doivent être contenues à tout prix. Une telle tentative d'étouffer des sentiments naturels aura tôt ou tard des rebondissements, mais il faut blâmer **la croyance elle-même** et non les émotions. Toutes ces conditions vous éloignent de votre sens d'équilibre interne. La grâce naturelle de notre être est perturbée.

Maintenant, faites une pause et nous poursuivrons.

(*21 h 54. La transe de Jane avait été excellente, son débit rapide compte tenu de mon rythme d'écriture. Les remarques de Seth tombaient bien, spécialement celles qu'il a faites vers 21 h 34, si l'on se réfère à un comportement amusant de Jane tout juste avant la session. Elle prit machinalement un livre de la bibliothèque. Il s'agissait d'un traité d'autoguérison écrit par un médecin réputé. En feuilletant l'ouvrage, Jane ressentit une forte irritation devant de si lamentables suggestions qu'elle lança le livre à travers la pièce.*)

(*Pendant la pause, je me demandais à haute voix si elle n'avait pas choisi intuitivement ce livre, sachant que Seth parlerait ce soir de ce genre d'écrits; à moins que Seth n'ait utilisé cet incident pour prouver son point. Jane ne le savait pas, ajoutant qu'elle n'avait pas «regardé ce livre depuis quatre ou cinq ans». Moi de même. Cependant, je me rappelle combien nous adhérions à ce genre de choses quand nous l'avions acheté...*)

(*Poursuite au même rythme à 22 h 05.*)

La pensée consciente coordonne l'ensemble de vos capacités en fonction de ses croyances concernant la réalité. Ces ressources sont considérables, car elles englobent les aspects les plus profonds de votre créativité et des pouvoirs bien en dessous de la conscience, et dont vous n'avez qu'une faible idée.

Vous ne pouvez pas montrer de la joie et croire que vous n'avez pas droit au bonheur ou que vous ne le méritez pas. Vous ne pouvez pas vous permettre des pensées agressives si vous croyez qu'il est mauvais de les libérer; vous devez donc dans tous les cas revenir à vos croyances.

Si vous avez appris que l'esprit était bon, voire parfait, et que vous devez vous aussi être parfait en tout alors que vous croyez toujours en l'**imperfection** de votre corps, vous serez évidemment en continuel conflit avec vous-même.

S'il vous semble que l'âme est amoindrie par son association à la chair, vous ne pourrez pas jouir de votre propre grâce; vous ne croirez tout simplement pas en cet état. Vos croyances vous dicteront l'**interprétation** même de vos diverses émotions. Ainsi, certaines personnes sont convaincues que la colère est **toujours** négative. Pourtant, cette émotion peut être très stimulante et salutaire dans certaines circonstances. Puis, vous comprendrez que pendant des années vous avez croupi dans des croyances contradictoires; alors vous vous lèverez, furieux contre vous-même de les avoir nourries, et bientôt vous vous engagerez littéralement dans une nouvelle vie de liberté. L'agressivité normale est une forme naturelle de communication, spécialement entre les classes sociales; c'est une manière de dire aux autres qu'à votre point de vue ils ont outrepassé leurs droits. C'est donc une méthode de prévenir la violence et non pas de l'entraîner.

L'agressivité naturelle chez les animaux ne nuit en rien à leur intégrité biologique. Elle est rituelle et spontanée. Ses signaux sont compris. La démarche, la posture et les signes de mécontentement de l'animal font partie d'une série de messages avant la confrontation.

Généralement, une série d'actions symboliques très significatives sont engagées bien avant le déclenchement d'une bataille, si elle doit avoir lieu. Le plus souvent, cependant, le comportement agressif vient justement prévenir une situation de combat. L'attitude de l'homme face à l'agressivité est contradictoire, et ses croyances à ce sujet sont la cause d'un grand nombre de ses problèmes tant individuels que collectifs.

(Jane s'arrêta, toujours en transe. Elle venait de se prendre une nouvelle cigarette, puis elle s'aperçut qu'elle n'avait pas d'allumettes.

«Un instant, dis-je, je vais t'en procurer...» J'étais heureux de me lever un peu; la dictée avait été rapide.)

Nous te remercions, Ruburt et moi.

Nous aurons l'occasion de revenir sur ce genre de dilemmes. Dans votre société et chez certains autres peuples, la communication naturelle de l'agressivité a été rompue. Vous confondez violence et agressivité. Vous ne comprenez pas l'aspect créateur de l'agressivité ni son emploi comme moyen de communication pour **empêcher** justement la violence.

En pratique, vous déployez de grands efforts pour éliminer les éléments signifiants du comportement agressif. Vous ignorez ses nombreux aspects positifs, au point d'endiguer complètement le pouvoir de l'agressivité naturelle; c'est là qu'il éclate en violence. La violence est une distorsion de l'agressivité.

(Pause à 22 h 28) Prenons un petit moment.

La naissance est un acte agressif; une puissante poussée du soi de l'intérieur du sein maternel vers un nouvel environnement. **Toute** idée créatrice est agressive. La violence **n'est pas** agressive. C'est plutôt la capitulation passive devant une émotion non comprise ou non évaluée; elle est crainte et recherchée à la fois.

La violence est fondamentalement une démission accablante; toute violence comporte une grande fièvre suicidaire, c'est l'antithèse de la créativité. *(Pause)* Ainsi, le tueur et la victime dans une guerre sont assujettis à une même passion, mais cette passion n'est pas agressive. Au contraire, c'est un désir d'anéantissement.

Sachez que ce désir est fait de désespoir causé par un sentiment d'impuissance, et non de pouvoir. L'agressivité mène à l'action, à la créativité et à la vie. Elle n'entraîne pas la destruction, la violence ou la ruine.

Prenons le simple exemple d'un homme doux et bon dans l'environnement coutumier de votre société. *(Pause)* On lui a appris qu'il était humain d'être agressif, mais être agressif pour lui veut dire lutter. En tant qu'adulte, il rejette la violence. Il ne peut pas frapper son patron, même s'il en a envie. En même temps, son Credo religieux peut l'enjoindre de présenter l'autre joue lorsqu'il est injurié, d'être bon, gentil et compréhensif.

La société lui enseigne que ces qualités sont féminines. Il passe sa vie à comprimer ce qu'il croit être un comportement agressif, violent;

il essaie au contraire d'être doux et compréhensif. Le stéréotype est bien entendu irréaliste, puisqu'il véhicule des conceptions déformées de l'homme et de la femme, mais ici nous ne nous attarderons qu'à la notion d'agressivité. Cet homme essaie d'être compréhensif à un point tel qu'il se refuse d'exprimer de nombreuses irritations; expression qui normalement aurait été un moyen naturel de communication, disons, entre son supérieur et lui au travail ou encore avec les membres de sa famille à la maison.

Au même moment, ces réactions inhibées cherchent un exutoire, car la manifestation de sentiments agressifs rétablit l'équilibre corporel, tout en servant de véhicule de communication avec les autres. Lorsque son système en aura accumulé suffisamment, notre ami réagira effectivement avec violence. Il pourra tout à coup se trouver en pleine bagarre ou en provoquer une; le moindre incident servira alors de déclencheur. Lui ou quelqu'un d'autre pourrait être gravement blessé.

En général, les animaux savent mieux se conduire. Votre pensée et votre corps sont donc très bien équipés pour manier l'agressivité. La violence apparaît seulement lorsque l'expression naturelle de l'agressivité a été court-circuitée. Le sentiment de puissance éprouvé en une telle occasion provient de cette énergie réprimée et soudainement libérée, mais l'individu est toujours à la merci de ce courant qui l'envahit; il est passivement entraîné par lui.

La crainte de vos propres émotions peut vous affecter beaucoup plus que leur expression, car l'appréhension accumule une charge qui intensifie l'énergie sous-jacente.

Vous pouvez maintenant faire un arrêt.

(22 h 52. «J'étais vraiment partie, dit Jane. Je pense que nous obtiendrons d'autres détails sur les animaux et l'agressivité... Eh bien mon cher! Seth est toujours là. Il me vient la prochaine phrase.» Elle riait, mais ma main était endolorie et je lui demandai d'attendre un peu. «C'est drôle, ajouta-t-elle, une partie de moi est déjà en train de transmettre le message et l'autre est encore au repos...» Reprise de la même manière à 23 h 05.)

Grâce à votre pensée consciente, vous avez une grande latitude dans la manifestation de l'agressivité, cependant, un fonds de l'héritage animal persiste chez vous à sa manière. Un air désapprobateur est un moyen naturel de dire: «tu m'as dérangé» ou «je suis bouleversé». Si vous vous imposez de sourire lorsque vous êtes soucieux, alors vous contrecarrez votre expression naturelle et vous privez l'autre d'une communication légitime de vos sentiments.

Si une personne vous sourit toujours, cela peut être une façade. Vous ne saurez pas si vous êtes en communication avec elle. Le son de la voix a aussi ses particularités, et l'agressivité naturelle en colorera normalement le timbre.

Le corps envoie ainsi de nombreux messages biologiques dans le but de communiquer avec les autres de façon constructive; ce sont des avertissements. Ils viennent spontanément en une danse rituelle des muscles, pleine de signification pour l'organisme. Ces signes sont bienfaisants. Ils appellent une réaction des autres pour trouver un point d'entente et un équilibre des droits. Lorsque vous entravez consciemment ce processus, vous êtes en grande difficulté.

Le comportement de l'animal est plus limité que le vôtre, mais dans un sens plus libre et instinctif; son champ d'action est **plus étroit**, car les situations qu'il rencontre sont plus ponctuelles. (*Pause*) Vous comprendrez votre spiritualité dans la mesure où vous saisirez votre propre humanité. Ce n'est pas une question de vous **élever au-dessus** de votre nature, mais bien de croître à partir de la pleine compréhension de celle-ci. Il y a une différence.

Vous **n'atteindrez pas** la spiritualité et vous ne vivrez pas une vie heureuse en niant la sagesse et l'expérience de la chair. Vous apprendrez plus à observer les animaux qu'à suivre un gourou ou un ministre du culte, ou encore à lire mon livre. Mais vous devez d'abord enlever de votre esprit que votre nature est perfide. Votre humanité ne tient pas son origine du refus de votre héritage animal, elle est au contraire une extension de celui-ci.

(*23 h 25*) Lorsque vous essayez d'être spirituel en vous coupant de votre humanité, vous vous placez en dessous des créatures naturelles, gracieuses et satisfaites, et vous êtes bien loin de comprendre la véritable spiritualité. De nombreuses personnes croient au pouvoir de la pensée, mais elles en sont tellement effrayées qu'elles répriment toute idée jugée négative. La moindre expression d'«agressivité» est bloquée. Certaines personnes croient que les pensées peuvent tuer; comme si l'individu visé ne disposait pas d'énergie vitale en propre ni de défenses naturelles.

On trouve souvent là-dessous, pour diverses raisons, une conception biaisée du pouvoir qui affirme: «Je suis tellement puissant que je pourrais te tuer par ma pensée, mais je refuse de le faire.» **Personne** ni aucune pensée n'est assez puissante pour cela. Si les pensées seules pouvaient tuer, vous n'auriez pas de problème de surpopulation!

Chaque personne possède son énergie et sa propre protection. Vous n'acceptez que les idées et pensées qui correspondent à votre système de croyances, et même là il existe différents niveaux de protection. Personne ne meurt sans le vouloir, et pour une intention bien meilleure que celle que vous lui prêtez.

(*Pause*) Parfois, vous croyez que le suicide est abominable et passif, alors que la guerre est héroïque et glorieuse. Mais les deux proviennent d'une agressivité passive et **déformée**, et de la non-utilisation ou de l'incompréhension des canaux naturels de communication. Les fleurs représentent pour vous la gentillesse, la douceur et la «bonté»; pourtant, l'éclosion d'un bouton exige une grande poussée de joie agressive, un courage et un esprit d'aventure qui n'ont rien de passif. Sans agressivité, votre corps ne pourrait croître et ses cellules dépériraient. L'éclatement magnifique de toute créativité est à base d'agressivité.

Ce sera la fin de la dictée et de la session. Si vous voulez du matériel sur les probabilités, ce sera pour une autre fois; de toute façon, il en sera brièvement question lorsque j'aborderai le sujet de la réincarnation.

(*J'étais curieux de savoir, je le demandais à Jane, si Seth nous donnerait au moins quelques précisions sur les probabilités. Ses renseignements sur la mort de notre chat Rooney (voir la session 639, tome I) avaient piqué ma curiosité à ce propos. [Une note ajoutée plus tard: Seth tint parole. Vous reporter aux chapitres 14 et 15 du présent ouvrage.]*)

(*Seth donna ici quelques conseils sur la manière dont les membres de la classe d'ESP[1] pourraient tirer avantage de cette session. Il leur suggéra d'écrire leurs croyances individuelles pour une discussion de groupe.*)

Plus tard, je commenterai leurs efforts.

(*«Très bien.»*)

Je vous souhaite une bonne nuit. Demande à Ruburt de te montrer ses derniers écrits.

---

1. Classe sur les «perceptions extra-sensorielles» que tenait Jane à cette époque.

(*«Oui, merci, Seth. Bonne nuit.»*)

(*23 h 40. Jane n'en finissait plus de bâiller. «Je me sens épuisée; pourtant, je suis pleine d'énergie», dit-elle. Dans sa dernière remarque, Seth faisait allusion à un travail personnel de Jane sur les croyances. La main droite me faisait mal.*)

Session 643 – Le lundi 26 février 1973, à 21 h 20

(*Nous avons tous les deux été très occupés depuis la dernière session. Je n'avais dactylographié qu'une page de mes notes, et nous ne nous souvenions plus du reste. «Eh bien, comme j'étais moi-même en transe, je puis dire n'en avoir rien entendu!, disait Jane en riant, voilà qui me justifie bien. Et toi?» Je n'avais pas d'excuses. Je lus quelques pages de mes notes pendant que nous attendions.*)

Bonsoir.

(*«Bonsoir, Seth.»*)

Ruburt vient de recevoir un appel d'une jeune femme que nous nommerons Andrée. Elle est blonde et jolie. Je voudrais me servir de cette situation pour illustrer jusqu'à quel point les croyances conscientes peuvent perturber vos émotions et votre comportement.

Andrée est dans la trentaine et elle est divorcée. Elle a trois enfants. Elle appela Ruburt pour lui annoncer la perte de son emploi; de plus, pendant toute la semaine, elle avait été perturbée par un grand nombre d'événements contrariants. Un jeune homme qu'elle fréquentait la fuyait maintenant. Un vendeur l'humilia en l'invectivant en public. Toutes ses rencontres récentes lui semblaient désastreuses. Enfin, excédée, elle tomba malade. Elle s'absenta de son travail et elle finit par perdre son emploi.

Elle disait à Ruburt combien elle se sentait inférieure et incapable d'affronter la vie. Elle ne savait pas se tenir devant ses compagnons et compagnes de travail ni faire face aux situations en général.

Pendant tout ce temps, évidemment, elle entretenait ces croyances, et elle les exprimait inconsciemment à travers son corps: ses gestes, ses mimiques, son ton de voix. Le moi physique entier s'attendait à des rebuffades. Les événements quels qu'ils soient étaient interprétés dans cet état d'esprit (*avec fermeté*).

Toutes les données disponibles à son organisme étaient filtrées, pesées et destinées à la recherche de matériaux précis qui viendraient appuyer ses croyances. Les renseignements ou événements contraires étaient pour une grande part ignorés ou déformés pour appuyer son idée de la réalité.

Les croyances conscientes canalisent et concentrent votre attention; elles dirigent votre énergie afin de concrétiser rapidement ces idées dans votre expérience. Elles servent également d'œillères, écartant des données qui ne pourraient être assimilées sans modifier l'ensemble de vos croyances. Andrée n'a donc pas vu ou a ignoré les sourires ou même les encouragements qui lui étaient adressés; et il lui arriva même de percevoir comme «négatifs» certains événements qui lui auraient été profitables. Elle se servit donc de ces derniers pour renforcer son sentiment d'infériorité.

Ruburt lui rappela son caractère unique, le rôle de ses croyances et sa responsabilité face à sa réalité. Il insista sur certains aspects qu'Andrée avait momentanément oubliés, entre autres, sur sa véritable valeur personnelle; et comme Ruburt croyait en elle, Andrée le savait, cette croyance plus constructive distança les autres.

Andrée put voir l'opposition des deux croyances qu'elle détenait. Elle croyait être unique et bonne, mais en même temps inférieure et détestable. Par moment, une croyance prenait le dessus, au point de masquer l'autre presque complètement. Andrée communiqua à nouveau avec Jane tout juste avant cette session. Elle était consciente d'avoir créé toute cette situation en ne regardant pas honnêtement ses propres pensées.

Elle avait souhaité laisser son emploi pour un autre, mais elle avait peur de le faire. Elle créa donc une situation où la décision semblait hors de son pouvoir; elle se sentirait comme la victime de coéquipiers sans-cœur, incompréhensifs et jaloux et d'un patron qui ne prendrait pas sa défense.

(*Pause à 21 h 42*) Elle comprit qu'elle n'était pas la victime mais la cause de cette situation. Durant cette période, ses sentiments reflétaient fidèlement ses croyances conscientes. Elle s'apitoyait sur son sort et se condamnait, ce qui provoqua un affaiblissement de sa résistance physique. La deuxième fois, Ruburt fit à Andrée d'excellentes remarques; il lui expliqua comment tirer avantage de ces sentiments. Le lecteur pourra facilement se servir de la méthode.

Ruburt conseilla à Andrée de prendre ces sentiments pour ce qu'ils sont: des **sentiments**; non pas de les inhiber, mais d'en suivre le fil en sachant que ce sont des sentiments **concernant** la réalité. Ils sont réels en eux-mêmes. Ce sont des réactions émotionnelles aux croyances. Ainsi, lorsque Andrée se sentira médiocre, elle devra éprouver ce sentiment et se dire que même si elle se **sent** inférieure, cela **ne veut pas dire qu'elle le soit.** Elle se dira: «Je me sens inférieure», et en même temps elle comprendra que le sentiment n'est pas une affirmation d'un **fait,** mais l'expression d'une émotion. C'est donc un tout autre point de vue.

Vivre vos émotions **comme telles** ne signifie pas de les accepter comme des caractéristiques personnelles. Andrée devra se demander pourquoi elle se sent inférieure. Si vous déniez la validité de l'émotion elle-même et que vous la repoussez, vous ne serez jamais porté à vous interroger sur les croyances sous-jacentes.

(*Longue pause à 21 h 56*) Je te laisse quelques moments pour reposer ta main... Tu ne lui donnes pas de répit...

(*«Mais oui!», dis-je en badinant et en déposant mon stylo, après avoir consigné ces notes. Seth-Jane jeta sur moi un regard austère.*)

Dans son état, Andrée croyait que la vie devait être difficile. On lui avait dit souvent qu'il était pénible pour une femme de vivre sans mari, spécialement avec des enfants. Elle croyait qu'il lui serait quasi impossible de trouver un nouveau compagnon. Elle savait que les enfants avaient besoin d'un père, mais en même temps elle avait la conviction qu'aucun homme ne s'imposerait le fardeau d'une femme avec des enfants. Dans la trentaine, elle voit fuir sa jeunesse et, selon sa croyance, une femme ayant dépassé ce seuil n'est plus désirable. Ses croyances provoquent donc chez elle un état de crise. Si nous les changeons, il n'y aura plus de crise. Le corps cessera alors de réagir à une telle tension; la situation extérieure se verra presque immédiatement transformée.

Toutes les croyances sont simultanément communiquées aux autres, non seulement par l'attitude corporelle inconsciente, mais par télépathie. Vous chercherez toujours à établir une corrélation entre vos idées et l'expérience extérieure. (*Pause*) Toutes les capacités du moi intérieur seront mobilisées pour concrétiser l'image de vos croyances, peu importe leur recevabilité. L'émotion «appropriée» sera générée, et ainsi s'ensuivront les états corporels que vous entretenez déjà en esprit.

(*Plus fort*) **Maintenant,** tu peux t'arrêter.

(*«Merci.»*)

(22 h 03. Jane était réellement partie. «Je n'ai eu conscience de rien», dit-elle. Mais Seth revint rapidement devant mon hésitation à conserver cette matière pour le livre.)

Voilà, c'était une façon d'assister la jeune femme en question, mais pour les autres aussi. Montre-lui le texte de cette session. Ça ne causera aucun problème. C'est une situation courante chez les jeunes femmes d'aujourd'hui, et ce matériel peut les aider à résoudre des difficultés imprévues. Elles ne connaissent pas Ruburt, mais elles peuvent apprendre à l'aide de ce livre. Faisons la pause maintenant.

(«Très bien.»)

(22 h 06. Jane se mit à rire lorsque je lui dis avoir souhaité une telle réponse de Seth. Reprise au même rythme à 22 h 33.)

J'ai pris l'exemple d'Andrée parce que sa réalité reflète bon nombre de croyances occidentales: l'idée que vieillir est désastreux; que les femmes sont relativement impuissantes sans un homme auprès d'elles; que la vie est très difficile en pratique alors qu'idéalement elle est si simple. Toutes ces idées ont acquis leur force de la croyance foncière en l'impuissance du moi conscient à former et à diriger son expérience.

Heureusement, Andrée travaille sur son propre système de croyances. À l'heure actuelle, cependant, même si elle se dit que l'âge importe peu, elle persiste à croire que en tant que femme elle est moins désirable de jour en jour. Donc elle se sent et agit comme si elle était moins attrayante, lorsqu'elle se laisse dominer par cette croyance. Heureusement, elle a la chance de confronter ses croyances et son expérience physique, et elle est assez brillante pour voir ses progrès dans la bonne direction. Mais regardons certaines de ces croyances et voyons comment elles peuvent s'appliquer d'une façon générale.

Il arrive souvent que ceux qui essaient le plus d'être «bons» doutent de leur propre valeur, et que ceux qui se disent jeunes de pensée et de corps soient terrifiés à l'idée de vieillir. De la même façon, certaines personnes crient à l'indépendance en craignant leur propre impuissance. Généralement, ces croyances opposées sont consciemment entretenues, mais tenues à l'écart l'une de l'autre. Elles ne peuvent donc pas être résolues.

(22 h 45) Comme vos sentiments suivent vos croyances, certains pourront vous apparaître insensés si vous ne les confrontez pas avec les idées conflictuelles que vous pouvez entretenir.

Une personne peut sembler très ouverte et compréhensive. En parcourant ces lignes, par exemple, le lecteur pourra se dire: «Je suis **trop** émotif.» Pourtant, par l'auto-analyse chacun trouvera des lacunes dans l'expression de ses propres émotions. On ne leur laisse pas libre cours.

(*Une pause parmi d'autres*.) Aucun sentiment n'aboutit à un cul-de-sac. L'émotion se **transforme** et vous mène toujours à une autre émotion. En chemin, elle modifie votre état physique entier. Cet échange doit être accepté consciemment. Vos émotions vous pousseront toujours à la réalisation de vos croyances, si vous ne vous y opposez pas. Les états émotionnels incitent à l'action et cherchent une expression dans la réalité physique. L'agressivité naturelle est à la base.

La relation entre la créativité et l'agressivité n'a jamais vraiment été comprise dans votre société. Une incompréhension de la véritable agressivité peut vous faire craindre toute émotion et vous couper de l'une des meilleures thérapies naturelles.

L'agressivité naturelle vous fournit la poussée nécessaire à toute créativité. En lisant ceci, le lecteur aura peut-être un mouvement de recul, car il croit sans doute que l'amour est la véritable force et qu'elle est opposée à l'agressivité. Ce genre de division artificielle n'existe pas. L'agressivité naturelle est cette pulsion aimante vers l'avant, c'est la direction que prend l'amour, le carburant qui le propulse. (*Avec insistance*) L'agressivité dans son sens véritable n'a rien à voir avec la violence physique comme vous la comprenez; elle est la force par laquelle l'amour est maintenu et ingénieusement renouvelé.

(*23 h 01*) Lorsque vous pensez autrement, vous donnez du pouvoir à des éléments négatifs que vous trouvez menaçants et faux, pour ne pas dire démoniaques. Par contraste, le bien, considéré comme faible, impuissant et passif, a grand besoin d'être protégé.

Vous aurez donc peur de toute émotion forte; vous craindrez les divers aspects de votre personnalité et, dans une grande mesure, vous serez porté à refuser le pouvoir et l'énergie de votre être. Vous devrez diluer votre propre expérience. De telles croyances sont très déprimantes et vous portent à étouffer des sentiments puissants en leur accolant immédiatement une étiquette négative.

Vous bloquerez automatiquement tout stimulus qui pourrait faire surgir des émotions intenses et ainsi vous vous refuserez toute réaction bénéfique. Vous êtes à la merci de vos émotions seulement lorsque vous les craignez. Elles sont le mouvement de votre être. Les émotions et l'intelligence se complètent. Mais lorsque vous ignorez le contenu de votre pensée et que vous n'êtes pas honnête à l'égard de vos émotions, vous êtes dans de mauvais draps.

Vous pouvez arrêter.

(*23 h 11. Jane sortit rapidement de transe. «Il me semble, dit-elle, que je n'y étais pas.» Mais je lui dis que la matière était aussi probante qu'à l'accoutumée. Comme il arrive parfois, elle a été dérangée durant sa transmission par un bruit soudain dans la maison; je le fus aussi. Lors de la pause, nous étions tous deux irrités.*)

(*Nous avons attendu jusqu'à 23 h 26, puis Jane décida qu'il ne valait pas la peine de poursuivre la session: «Ça me déplaît de le dire, mais au diable la session pour ce soir!...»*)

Session 644 – Le mercredi 28 février 1973, à 21 h 05

(*Pour briser la routine, nous avons tenu cette session dans le bureau de Jane.*)

(*Ces derniers jours, Jane recevait «à l'avance» certaines idées de Seth sur son livre. Elle en a pris note. Elle a capté entre autres une expression que nous trouvons particulièrement évocatrice: «croyances charnières».*)

(*Quelques instants avant la session, Jane sentit comme à l'accoutumée la présence de Seth. Elle dit: «Je perçois une source d'énergie, directement au-dessus de ma tête; non pas un cône ni rien d'aussi défini, mais quelque chose qui est là simplement à l'extérieur de moi. Je me sens sur une pente libre, je sens un glissement qui n'a rien d'ordinaire, un peu comme si j'avais pris trois verres de vin... Je crois savoir ce dont Seth nous entretiendra. Je sens mes mains légères aussi, vraiment libres, comme si elles tournoyaient dans une eau soyeuse. Non pas en une projection hors du corps, mais...»*)

(*Jane enleva ses lunettes, ferma les yeux en s'inclinant sur sa berceuse, puis...*)

Bonsoir.

(«*Bonsoir, Seth.*»)

J'ai effectivement transmis quelques renseignements à Ruburt à l'aide d'une autre méthode. Dans un certain sens, je lui ai fourni cette matière pour son usage personnel.

Il lui a semblé recevoir l'information «comme ça», mais non encore verbalisée. Il a plutôt reçu des idées qu'il a ensuite interprétées et transposées pour lui-même. La matière vient à-propos et se réfère à ce chapitre. Je vais la transmettre à ma manière.

J'ai souvent affirmé que le couple esprit-corps appartenait à un même système. Les pensées sont aussi nécessaires au système entier que peuvent l'être les cellules du corps. Ruburt a bien interprété l'analogie que je lui présentais; je comparais les pensées aux cellules individuelles et les systèmes de croyances à des organes physiques. Les organes sont évidemment inchangés dans le corps, même si les cellules qui les forment meurent et renaissent.

Les systèmes de croyances sont aussi nécessaires et naturels que les organes physiques. En fait, ils sont voulus pour vous aider à guider le fonctionnement de votre être biologique. Vous n'avez pas conscience du va-et-vient des cellules d'un organe. Par elles-mêmes, vos pensées passent tout aussi naturellement d'un système de croyances à l'autre; et **idéalement** elles s'équilibrent, maintiennent leur vigueur et favorisent l'action curative innée du corps.

Vos systèmes de croyances attireront, c'est évident, certains types de pensées avec leur kyrielle d'expériences émotionnelles. Un barrage constant de pensées haineuses et de désirs de vengeance devrait vous inciter à examiner les croyances qui leur donnent tant de force.

Vous ne pouvez cependant pas faire cet exercice en ignorant la validité des pensées elles-mêmes, (*avec vigueur*) en les balayant sous le tapis d'un optimisme superficiel. La **répétition** de ces pensées négatives fera naître le même genre d'expérience physique, mais c'est votre propre système de croyances qu'il vous faut examiner.

(*21 h 22. Jane demeura silencieuse, les yeux fermés, pendant plus d'une minute.*)

Les événements «négatifs», qu'ils soient subjectifs ou objectifs, vous suggèrent d'examiner le contenu de votre pensée consciente. À leur manière, les pensées de haine et de vengeance sont des mécanismes thérapeutiques naturels, car si vous reconnaissez les **émotions** qu'elles génèrent et suivez leur trace, elles vous transportent automatiquement au-delà d'elles-mêmes; vos sentiments passeront de la haine à une forme d'enlisement dans la peur, que l'on retrouve toujours derrière la haine.

En entrant dans votre émotion, vous unifiez vos états émotionnels, mentaux et corporels. Lorsque vous luttez contre elle ou que vous la niez, vous vous dissociez de la réalité de votre être. Le fait de traiter les pensées et les émotions comme je viens de le suggérer vous branche sur votre intégrité du moment et permet au **mouvement** naturel de votre créativité de rechercher une solution curative.

Lorsque vous repoussez de tels sentiments ou que vous en êtes terrifié, vous obstruez peu à peu le cours des émotions. Vous érigez des barrages. Toute émotion se changera en une autre si vous la vivez franchement. Dans le cas contraire, vous bloquez le mouvement naturel de votre système entier.

La peur que l'on affronte et que l'on ressent avec toutes les sensations corporelles et les pensées qui les accompagnent trouve sa propre résolution. Le système de croyances derrière cette difficulté sera mis en lumière et vous comprendrez que ce sentiment vient d'une idée qui cause et justifie une telle réaction.

(*21 h 34*) Selon le degré d'inhibition de vos émotions, vous vous dissociez non seulement de votre corps, mais aussi de vos propres pensées. Vous enfouissez certaines pensées et vous dressez une armure biologique qui vous empêche d'en ressentir les effets dans votre corps. Dans tous les cas, la réponse se trouve dans votre système personnel de croyances, dans ces concepts puissants que vous conservez en votre for intérieur et qui ont été à l'origine de vos inhibitions.

S'il vous prend la frénésie spirituelle de vouloir réprimer toute idée négative qui vous vient à l'esprit, alors demandez-vous pourquoi vous croyez tant à un tel pouvoir destructeur de la moindre pensée «négative».

Le corps et l'esprit forment un système autorégulateur, se guérissant et se purifiant lui-même. Chaque problème qu'il rencontre contient sa propre solution, à condition de le regarder franchement. Tout désordre, physique ou mental, offre une piste de résolution du conflit sous-jacent et contient le germe de son rétablissement.

Vous pouvez vous reposer.

(*21 h 44. Jane «savait» que Seth traitait du sujet dont elle avait été pressentie, même si elle n'était pas consciente de la dictée comme telle. Reprise à 22 h 01, dans un débit plus lent.*)

Il est vrai de dire que des pensées **habituelles** d'amour, d'optimisme et d'acceptation de soi vous sont plus bénéfiques que leur contraire; mais je le répète, vos croyances à votre propre sujet attireront infailliblement les pensées qui leur correspondent. Il y a autant d'agressivité dans l'amour qu'il y en a dans la haine. La haine est une distorsion de cette force naturelle et elle découle de vos croyances.

Comme Ruburt l'a compris, l'agressivité naturelle a une propriété autonettoyante hautement créatrice; c'est la poussée elle-même derrière toute émotion.

Il y a deux façons d'accéder à vos croyances conscientes. La manière la plus directe est de vous parler un peu! Écrivez vos croyances sur différents plans et vous pourrez ainsi constater que vous changez d'une période à l'autre. Vous y verrez même des contradictions très apparentes. Vous constaterez que des croyances opposées gouvernent vos émotions, votre état corporel et votre expérience physique. Examinez ces éléments conflictuels. Des croyances cachées apparaîtront qui viendront unifier ces attitudes soi-disant opposées. Les croyances invisibles sont des concepts dont vous êtes **totalement conscient** mais que vous préférez ignorer, car ils touchent des points conflictuels que vous n'avez pas voulu traiter jusqu'à maintenant. Ces croyances sont tout à fait accessibles, si vous êtes prêt à examiner **complètement** le contenu de votre pensée consciente.

Si cette méthode vous semble trop intellectuelle, alors vous pouvez toujours partir de vos émotions et remonter à vos croyances. Peu importe le moyen, la croyance mène au sentiment et vice versa. Les deux approches exigent de l'honnêteté de votre part et un affrontement courageux avec votre réalité courante, mentale, psychique et émotionnelle.

(*22 h 12*) Comme Andrée (*voir la dernière session*), vous devez accepter la validité de vos propres sentiments, sachant qu'ils **correspondent** à certains états ou certaines difficultés, mais qu'ils ne sont pas obligatoirement l'affirmation de ce que **vous êtes**. «Je sens que je suis une pauvre mère» ou «je me sens un raté». Ce sont des sentiments qu'il faut accepter pour ce qu'ils sont. Vous devez comprendre cependant que ces émotions, valables en tant que telles, ne sont pas des faits de la réalité. Vous pourriez être une excellente mère tout en vous sentant incompétente. Vous pouvez très bien réussir dans l'atteinte de vos objectifs, et pourtant vous déprécier.

Si vous faites cette distinction et que vous suivez honnêtement les vagues qui montent – en chevauchant vos émotions – elles vous mèneront aux croyances qui les sous-tendent. Une série d'inspirations vous viendront inévitablement, chacune vous menant à des activités psychologiques plus créatives. Chaque étape vous rapprochera de la réalité de votre expérience.

Vous tirerez un grand bénéfice d'une meilleure compréhension de l'influence de votre pensée consciente sur les événements. Vous ne verrez plus les émotions et le corps comme une menace imprévisible, car vous percevrez la cohésion des éléments qui meublent votre pensée.

Les émotions ne seront plus comme les enfants d'un second lit, dont seuls les mieux vêtus méritent votre attention. Elles n'auront pas à forcer la porte, car elles seront acceptées comme les membres de la famille du «soi». Certains diront que leur problème est d'être trop émotif ou sensible. On se croira trop influençable. Dans ce cas, vous avez peur de vos émotions. Vous les croyez puissantes au point d'en perdre votre capacité de raisonnement.

(*22 h 27*) Quelle que soit votre prétention d'ouverture, il vous arrive néanmoins de n'accepter que les émotions soi-disant inoffensives et de refuser les autres ou d'en interrompre le cours par peur des séquelles. (*Pause*) Ce comportement suit vos croyances, il va sans dire. (*Longue pause*) Si vous avez plus de quarante ans, par exemple, vous pourrez vous dire que l'âge importe peu, que vous vous entendez bien avec les plus jeunes, car vous êtes jeune d'esprit. Vous accepterez seulement ces émotions qui vous paraissent concorder avec votre idée de la jeunesse. Les problèmes de la jeunesse vous préoccuperont. Vous entretiendrez ce que vous croyez être des pensées optimistes de santé. Peut-être vous considérerez-vous comme un être très sensible.

Au fond, cependant, vous êtes bien conscient de votre état adulte. Pourtant, vous ignorez résolument tout changement de votre apparence depuis, disons, la trentaine; ce faisant, vous perdez de vue votre valeur en tant que créature dans le temps et l'espace.

Vous repousserez toute pensée de mort ou de vieillissement, et ainsi vous vous refuserez certaines émotions fort naturelles qui vous aideraient à dépasser l'étape de la jeunesse. Vous désavouez l'existence de votre corps et son lien avec les saisons; vous trahissez ainsi ces **mouvements** biologiques, psychiques et mentaux qui vous porteraient au delà de vous-même.

Vous pouvez vous arrêter.

(*De 22 h 37 à 22 h 45*)

Alors dans ce contexte, l'un des problèmes vient de votre conception du «vieil âge». Dans votre culture, vous croyez que le jeune est flexible, alerte et vigilant. L'âge avancé est généralement considéré comme une disgrâce; il évoque la rigidité et la désuétude.

Si vous essayez désespérément de demeurer jeune, c'est habituellement pour cacher vos propres croyances à propos de l'âge et pour nier les émotions qui y sont rattachées. (*Pause*) Lorsque vous niez votre réalité de créature physique, vous rejetez par le fait même certains aspects de votre esprit. Le corps existe dans un monde spatio-temporel. Les expériences vécues dans la soixantaine sont aussi nécessaires que celles de vos vingt ans. Votre image en transformation vient vous **dire** quelque chose. Lorsque vous prétendez que rien ne change, vous bloquez à la fois les messages biologiques et les messages spirituels.

Dans la vieillesse, l'organisme se prépare d'une certaine manière à une nouvelle naissance. L'émergence d'événements d'ordre spirituel, mental et corporel ne marque pas seulement le passage d'une saison, mais en prépare une autre. La situation fournit tous les moyens nécessaires, non seulement pour accepter ce passage mais pour plonger résolument dans la nouvelle expérience.

Rejeter votre réalité dans le temps vous rive sur place et vous assujetti au temps. En acceptant votre intégrité dans le temps, vous permettez à votre corps de bien fonctionner jusqu'à la fin, libre de toutes ces conceptions biaisées concernant l'âge. Si vous croyez que la jeunesse est idéale et que vous luttez pour la conserver, tout en gardant en tête que la vieillesse comporte des infirmités, vous provoquez un dilemme inutile et hâtez votre vieillissement conformément aux pensées négatives que vous entretenez.

Chaque individu doit examiner mentalement ses croyances ou entrer en contact avec ses propres émotions qui le ramèneront de toute manière à ses croyances. Dans ce domaine, comme pour tout autre aspect de la vie, utilisez l'écriture si cela vous est possible. Écrivez vos croyances comme elles vous viennent ou faites une liste de vos conceptions intellectuelles et de vos émotions. Vous verrez bien des différences.

Si vous souffrez d'un malaise physique, ne le fuyez pas. Ressentez sa réalité dans votre corps. Laissez libre cours à vos émotions. Si vous les laissez couler, elles vous mèneront à la cause de votre difficulté. Elles vous porteront vers les nombreux aspects de votre réalité que **vous devrez** envisager et explorer. Ces méthodes vous permettent de relâcher l'agressivité naturelle retenue. Vous pourrez vous sentir envahi par l'émotion, mais faites-lui confiance; elle est le mouvement de votre être et elle déclenche votre créativité. Elle cherche pour vous les réponses à vos problèmes.

Dans ses *Dialogues*, Ruburt nous donne un excellent exemple de l'acceptation de sentiments qui, au départ, l'apeuraient. Tout le monde n'est pas poète, mais chacun est créateur à sa manière et peut suivre ses émotions comme le fait Ruburt, peu importe s'il en sort un poème.

[*Parlant à Rob*] Ruburt reconnaîtra le passage. Utilise-le.

Vous devez comprendre que votre pensée consciente est **compétente**, que ses idées viennent à-propos et que vos propres croyances perturbent et forment votre corps et votre expérience.

Prenez un peu de repos.

(23 h 17. Jane était très surprise d'avoir été en transe pendant près d'une demi-heure; pour elle, quelques minutes seulement s'étaient écoulées. Voici l'extrait en question, tiré de son livre de poésies. Jane l'a rédigé il y a cinq jours. Dans ce morceau, le moi mortel dit à l'âme:

> *Mais là*
> *mon corps tremble et respire profondément.*
> *Des haines anciennes*
> *grondent depuis la plante de mes pieds.*
> *Un profond trou noir*
> *monte du ventre à ma gorge*
> *et épanche son contenu sur ma langue*
> *qui de plomb se charge*
> *de non dits, de pleurs tus,*
> *depuis longtemps oubliés*
> *mais de mon sang revêtus.*
> *Statues de cendre,*
> *de voyelles et de syllabes retenues,*
> *d'images non évacuées,*
> *qui par mes lèvres se rendent.*
> *Les contraires se regroupent,*
> *la masse solide et glacée*
> *prend vie et s'élance,*
> *invectivant l'univers.*
> *Formes et couleurs*
> *d'un noir violacé,*
> *tel un immense tableau mouvant,*
> *dans le ciel se perdent*
> *et s'y recouvrent.*
> *Et je te sens maintenant, malgré ma haine,*
> *splendide et terrible,*
> *émergeant de ma chair*
> *avec la droiture des nuages de tempête*
> *de vent gonflés,*

> *dévastant le paysage,*
> *le comblant cependant de fraîcheur,*
> *lançant débris aux quatre vents*
> *et libérant les nouvelles pousses*
> *en dessous cachées,*
> *bien servies par ma haine*
> *qui les soulève*
> *et toi et moi d'un même souffle*
> *par delà la répression d'une terre glaciale,*
> *surgissant en géants tourbillons*
> *qui fusent comme l'éclair estival,*
> *éclatant et sillonnant la campagne*
> *d'une joie furieuse.*

(Après la pause, Seth revient avec une page de matière pour Jane. La session se termina à 23 h 34.)

Session 645 – Le lundi 5 mars 1973, à 21 h 40

(Après le repas du soir, Jane montrait des signes d'un état modifié de conscience imminent. Elle se mit à parler de sa peau «soyeuse» et de la voluptueuse sensation de son chandail contre son dos. Des sensations semblables lui étaient venues avant la dernière session, mais elles avaient été moins marquées; voir les notes à ce sujet. À présent, son ouïe déjà aiguisée devenait encore plus sensible aux bruits: le bruissement du papier cellophane de son paquet de cigarettes, le timbre de ma voix interpellant notre chat Willy, le bruit du journal entre mes mains. «Mais les mots sont si faibles pour décrire cet effet, dit-elle plus d'une fois. Ils sont trop ternes...»)

(Cela me rappelait certains des états transcendants qu'elle avait connus cette dernière année. Je lui suggérai de s'y laisser emporter. Elle préférait tenir une session. Elle passa au salon pour faire un peu de lecture. Le magazine qu'elle prit lui sembla plus lourd que d'habitude. Graduellement, sa perception de la beauté des choses ordinaires s'amplifia. Elle fit pivoter sa chaise pour regarder les lumières de la rue, mais dans son mouvement circulaire, son regard s'arrêta sur la bibliothèque qu'elle admira. Depuis un moment, sa voix prenait une qualité indéfinissable, joyeuse mais calme.)

(Pendant quelque temps elle s'émerveilla à propos de tout. Notre chat Willy sauta sur ses genoux. «Qu'il est beau!» me dit-elle; et lorsqu'elle le poussa de la main, sa fourrure lui parut particulièrement douce et vivante. D'un mouvement instinctif elle balaya simultanément

de l'autre main l'air à proximité de Willy; cette sensation lui parut aussi voluptueuse.)

(Nous avons pris une collation, puis Jane a retrouvé son fauteuil berçant. En attendant l'intervention de Seth, Jane jetait autour de la pièce un regard étonné. Ses yeux étaient plus sombres qu'à l'accoutumée. «Tout est si somptueux: toi, le salon, Willy, mais je crois pouvoir entrer en transe. Je veux...» Plus tard, Seth fit des commentaires sur son état modifié de conscience.)

Bonsoir.

(«Bonsoir, Seth.»)

Nous poursuivons la dictée. En examinant le contenu de votre esprit, vous aurez l'impression d'avoir entretenu un tel nombre de croyances différentes à une époque ou l'autre, que vous ne pourrez y trouver de lien. Elles formeront cependant des motifs bien définis. Vous découvrirez des **croyances centrales**[1] autour desquelles se greffent toutes les autres.

Si vous les comparez à des planètes, vous pourrez voir vos autres idées graviter autour d'elles. Certaines croyances peuvent être «invisibles», et des croyances centrales bien camouflées. Poursuivant notre analogie, ces dernières seraient cachées derrière des «planètes» plus évidentes, ou brillantes; elles n'en montreraient pas moins leur présence par leur effet sur toutes les autres croyances centrales de votre «système planétaire».

Ainsi, toutes questions en suspens après un examen de vos propres pensées pourraient vous faire deviner la présence de tels noyaux invisibles. J'insiste cependant sur le fait que ces croyances **demeurent** consciemment **disponibles**. Vous pouvez les retrouver comme il a été dit *(voir la dernière session)*, en partant de vos émotions ou des croyances qui vous sont les plus accessibles.

(21 h 50) Tout cela nous mène à ce que j'appelle les croyances charnières, et à ce sujet Ruburt a reçu certains renseignements en primeur pour son propre usage. *(Voir les notes d'introduction de la dernière session.)* En examinant vos pensées, vous découvrirez que même des croyances d'apparence contradictoire possèdent certaines similitudes, et ces ressemblances peuvent être utilisées pour combler le fossé

---

1. Des noyaux de croyances ou croyances maîtresses. *(Note du traducteur)*

entre les croyances, même les plus disparates. Comme porteur de ces croyances, vous les marquerez de votre sceau, figurativement parlant, **afin de les reconnaître**. Ces signes distinctifs ressortiront d'eux-mêmes sous forme de croyances charnières. Ces dernières ont leur mouvement propre et sont dotées d'une grande énergie. Lorsque vous les découvrirez, vous trouverez en vous-même un centre unificateur d'où vous pourrez, avec un certain recul, observer vos autres systèmes de croyances.

(*Longue pause*) Les émotions liées à ces croyances charnières pourront en effet vous surprendre, mais en vous reposant sur de telles structures unificatrices, il vous est loisible de laisser cours à ce flot d'émotions. Vous pourrez les ressentir et, pour la première fois peut-être, être conscient qu'elles prennent leur origine dans vos croyances; à ce moment, vous ne craindrez plus d'être emporté par ces émotions.

Il m'est impossible de vous expliquer la réalité émotionnelle d'une telle expérience. Vous aurez à la découvrir par vous-même. Ces croyances charnières vous permettent souvent de percevoir les croyances «invisibles» dont nous avons parlé; ce sera comme une révélation pour vous. En y repensant, cependant, vous comprendrez qu'une autre croyance vous empêchait de les distinguer, mais que vous en étiez toujours conscient. Étrangement, elles vous étaient invisibles également parce que vous les teniez pour acquises. Vous ne les considériez pas comme des croyances, mais plutôt comme la réalité elle-même; vous ne les aviez jamais remises en question.

Andrée n'a jamais douté du «fait» que la vie était plus difficile pour une femme que pour un homme (*voir la session 643 du présent ouvrage*). Lorsqu'elle examina ses croyances, ceci lui échappa. Maintenant elle le comprend et elle peut y faire face en **tant que croyance**, plutôt que comme une condition de la réalité dont elle n'a pas la maîtrise.

(*Pause d'une minute à 22 h 05*) Vos rêves vous donnent accès aux croyances charnières. Vous pourriez en prendre conscience tout à coup au beau milieu de la journée. Une sorte de réconciliation se produira en vous à la suite d'une telle compréhension, même si vous ne vous souvenez pas du rêve comme tel. Divers symboles sont utilisés en rêve. Ils seront différents pour chaque personne. Si ces rêves vous reviennent à l'esprit, vous pourrez y retrouver des symboles, telle la traversée d'une rivière ou de l'océan ou vous rappeler avoir franchi un fossé ou l'abîme en toute sécurité.

(*Pause*) Ces rêves peuvent être pathétiques parfois, comme le fait de surmonter un état psychotique ou même de revenir à la vie. Vous pouvez par autosuggestion favoriser l'émergence de telles croyances charnières. Le fait d'y penser marque déjà votre intention. Certaines croyances centrales non assimilées pourront par ailleurs vous apporter des «images de soi» conflictuelles. Mais il y a une différence entre l'expérimentation libre et joyeuse de diverses tenues vestimentaires, d'attitudes et de comportements par exemple, et le fait de vous «perdre» dans une obsession de changement d'apparence, d'attitude ou de comportement, ce qui laisserait entrevoir l'action de croyances centrales opposées, entre lesquelles vous êtes écartelé.

Habituellement, les émotions contraires **exagérées** ressortent avec évidence. Lorsque vous aurez compris ce mécanisme, vous n'aurez pas de difficulté à examiner vos croyances et à faire le lien entre ces apparentes contradictions.

Vous pouvez vous reposer.

(*22 h 17. La transe de Jane était très profonde. Elle n'avait pas entendu les bruits de réparation du plancher à l'étage inférieur.*)

(*Son état euphorique continua ici de se manifester tout naturellement. «C'est une véritable splendeur des sens. Tout est tellement unifié...» Jane m'expliqua que le mouvement de ma main était relié au son des autos qui roulaient dans la rue; le bruit rythmé de son fauteuil berçant avait le même caractère voluptueux que la sensation de sa main sur son pantalon; en laissant glisser ses doigts le long d'un pli, il se produisait un son «prolongé et amplifié». Elle sentait le haut de son corps particulièrement détendu lorsqu'elle se leva.*)

(*Pendant la pause, nous avons entendu Marguerite, la vieille locataire d'en dessous, appeler sa chatte Suzy, ce qui évoquait pour Jane l'image hilarante d'un poisson; elle voyait Marguerite lançant à gorge déployée des appels dont les ondulations traversaient l'air, enveloppant Suzy et la tirant à la maison.*)

(*Jane se demandait si ce n'était pas le résultat de son expérience personnelle de croyances charnières, puisqu'elle avait déjà une connaissance de cette matière. Je souhaitais des commentaires de Seth à ce sujet, pour les incorporer à ce chapitre. «Très bien. J'attends maintenant», dit-elle, en fermant les yeux. Reprise à 22 h 43.*)

Depuis le début de ce livre, Ruburt travaille sur ses croyances en adaptant pour lui-même les méthodes proposées; chaque lecteur devrait faire de même.

Au tout début, il ne croyait pas pouvoir trouver tant de réponses au niveau conscient; mais avec le temps il en découvrit l'étonnante réalité. Je prendrai Ruburt comme exemple pour vous montrer comment lui est apparue une croyance charnière qui lui permit d'assimiler des idées apparemment opposées. Peu importe les croyances en cause, le processus est toujours le même.

(*Pause*) On connaît Ruburt comme une personne déterminée, entêtée même, et d'une grande énergie; une personne créative, intuitive et dotée d'une grande ouverture d'esprit. Ruburt a construit sa vie autour de la croyance profonde[1] en sa qualité d'écrivain.

Il voyait toute son expérience à travers cette lunette; il encourageait toute pulsion dans ce sens et bloquait les élans contraires. Compte tenu de son tempérament, il mettait tous ses œufs dans le même panier pour ainsi dire. Ceux qui parmi vous ont cette tendance se reconnaîtront, peu importe le domaine d'activités. Vous organisez votre vie **prioritairement** selon certaines lignes directrices. Ce peut être la sexualité qui importe chez vous ou encore votre rôle sur le plan professionnel. Vous pouvez vous considérer d'abord comme une mère ou comme un père ou encore comme un éditeur ou comme une vedette! De toute manière, vous insisterez davantage sur un certain aspect que sur les autres, que ce soit votre côté athlétique, votre penchant spirituel ou n'importe quoi d'autre.

Comprenez bien qu'une telle concentration est excellente, dans la mesure où le concept original continue d'évoluer avec le temps et qu'il n'est pas en lui-même trop limitatif. Ainsi, vous pouvez vous considérer d'abord comme une mère. Au départ, cela peut tout simplement vouloir dire prendre soin de vos enfants à la maison. Mais si cette idée de vous-même demeure limitée, elle peut vous empêcher, disons, d'être l'épouse partageant avec son mari des intérêts communs, et même freiner le développement de votre personnalité dans d'autres domaines.

De la même manière, si l'une de vos croyances centrales accentue votre côté spirituel au point d'inhiber une sensualité qui vous serait

---

1. «Core belief» (en anglais), traduit généralement dans le texte par «croyance centrale». (*Note du traducteur*)

bénéfique, alors elle sera devenue restrictive et finira même par étrangler cette expérience spirituelle qu'elle voulait initialement encourager.

En examinant ses propres conceptions, Ruburt se retrouva dans une position conflictuelle en rapport à deux de ses croyances centrales. Son «moi écrivain» avait la conviction qu'il était permis et même avantageux de s'adonner à un certain genre d'écriture. Ruburt s'était habitué à repousser toute impulsion contraire, et très jeune il organisa sa vie en conséquence.

Avec la manifestation de phénomènes psychiques, il voulut écrire son expérience et exploiter cette veine de créativité. Cependant, ses croyances antérieures sur l'écriture firent opposition, car, à part la poésie, seule la fiction était acceptable.

Il compartimenta donc sa vie en deux, le côté «psychique» et celui du «moi écrivain». Le moi écrivain regardait avec suspicion tout contenu qui ne cadrait pas avec son inspiration habituelle. Il s'assura que toute autre forme d'inspiration créatrice soit repoussée en dehors des cinq heures de travail journalier de Ruburt. Ces croyances, bien entendu, entraînèrent leurs propres émotions, de sorte que Ruburt était irrité lorsque les gens le prenait pour un «médium».

Le lecteur peut rencontrer ce même dilemme lorsque deux croyances profondes, hautement conflictuelles, se croisent.

Comprenez que Ruburt croyait aussi en son travail médiumnique, et il y était fort attaché. Certains symptômes physiques se firent alors sentir. En analysant ses croyances, il cherche actuellement à régler ces difficultés.

(23 h 12) Je lui donnai des renseignements utiles, mais ils ne serviront que dans la mesure où il les fera siens et qu'il assimilera son propre système de croyances. Lorsque vous comprenez ce qu'est la réalité ainsi que le rôle que vous devez y jouer, vous ne pouvez plus vous tourner vers les autres pour résoudre vos problèmes. Vous saisissez que vos propres croyances sont de riches ingrédients de créativité dont vous devez doser le mélange. Si vous croyez en certains aliments, ils vous seront en effet bénéfiques, justement à cause de votre système de croyances. Si vous croyez aux médecins, alors de fait ils vous aideront.

Si vous croyez aux guérisseurs, ils vous soulageront, mais leur aide est au mieux temporaire. Ruburt fut en mesure de constater cela. Il accepta le fait qu'il formait sa propre réalité et que certains malaises physiques pouvaient en résulter. Il comprit également (*longue pause*) qu'il ne pouvait pas se servir de moi comme béquille.

Les *Dialogues* (*voir la session 639, chapitre 10 du présent ouvrage*) forment maintenant un livre, mais ils montrent aussi le cheminement de Ruburt, par questions et réponses, à travers ses diverses croyances reconnues. Ainsi, chaque lecteur peut objectiver ses pensées sous forme de dialogues, peu importe le moyen d'expression. C'est ce que vous faites en rêve, car là vous laissez libre cours à votre créativité naturelle. Il vous arrive souvent de «vous» y dédoubler sous les traits de personnages familiers ou étrangers, chacun questionnant l'autre.

Lorsque Ruburt reçut l'information «anticipée» sur les croyances charnières (*voir la dernière session*), cela lui sauta aux yeux. Le «moi» écrivain était de plus en plus embarrassé, incapable d'utiliser un excellent matériel, justement à cause de ses croyances contraignantes. Il se concentrait si jalousement sur sa propre matière qu'il retenait le flot de sa créativité, alors que les aspects «inacceptables» de Ruburt se plaisaient à créer d'autres ouvrages, sans parler de mes livres.

Ruburt se prenant à marchander avec son «moi écrivain» s'exclama tout à coup: «Que suis-je en train de faire?»

L'autorité de son «moi écrivain» devenait astreignante, chose qu'il n'avait pas saisi auparavant. Il en était conscient, mais il gardait tout cela dans l'ombre. Il comprit que ses deux aspects d'écrivain et de «médium» cherchaient leur expression dans l'écriture; voilà ce qui faisait le pont.

À l'aide de cette croyance charnière, il commence seulement à assimiler l'énergie ainsi libérée. Il comprend qu'il est lui-même le soi qui porte ces croyances et il ne s'identifie pas aussi complètement avec cette seule croyance centrale qui l'empêchait d'évoluer naturellement.

(*Pause*) Sa croyance antérieure le portait à juger avec son mental, à identifier l'écrivain aux idées et à considérer le corps comme un **outil** plutôt qu'un organisme vivant à travers lequel passe tout son vécu de créature. Ce soir, donc, il a laissé toute liberté à ses sens, et qui plus est l'expérience s'est vue amplifiée par sa pénétration «médiumnique».

Si vous vous considérez **d'abord** comme un être physique, vous pourrez de ce fait bloquer les aspects spirituels ou émotionnels qui veulent s'exprimer. Alors, en analysant vos croyances, vous élargissez le champ de vos expériences mentale et spirituelle. Tout est interrelié; si vous ignorez un aspect, ce sera au détriment d'un autre.

Prenez maintenant un peu de repos.

(23 h 37. Jane était bien partie, mais elle se rendait compte que Seth parlait d'elle. Durant la pause, ses «sensations extatiques» – elle n'avait pas d'autres mots – persistaient. Elle en était toute pénétrée. Elle sentait l'effleurement de ses vêtements sur sa peau. «Mon corps est si vivant que j'ai peine à en supporter la sensation.»)

(Le bruit d'une auto lui traversait le corps, des orteils jusqu'au bout des doigts. Le bruit d'une chasse d'eau dans la maison lui donnait une merveilleuse sensation. Comme elle voulait continuer la session, elle fit de grands efforts pour faire taire ses réactions. Jane alluma une cigarette, pris place dans sa berceuse et ferma les yeux. Il était 21 h 55.)

Ruburt le reconnut, il se croyait obligé de justifier son existence par l'écriture, parce qu'il n'accordait pas à son être le droit fondamental d'exister en propre dans l'espace et dans le temps. Ses vieilles croyances n'avaient pas évolué.

Certains lecteurs retraceront ce même besoin artificiel de légitimer leur être et se barricaderont derrière certaines croyances maîtresses pour cacher leur insécurité. Vous pouvez par exemple «justifier votre vie» par la procréation, et alors vous accrocher à vos enfants et ne jamais vouloir les laisser partir. Votre carrière pourra aussi servir de prétexte. Mais dans tous les cas, vous devez circonscrire de telles idées superflues, faire face à la réalité de votre être et admettre que vous avez certainement autant votre place dans cet univers qu'un écureuil, une fourmi ou une feuille d'arbre. Vous ne mettez pas en question leur droit à l'existence. Pourquoi le feriez-vous dans votre cas?

(Avec plus de fermeté) Et **voilà** la fin de notre session passionnée... tu peux omettre ce dernier mot.

(«Merci, Seth. Bonne nuit.»)

(00 h 02. «J'ai même ressenti quelques fois ces sensations pendant que Seth parlait», dit Jane. Ses riches impressions persistaient. Au lit, la sensation de ses draps était «vraiment exquise»; cela dura plus d'une heure après la session. Le lendemain, elle gardait le goût de cette expérience.)

(Une note ajoutée plus tard. En plus de la session 639, le lecteur pourra consulter nos notes à la session 653, chapitre 13 du présent ouvrage, sur l'ampleur des perceptions de Jane.)

Session 646 – Le mercredi 7 mars 1973, à 22 h 28

(Jane a reçu hier une lettre d'une dame qui décrivait l'expérience qu'elle avait faite il y a quelques années. Elle avait ressenti d'extraordinaires sentiments d'amour pour l'humanité. Son émotion profonde persistait, mais elle savait conserver son équilibre. Elle n'en avait jamais parlé à qui que ce soit, mais souhaitait connaître de Seth la signification de cet élan transcendant. De plus, un diagnostic la condamnait à une mort certaine dans un délai de deux ans.)

(Jane y voyait une résonance avec sa propre expérience psychique et elle me demanda de noter la question. Nous croyons que la réponse de Seth intéressera le public. C'est ce qui nous pousse également à parler en fin de session de l'expérience d'un ami aux prises avec certains problèmes.)

(Jane était fatiguée après le repas de ce soir, je ne lui demandai donc pas de tenir une session. Vers 21 h, une voisine qui ne pouvait ouvrir sa porte nous demanda de l'aider. Cet incident passé, Jane se sentit alerte et, à ma grande surprise, souhaitait faire la session. Elle commença très doucement à parler en tant que Seth.)

Bonsoir.

(«Bonsoir, Seth.»)

Reprenons la dictée. Si vous donnez libre cours à l'émotion, vous ne vous sentirez jamais angoissé et vous reviendrez toujours rafraîchi à votre pensée «logique».

Lorsque vous endiguez vos sentiments, ils entrent en conflit avec l'intellect ou vous submergent. Il est donc extrêmement important pour vous de comprendre le pouvoir d'entraînement de votre pensée consciente, car autrement vous serez à tout jamais à la merci de conditions sur lesquelles vous croyez n'avoir aucun contrôle.

Encore une fois, pendant que votre pensée **dirige** le flot de votre expérience à travers vos croyances, les autres portions du soi s'affairent à leur matérialisation. Soyez assuré que vos nouvelles croyances se concrétiseront aussi sûrement que les anciennes.

(Longue pause) Vos croyances religieuses vous sembleront peut-être fort éloignées de votre santé ou de votre expérience journalière. Ceux parmi vous qui ont délaissé la religion pourront se sentir relativement soulagés des connotations négatives du péché originel et de choses semblables. Cependant, personne n'est exempt de croyances en

ce domaine. En effet, la croyance en l'athéisme est elle-même une croyance!

Dans notre prochain chapitre, nous examinerons de plus près les questions du bien, du mal et de la mort et nous verrons comment vos idées se reflètent dans votre vie.

Fin du chapitre.

(*«Très bien.» Pause à 22 h 38.*)

Voici une note concernant la lettre de cette dame...

Personne ne sait avec certitude le jour exact de sa mort en cette vie, que chacun appelle sa vie présente. La condition humaine forme le cadre dans lequel l'âme, pour l'instant, s'exprime dans la chair. Vous vivez entre la naissance et la mort une expérience que vous percevez à travers le temps et les saisons, et jouissez à votre manière des lieux; et ceci avec d'autres humains qui, à divers degrés, partagent les événements; événements issus de la conjonction du soi, du temps et de l'espace.

La naissance et la mort ont donc leur fonction; elles canalisent et intensifient votre attention. La vie vous apparaît plus attrayante par la présence même de la mort. Peut-être croyez-vous plus facile de vivre sans la connaissance de l'année ou du moment de votre mort. Évidemment, chaque homme et chaque femme possèdent **inconsciemment** ce renseignement, mais se dissimulent cette connaissance.

Plusieurs raisons expliquent ce fait, mais l'existence de la mort, de la mort personnelle, n'est jamais oublié. Cela me semble évident, mais la jouissance parfaite de la vie serait impossible dans **ce cadre** de réalité terrestre sans la connaissance de la mort.

Vous avez la chance d'étudier et d'expérimenter la vie plus intensément que jamais. Il vous est donné de mieux percevoir la densité, la brillance, les contrastes et les similitudes, les joies et les peines de l'existence, du fait de votre condamnation par les médecins.

Maintenant, je vous affirme que cette sensibilité accrue, appréciée et comprise, alliée à l'acceptation inconditionnelle de l'expérience de la vie, peut provoquer en cette vie même une nouvelle naissance, peu importe les dires de la médecine. Du point de vue spirituel, la sentence de mort prononcée contre vous est une autre chance donnée à la vie, si vous pouvez l'accepter librement dans tout ce qu'elle comporte et en ressentir sa pleine dimension; car cela seul pourra *régénérer* votre moi spirituel et physique.

L'expérience dont vous parlez dans votre lettre peut s'expliquer à plusieurs niveaux, mais bien entendu elle se voulait un réconfort devant les événements que vous pressentiez. L'expérience est venue pour vous faire saisir sensiblement et spirituellement la grande valeur de chaque individu; pour vous montrer le merveilleux éclat de chaque être humain, et vous laisser savoir que l'intégrité du soi et de l'âme persiste bien au-delà de la mort, tout comme vous, personnellement, vous continuerez d'exister peu importe l'avenue que vous choisirez: mourir dans deux ans ou vivre physiquement beaucoup plus longtemps. En d'autres mots, vous continuerez d'exister et de vous **accomplir** dans cet amour que vous avez ressenti.

Vous avez déjà senti inconsciemment que vous étiez à la dérive et que la vie avait peu de sens. Sous la surface des événements, vous ressentiez un manque de réalisation; vous sentiez que vous possédiez un grand courage et des capacités qui ne pouvaient être mises à profit; vous ne voyiez pas de circonstances «héroïques» pouvant vous amener à une plus grande compréhension des choses, ni de stimuli pouvant mettre du piquant dans vos journées. Vous avez donc choisi inconsciemment de provoquer une situation de crise qui mobiliserait vos plus grandes capacités de cœur et d'âme, afin que par cette tension vous puissiez percevoir, comprendre et triompher. Et ainsi en sera-t-il, selon la voie que vous jugerez prioritaire; et vous apprendrez et vous vous réaliserez mieux, grâce à ces conditions de vie.

Cela ne veut pas dire qu'il n'y avait pas d'autres voies possibles. Vous avez choisi ces circonstances parce que dans vos existences passées vous étiez tellement terrifiée par la mort que vous avez essayé d'en ignorer le sens; mais cette fois-ci, vous l'avez mise à l'avant-plan.

Dans le tissu complet de votre existence, cette vie est une portion étincelante, éternellement unique et précieuse. Mais elle demeure une portion de cette plus grande existence d'où vous émergez dans la joie et la compréhension. Que vous mourriez demain ou dans les années à venir importe peu, mais le choix de la vie et de la mort est toujours vôtre.

La vie et la mort ne sont que deux facettes de votre existence éternelle et toujours changeante. Ressentez et appréciez la joie de votre être. Certaines personnes arrivent à quatre-vingt-dix ans sans jamais goûter à ce point la beauté de leur être. Vous avez déjà vécu et vivrez encore, et votre nouvelle vie – de votre point de vue – jaillit de l'ancienne; elle croît dans l'ancienne qui la **contient,** comme la semence dans la fleur.

Faisons une pause.

(23 h 11. Seth transmit une page de renseignements à l'intention de Jane, avant d'attaquer le chapitre 12. Nous fîmes ensuite une pause de 23 h 22 à 23 h 40.)

Chapitre 12

LA GRÂCE, LA CONSCIENCE ET VOTRE EXPÉRIENCE PERSONNELLE

Session 646 (suite)

Nous commencerons maintenant le prochain chapitre. Voici le titre: «La grâce, la conscience et votre expérience personnelle».

J'ai souvent mentionné l'état de grâce (*par exemple à la session 636, chapitre 9, tome I*), car certains aspects sont à considérer. En pratique, c'est la source de votre bien-être et de votre accomplissement. C'est une condition de votre existence. Chacun peut le dire à sa façon, mais souvent vous croyez avoir «perdu la grâce»; cette sensation joyeuse et mystérieuse d'un support intérieur semble vous échapper. Malheureusement, l'écho de votre «conscience» qui parle par la voix d'une mère, d'un père, d'un maître ou d'un pasteur, est un bien piètre guide; chacun à tour de rôle vous transmettant sa propre idée de ce qui est bon ou mauvais pour vous et pour l'humanité en général.

(*23 h 45*) Ces gens, bien entendu, étaient faillibles et ils le sont encore aujourd'hui. Pour l'enfant, l'adulte n'a pas de défauts. La parole des grands prend tout son poids, car l'enfant dépend d'eux. Il est nécessaire pour lui d'accepter les croyances des autres avant de pouvoir former sa propre pensée.

Vous avez tous vos raisons particulières d'accueillir divers concepts. Ces croyances partagées constituent votre canevas spirituel et mental, la matière première, pour ainsi dire, de votre construction. À l'adolescence, vous mettrez facilement de côté certaines croyances ou vous les modifierez en accord avec le cadre élargi de votre expérience. Cependant, certaines croyances demeureront, mais avec quelques modifications. Ainsi, les croyances peuvent être corrigées en fonction de votre nouvelle image, mais leur motif central demeure le même.

Prenez, par exemple, l'idée du péché originel; imaginez toutes ses connotations possibles et les façons dont elles peuvent influencer votre comportement et votre expérience.

(*23 h 55*) Le concept lui-même existait bien avant le christianisme; il fut transmis de diverses manières à travers les âges et les civilisations. Mais pour la conscience, c'est un mythe qui évoque la naissance de la pensée chez l'espèce et l'émergence de l'autoresponsabilité. Il représente aussi la différenciation du moi par rapport à l'objet **perçu** qu'il pouvait juger et apprécier; il évoque l'émergence de la pensée et d'un moi fortement «personnalisé», sortant du plus profond de l'être d'où émane toute conscience.

Le mythe du péché originel représente la nouvelle conscience qui, issue de l'arbre de vie, se voit unique et séparée; elle peut donc juger de ses propres fruits et, pour la première fois, se distinguer des autres, comme le serpent qui rampe à la surface de la terre. L'homme se voulait une créature indépendante. De **votre** point de vue, donc, il se détacha intentionnellement et de manière originale du corps même de sa planète. Une partie de lui brûle tout naturellement d'un retour aux sources (*avec plus de force*) **de la connaissance inconsciente** qu'il dut abandonner et où tout lui était donné; en effet, aucun jugement ni distinction n'étaient nécessaires, car toute responsabilité était organiquement préordonnée.

L'homme se voyait supérieur au serpent, symbole de la connaissance inconsciente. Cependant, le serpent pouvait toujours tromper et attirer l'homme, même si celui-ci pouvait, symboliquement, lui écraser la tête et croître à partir de sa connaissance.

Avec la naissance de la conscience vint la responsabilité consciente des fruits de la planète. L'homme en devint le jardinier.

Ce sera la fin de la dictée. Vous pouvez, à votre guise, joindre ce qui suit à notre livre.

(*00 h 07. Il y a quelques mois, un ami intime eut un intense mal de dents et des problèmes de mâchoire, et il perdit aussi beaucoup de poids. Seth en donne ici les raisons.*)

En lisant un livre sur les aliments et la santé, votre ami reçut, ou se donna lui-même, une très bonne leçon sur le fonctionnement des croyances. S'il en prend conscience maintenant, l'expérience lui sera très profitable.

Si certains aliments sont **bons**, alors d'autres doivent être mauvais. S'il ressent un malaise après avoir mangé un mets en particulier, alors il cessera d'en manger. Avant la lecture de ce livre, cela ne l'aurait pas préoccupé.

Le refus de manger certains aliments devint donc un symbole du refus de faire face à certaines croyances, de sorte que tant qu'il ne mangeait pas de ces aliments il n'avait pas à les examiner. Un grand nombre de personnes utilisent régulièrement de telles méthodes. Lorsque votre ami aura **accepté** d'affronter ses croyances, comme il tente maintenant de le faire, il **pourra manger** ces aliments. Son rejet des aliments pendant une certaine période montrait son refus de regarder bien en face ses croyances. Chaque «gain» – et il en fait avec l'aide de Ruburt – lui prouve que ce sont les croyances et non pas la nourriture qui importent, ce qui renforce son indépendance et sa liberté.

Il a lu un livre sur le massage des pieds; massage qui agit sur les réflexes du corps. Eh bien, cette attention naturelle donnée au corps est bénéfique, car elle respecte les droits du corps, **sans** jugement de valeur en termes de bon ou de mauvais, contrairement à l'idée d'aliments dits «de santé».

Je reviendrai sur les aliments «de santé». Cependant, moins vos aliments seront **contaminés**, mieux ce sera pour vous; mais vous ne serez pas gagnant si vous ne croyez pas en la sagesse du corps pour assimiler les aliments ordinaires dont vous le nourrissez. Le massage naturel est très bénéfique, spécialement lorsqu'il est pratiqué par une personne avec l'intention de guérir. Évidemment, cela ne **résoudra pas** les problèmes intérieurs. Il n'est pas une réponse en soi, mais aide momentanément à la détente.

Les réflexes sont bien réels. Le massage «réflexe», fait avec l'attitude intérieure voulue, est très profitable. Il apprend au corps à prendre contact avec de profonds sentiments de détente que l'esprit lui refusait; ce type de massage devient un excellent moyen d'apprentissage.

Vous pouvez maintenant terminer la session ou faire une pause.

(*«Ce sera tout, je pense.»*)

Alors, je vous souhaite une bonne nuit...

(*«Toi de même.»*)

... et soyez assurés de tout le soutien dont je dispose.

(*«Merci, Seth et bonne nuit.»*)

(00 h 25. Jane affirma que Seth en avait pour la nuit, le reste du chapitre «était là tout prêt». Il pourrait également répondre à toutes nos questions, mais...)

Session 647 – Le lundi 12 mars 1973, à 21 h 37

(Comme je n'avais pas terminé de dactylographier la dernière session, je lus la fin de celle-ci à Jane à partir de mes notes. Juste avant le début de la présente session, Jane me dit, irritée: «Je reçois des renseignements de Seth, mais il semble que ce soit à notre sujet, ce qui ne me plaît pas du tout. Je veux de la matière pour le livre...» Mais Seth n'en donna pas moins quelques pages de renseignements concernant une discussion que nous avions eue aujourd'hui. Après la pause de 21 h 50, il reprit la dictée du chapitre 12.)

Le serpent est le symbole de la connaissance profondément inscrite dans la nature humaine; il symbolise aussi un certain dépassement. Ainsi, dans l'histoire, c'est Ève et non Adam qui mange la pomme parce que, en tant que femme, elle représente l'élément intuitif de la race qui devait amener cette évolution. Par la suite, l'*ego*, symbolisé par Adam, pouvait renaître et effectuer la séparation nécessaire. L'arbre de la connaissance offrait effectivement ses fruits – «bons et mauvais» –, car pour la première fois intervenait le libre arbitre et la possibilité de faire des choix.

Il y eut d'autres versions de l'histoire, dont certaines ne sont pas parvenues jusqu'à vous, où Adam et Ève furent créés ensemble, et en rêve ils se séparèrent, l'un mâle, l'autre femelle. Selon votre légende, Adam apparut le premier. La création de la femme à partir de l'une de ses côtes symbolise l'émergence essentielle de forces intuitives chez la nouvelle créature, car sans ce développement la race n'aurait pas pu atteindre cette conscience de soi dont vous jouissez.

Le bien et le mal représentent donc simplement la possibilité de choix; choix d'abord en termes de survie, car antérieurement l'instinct suffisait à assurer le nécessaire. Mais on retrouve un sens plus profond à ces apparentes oppositions, alors que Tout Ce Qui Est sépare semble-t-il des parties de lui-même, étalant Sa toute puissance en de nouveaux modèles de l'être qui se souviennent de leur source et la contemple avec nostalgie, tout en profitant de l'unique individualité dont ils jouissent.

(22 h 06. Jane parlait avec un air très déterminé.) Le récit de la Chute, de la rébellion des anges et de leur chef Satan – qui devint le démon – tout ceci se réfère au même phénomène à des niveaux diffé-

rents. Satan représente – **dans les termes du récit** – la partie de Tout Ce Qui Est, ou Dieu, qui se **serait détachée de Lui** pour se joindre à Ses créatures, les dotant ainsi du libre arbitre dont elles ne disposaient pas «auparavant».

(*Pause*) D'où la majesté et le pouvoir attribués à Satan. On le décrit souvent sous forme animale, montrant ainsi ses caractéristiques terrestres, mais il possédait aussi les qualités intuitives, d'où sortirait la nouvelle conscience humaine. Au niveau purement biologique, avec l'apparition du raisonnement et sa capacité de décision, l'espèce cessa de dépendre totalement de l'instinct; elle conservait cependant tous ses penchants naturels de survie.

Prenez un peu de repos.

(*De 22 h 16 à 22 h 30*) Cette nouvelle forme de conscience disposait du livre ouvert de la mémoire, lui reflétant les joies et les peines passées; et ainsi la perception de la mort physique devint plus claire qu'elle ne l'était sous la condition animale.

Par le jeu de l'association, le nouvel esprit pouvait, à sa grande confusion, déclencher le souvenir aigu d'une agonie passée. Au début, il lui était difficile de séparer le souvenir du moment présent. L'esprit humain lutta alors pour maîtriser toutes ces images – passées, présentes et celle du futur en projection – et il dut continuellement faire des liens. Il connut alors une période de grande évolution.

Il était tout naturel que certaines expériences soient plus acceptables que d'autres, mais les nouvelles capacités de l'espèce exigeaient des distinctions claires. Le bien et le mal, ce qui est désirable et ce qui l'est moins, devinrent des aides inestimables pour effectuer ce genre de démarcation.

La naissance de l'imagination ouvrait sur d'innombrables possibilités, mais par la même occasion imposait une tension supplémentaire à cet organisme, l'obligeant à réagir non seulement à la condition présente, mais à des situations imaginaires. De plus, les membres de l'espèce devaient, comme les autres animaux, faire face à l'environnement naturel. L'imagination venait à la rescousse, car elle permettait à l'individu d'anticiper le comportement des autres créatures.

(*22 h 41*) Les animaux possèdent également une capacité «inconsciente» d'anticiper, mais ils n'ont pas à «pactiser» avec le futur comme devait le faire la nouvelle conscience. Encore une fois, le bien et le mal puis le libre arbitre venaient aider l'espèce. Par exemple, le prédateur naturel était vu comme le méchant. Il serait bon que le lecteur se rappelle ici ce qui a été dit sur la culpabilité naturelle. Cela aidera à comprendre les mythes suivants et leurs variantes. (*Voir entre autres la session 634, chapitre 8, tome I.*)

Avec le développement de la pensée, l'espèce pouvait transmettre à ses rejetons la sagesse et la loi des ancêtres. Cela se poursuit dans la société moderne, bien sûr, avec l'acceptation par les jeunes des croyances parentales concernant la réalité. Toute autre considération mise à part, c'est aussi une caractéristique du règne animal. Seuls les moyens diffèrent.

L'évolution se poursuit cependant. Les concepts du vrai et du faux, que chaque individu interprète à sa manière, servent toujours de guides. Cela prend une grande importance, spécialement à cause du lien avec la survie mentionnée précédemment (*à la dernière session*). Initialement, on devait, par exemple, inculquer à l'enfant qu'un animal prédateur était «mauvais» parce qu'il pouvait tuer. Aujourd'hui, une mère pourrait sans réfléchir dire la même chose d'une automobile.

L'acquisition de croyances est donc primordiale au départ pour l'organisme, mais avec la maturité il est naturel de porter un jugement sur ses croyances en fonction de son propre environnement. Certains lecteurs pourraient avoir une conception du bien et du mal qui les dessert. Il peut s'agir de vieilles croyances sous un nouveau manteau. Vous vous pensez peut-être bien libre, mais pour découvrir que vous êtes attaché à de vieilles croyances auxquelles vous avez donné un autre nom.

Votre expérience quotidienne est intimement liée à l'idée de votre valeur personnelle.

Vous pouvez faire une pause.

(*«Merci.»*)

Fais lecture à Ruburt de ma note du début.

(*«Très bien.»*)

(*22 h 55. Seth se réfère ici à la matière qu'il nous a transmise avant la dictée. Elle concerne notre attitude pour améliorer notre sentiment de liberté dans le quotidien; ce fut très éclairant. Reprise à 23 h 23.*)

Dictée. Les distorsions du christianisme conventionnel peuvent vous paraître évidentes. Vous pouvez avoir changé votre vision à un point tel que vous ne voyiez à peu près pas de ressemblance entre vos idées actuelles et vos croyances passées. Vous pourriez par exemple croire au bouddhisme ou à une autre philosophie orientale.

Ces systèmes de pensée vous paraîtront si éloignés de la philosophie chrétienne que vous n'en verrez pas les similitudes. Vous adhérerez, par exemple, à l'une des écoles bouddhistes qui insiste sur la négation du corps, sur la discipline de la chair et sur l'abstention de tout désir. Ces aspects se retrouvent aussi dans le christianisme, mais cela vous paraît plus fascinant, acceptable ou raisonnable venant d'une source étrangère. Vous sauterez d'une religion à l'autre en proclamant votre émancipation, vous sentant libéré de vieilles croyances limitatives.

Les philosophies qui enseignent le rejet de la chair en viendront finalement à nier et à dédaigner le «soi», alors que l'âme revêt justement la chair pour expérimenter cette réalité et non pour la désavouer.

De tels dogmes s'appuient sur une culpabilité artificielle, et la culpabilité naturelle a été biaisée pour en justifier les propos. Peu importe le langage, on enseigne aux adeptes qu'il y a quelque chose de mauvais dans l'expérience terrestre. Le «soi» dans la chair est considéré comme mauvais par le fait même de son existence.

Cette seule croyance vous causera bien des déceptions et vous fera rejeter le fondement même de votre cadre de référence. Vous considérerez le corps comme un objet, un merveilleux véhicule, mais non pas comme la **vivante expression** de votre être dans la matière. Certaines écoles orientales appuient – comme le font d'ailleurs de nombreux groupes spirituels – sur les «niveaux inconscients du soi» et vous enseignent à vous méfier de la pensée consciente. Le concept du nirvana (*voir la session 637, chapitre 9, tome I*) et l'idée du ciel sont deux versions d'un même tableau, l'un représentant l'état de fusion de l'âme dans un ravissement de la conscience indifférenciée, l'autre un lieu où la conscience individuelle se plaît dans une contemplation béate. Les tenants de l'une et l'autre de ces théories ne comprennent pas les fonctions ni l'évolution de la conscience; ni, à cet égard, certains aspects de la physique. Aucune énergie ne se perd. La théorie[1] de l'univers en expansion s'applique autant à la pensée qu'au reste de l'univers.

---

1. La théorie du «big bang» postule qu'il y a 10 ou 15 billions d'années, toute matière – ou énergie – était concentrée en un puissant «atome» primordial. Ce colosse explosa et l'univers d'aujourd'hui, toujours en expansion, serait le résultat de cet événement. Une variante de la théorie voit l'univers en pulsations, par le choc et l'expansion de toute matière-énergie. (*Note de Robert Butts*)

(*23 h 43*) Cependant, ces philosophies **peuvent** susciter chez vous une profonde méfiance à l'endroit de votre corps et de la pensée. On vous dit que l'esprit est parfait, vous cherchez donc à atteindre des niveaux de perfection tout à fait inaccessibles. L'échec augmentera alors votre culpabilité.

Vous tenterez de rejeter les joyeuses caractéristiques de votre être naturel, niant la robuste spiritualité de votre chair et les puissants penchants actuels de votre âme envers le corps. Vous chercherez à vous séparer de toutes les émotions naturelles et ainsi serez-vous privé de leur grand courant spirituel et physique. (*Pause*) Par ailleurs, certains maîtres peuvent ne pas s'attarder à ce genre de questions, mais ils seront profondément convaincus de l'indigence de la condition humaine et ils mettront l'accent sur les éléments «les plus sombres» de votre expérience; ainsi verront-ils la destruction imminente du monde, sans vraiment examiner les croyances qui ont fait surgir de tels sentiments.

Ils s'en prendront rapidement aux fanatiques qui appellent la vengeance divine et qui parlent d'une fin du monde dans le soufre et la cendre. Ils ne seront peut-être pas moins convaincus de l'indignité fondamentale de l'Homme et, par conséquent, de la leur. Dans la vie de tous les jours, ces gens se concentrent sur les événements négatifs, en font une réserve, et malheureusement attirent dans leur vie personnelle des faits qui semblent venir confirmer leurs idées préconçues.

Vous retrouvez donc, dans un contexte différent, la même négation de la valeur et de l'intégrité de l'expérience terrestre. Dans certains cas, tous les attributs humains désirables sont amplifiés et projetés en un dieu ou en une superconscience, alors que les caractéristiques les moins admirables sont abandonnées à la race et à l'individu.

L'individu se prive ainsi de bon nombre de ses capacités. Il ne les considère pas comme siennes et il est tout étonné lorsqu'il voit l'un de ses semblables manifester des talents exceptionnels.

Vous pouvez faire une pause ou terminer la session.

(«*Nous ferons une pause.*»)

(*23 h 57. Je dis à Jane que nous pouvions tout aussi bien arrêter là. Elle choisit d'attendre. Reprise à 00 h 12.*)

Dans une certaine mesure, les croyances suivent le rythme du temps et des civilisations.

Tout comme le corps, la pensée possède un système d'équilibre et de défense, c'est ainsi qu'un ensemble de croyances soi-disant négatives aura des effets bénéfiques en contrebalançant les effets d'autres croyances. Par exemple, à une certaine époque, la civilisation occidentale mettait trop l'accent sur la raison; et maintenant, elle insiste sur d'autres aspects du «soi» dans un but bien arrêté.

Les gens qui vivent à une époque viennent au monde avec leurs propres problèmes et défis; ce qui aura une grande influence sur les croyances dominantes, nationales ou internationales. Les croyances, bien sûr, constituent un banc d'essai d'expériences diverses. Ceci s'applique autant à la religion qu'aux situations socio-politiques. Il y a un échange constant entre l'individu et le système de croyances collectives de l'environnement qu'il a choisi.

Certaines personnes croiront que la maladie est moralement mauvaise; en contrepartie d'autres diront qu'elle est ennoblissante, enrichissante et spirituellement bonne. Ces jugements de valeur sont extrêmement importants, car votre expérience de la maladie ou d'une infirmité viendra les confirmer.

Ce sera la fin de la dictée et de la session. Bonne nuit à tous les deux.

(«*Merci Seth, et bonne nuit.*» *Il était 00 h 22.*)

Session 648 – Le mercredi 14 mars 1973, à 21 h 51

(*Le 25 septembre 1972, jour de la 617ᵉ session, chapitre 3 du tome I, je décrivais le spectacle émouvant des oies sauvages se dirigeant vers le sud. Hier soir, six mois plus tard, nous voyions se compléter leur cycle migratoire. Comme nous nous retirions, je croyais entendre le criaillement des oies. Jane, elle, n'entendait rien. Cependant, vers quatre heures, je me suis levé et j'entendis clairement leur passage dans le silence de la nuit. Puis, tôt ce matin, pendant que je peignais dans mon studio, cette même cadence me revint, comme un écho; il tombait une fine pluie.*)

(*Il m'a fallu cependant attendre le crépuscule, ce soir, pour voir ces oies. Je travaillais sur ce livre quand j'entendis un nouveau vol dont le son se mêlait à celui de la circulation. J'ouvris une fenêtre du studio. Il pleuvait encore légèrement. À travers les branches d'un pêcher géant, je vis leur formation irrégulière en V se dirigeant vers le nord, tout juste sous les nuages; elles criaient sans arrêt...*)

(*Jane a tenu une longue séance en ESP hier soir, où elle chanta en Sumari. Je croyais qu'elle ne voudrait pas tenir de session ce soir, mais à 21 h 30 elle était prête. Nous nous sommes installés dans son bureau de travail pour faire changement. Elle dit: «Je me sentais surexcitée un peu plus tôt, mais maintenant je suis détendue.»*)

(*La session d'hier nous apportait un nouvel éclairage sur le rêve chez les animaux. Nous aurons une copie du texte pour la classe de la semaine prochaine. Ces sessions sont enregistrées et durant la semaine un étudiant fait la transcription pour le groupe.*)

(*Le débit de Jane était coulant ce soir.*)

Bonsoir.

(*«Bonsoir, Seth.»*)

Votre corps joue un rôle si important, et il y a tant d'aspects à considérer en ce qui a trait à la santé et à la maladie, qu'un seul livre ne pourrait suffire pour tout expliquer.

La santé et la maladie sont deux signes de l'effort déployé par le corps pour maintenir son équilibre. Il existe une différence entre la santé chez l'homme et chez les animaux, compte tenu de la nature de leur expérience physique. Je reviendrai plus tard sur ce sujet. Globalement, les infirmités et les maladies chez les animaux ont un rôle vivifiant et les préparent à leur prochaine existence, dans tout ce qu'elle comporte. Les animaux sont à leur manière bien conscients de ce fait. Certains même contribuent à leur propre extermination par un suicide collectif. À ce niveau, les animaux sont conscients de leur comportement, car ils ont cette connaissance profonde de leur place dans la chaîne biologique de la nature.

L'homme se targue d'avoir une riche activité psychologique, mais la refuse aux autres espèces. Pourtant, il existe autant de prolifiques poussées psychologiques qu'il y a d'espèces. Les cycles de santé et de maladie sont ressentis comme des rythmes corporels par une grande variété d'animaux; pour eux aussi l'infirmité et la maladie ont une valeur salvatrice sur un autre plan.

L'instinct, par exemple, est fort précis pour guider les bêtes vers des territoires propices à leur survie; pour elles également, leur bien-être physique est la preuve évidente «qu'elles sont à la bonne place au bon moment». Cela renforce leur sens de la grâce, comme nous l'avons mentionné plus haut. (*Voir la session 636, chapitre 9, tome I.*)

(*Avec fermeté*) Les animaux comprennent la qualité formatrice de la maladie et suivent leur instinct pour la traiter. Dans une situation naturelle, cela peut représenter une migration massive d'un territoire vers un autre. Dans de tels cas, la maladie de quelques sujets suffit pour alerter tout le troupeau et l'envoyer en toute sécurité vers d'autres pâtures.

L'homme est tellement axé sur la parole qu'il peut difficilement comprendre comment d'autres espèces peuvent communiquer avec d'autres idées-formes (avec un trait d'union), car, à son point de vue, il ne peut être question ici de pensée intelligente. Le pendant de la pensée existe pourtant; par analogie, c'est comme si les idées n'étaient pas structurées en phrases renforcées d'images visuelles, mais par ce qui correspondrait à des «motifs» mentaux organisés autour du flair et du toucher. En d'autres mots, c'est une pensée, mais placée dans un contexte tout à fait différent du vôtre.

(22 h 15. Seth répéta les deux dernières phrases pour s'assurer de ma compréhension.)

Toujours selon notre analogie, une telle «pensée» demeure instinctive chez les animaux, alors que pour vous l'expression de vos pensées peut déborder ce cadre. On touche justement ici à l'une des différences principales entre les animaux et vous; cela met également en évidence ce que l'on entend par le libre arbitre chez l'homme.

Les animaux comprennent donc le caractère bénéfique de la maladie. Ils perçoivent aussi le stress comme un stimulant nécessaire à l'activité physique. Si vous observez un chat, vous noterez sa merveilleuse et complète détente; pourtant sa réponse à un stimulus sera immédiate. Même en captivité, les animaux chercheront la présence d'agents vivifiants de stress.

(La fenêtre était ouverte, vu la grande chaleur. Je m'inclinai pour écouter au dehors. Malgré l'averse, j'entendis une fois encore, mais faiblement, le cri des oies.)

Veux-tu faire une pause et écouter les oies?

(«Non... Elles seront parties d'ici une minute.»)

Leur son est sans doute plus mélodieux que ma voix!

(«Elles ont quelque chose de très fascinant, mais, dis-je en badinant, tu ne l'es pas moins.»)

(Avec sérieux) Je te remercie pour le compliment.

Les animaux ne voient donc pas la maladie comme bonne ou mauvaise. Sur ce plan, la maladie fait partie du processus de conservation de la vie; c'est un système d'équilibre et de défense. L'émergence de ce type de conscience particulière à l'homme soulevait d'autres problèmes. Ainsi, l'humain ressent sa propre mort beaucoup plus que les bêtes.

(*Longue pause*) Cette forme particulière de la conscience de soi amena l'homme à extérioriser et à intensifier des aspects qui étaient jusque-là latents chez les animaux, entre autres l'activité émotionnelle qu'il portait à un nouveau degré d'expression. La «pause de réflexion» dont nous avons parlé (*voir la session 635, chapitre 8, tome I*) et l'éclosion de la mémoire, qui accompagnait cette intensification émotionnelle, firent que les membres de la nouvelle race purent se souvenir, dans leur présent, de la mort et des maladies qui les terrassèrent. Ils eurent peur de la maladie et tout particulièrement de la peste.

L'Homme oublia l'aspect éducatif et **thérapeutique** de la maladie et se concentra plutôt sur le côté déplaisant de l'expérience. C'est bien compréhensible, car la nouvelle race se développa justement pour transformer sa conscience, pour vivre une réalité qui bannirait l'instinct «aveugle». Elle cherchait une forte individualisation de l'expérience corporelle qui, antérieurement, avait pris une autre tangente.

Faisons une pause.

(*22 h 36. Jane se sentait «très détendue mais somnolente». Elle avait entendu le criaillement des oies pendant la dictée.*)

(*Comme il lui arrive parfois, Jane était consciente de divers canaux d'informations dont Seth disposait à notre intention. À nous de décider:*

1. Le fonctionnement comparé de la structure des idées chez les animaux et chez l'homme.

2. L'utilisation des animaux, les rats par exemple, pour des tests en laboratoire, avant l'inoculation à des humains. [Et Jane ajouta: «La réalité psychologique de l'homme est si éloignée de celle des animaux que ses réactions seront inévitablement beaucoup plus étendues.»]

3. L'état de détente qui prévaut actuellement chez Jane.)

(*Nous choisissons la première catégorie, car c'est la suite logique de ce chapitre. Voir les notes de la session 616, chapitre 2, tome I pour une description de l'expérience de réception des multiples canaux par Jane. Reprise au même rythme à 22 h 58.*)

L'Homme a une latitude beaucoup plus grande que les animaux. Il crée sa réalité en conformité avec ses croyances conscientes, même si les fondements de son existence corporelle sont profondément enfouis dans le giron inconscient de la terre. Son «je suis» séparé [à ce qu'il

croit][1] de la nature – une caractéristique nécessaire pour le développement de son type de conscience – lui fit porter des jugements de valeur
et se couper de certitudes intérieures que gardent d'autres espèces.

La maladie fut donc perçue comme «mauvaise». Une tribu entière
se voyait menacée par la maladie d'un seul membre. Mais, avec le
développement de la pensée, la capacité d'adaptation et la mémoire
devinrent des outils hautement efficaces. Dans certaines sociétés, le
vieillard ou l'infirme était supprimé si son état demandait trop de soins
des bien-portants et menaçait la survie du groupe.

Chez certaines peuplades cependant le vieillard était honoré pour sa
grande sagesse; ses conseils pratiques sauvèrent certaines tribus, là ou
d'autres furent décimées. La tradition était transmise par les anciens; le
sens de la continuité était également maintenu par les membres plus
âgés qui communiquaient leurs souvenirs aux plus jeunes.

Un individu qui avait surmonté plusieurs maladies était considéré
comme un sage. De telles personnes observaient les animaux et les
modes de guérison de la nature.

En certaines régions, la démarcation entre les espèces n'était pas
parfaite, et il fut de longues périodes où les **hommes et les animaux se
mêlaient**. Son imagination fit de l'homme un grand créateur de mythes.
Les mythes sont pour vous des ponts psychologiques. Ils représentent
les types de perception et de comportement que connut la race jusqu'à
son stade actuel. La mythologie comble le fossé entre la connaissance
instinctive et l'individuation de l'idée.

Quand un animal est malade, il commence immédiatement à remédier à la situation; inconsciemment, il sait quoi faire. Il ne se demande
pas comme vous si c'est bon ou mauvais. Ni non plus ce qu'il a fait
pour aboutir à cette situation. Il ne se croit pas inférieur pour autant. Il
entreprend automatiquement sa propre guérison.

L'humain doit traiter avec une autre dimension, un autre espace de
créativité, un mélange de plusieurs croyances. Il doit examiner les idées
qu'il a de lui-même, car elles se matérialisent dans la chair. Mais la
situation demeure d'une grande complexité; l'humain doit donc **encore
aujourd'hui** faire ce salutaire exercice pour maintenir un bon équilibre
corporel. De plus, il doit tenir compte de la situation mondiale, de l'état

---

1.   Ajout de Robert Butts.

de la planète, où, par exemple, un surpeuplement provoquerait la mort pour assurer une survie.

(23 h 21) Les individus vivant actuellement auront leur part d'une telle décision. Encore une fois, parce que vous êtes des êtres autoconscients vous intervenez dans votre réalité par vos croyances. L'animal sait qu'il est unique et qu'il a sa place dans l'univers. Il a un sens inné de la grâce. Par votre libre arbitre vous pouvez croire ce que vous voulez, y compris que vous êtes indigne et que vous n'avez pas droit à l'existence.

Si vous vous méprenez sur le sens des mythes, vous pourrez croire que l'homme a perdu la grâce et que son humanité même est maudite; dans ce cas vous ne ferez pas confiance à votre corps ou vous freinerez sa capacité «naturelle» d'autoguérison.

Afin de permettre le développement de votre conscience, toujours de votre point de vue, vous devez avoir la liberté d'explorer toutes les idées, individuellement et collectivement. Vous êtes **tous et chacun** des entités vivantes en croissance. Chacune de vos croyances a son origine et ses modes de perception propres; vous devez donc pour vous-même ressasser vos croyances et **vos propres** sentiments, jusqu'à ce que vous compreniez, de cœur et d'esprit, la légitimité de votre existence tout à fait originale dans le temps et l'espace.

Cette connaissance sera pour vous le pendant conscient de la compréhension animale inconsciente.

Faites une pause.

(23 h 30. «Je sens un étrange mélange de fatigue et d'excitation, comme si j'avais trop bu, dit Jane. Je sais qu'un peu d'alcool est favorable, mais en grande quantité cela nuirait à la transmission.» Elle avait pris quelques gorgées de vin ce soir.)

(Jane me dit qu'on pouvait recevoir encore beaucoup d'autres renseignements sur la thérapie naturelle chez les animaux. Elle se mit à philosopher au lieu de laisser Seth intervenir. «Dans les temps anciens, les humains ne faisaient pas qu'observer les animaux, mais ils allaient à eux pour chercher de l'aide. Cela avait l'effet d'un traitement-choc, disait-elle pensivement. Si l'homme était inerte après la bataille, par exemple, l'"animal-sorcier" provoquait une réaction émotionnelle chez le patient pour l'en faire sortir.»)

(«Je pense que ces animaux-sorciers pouvaient s'apparenter à nos primates, dit Jane. Non pas des singes comme nous les connaissons *aujourd'hui; ils étaient plus ou moins de notre taille. Ils ne mesuraient pas un mètre. J'ai vu des créatures poilues, qui marchaient droit, avec des yeux brillants remplis de compassion...»)*

(Jane me dit pouvoir entrer dans beaucoup plus de détails; mais comme cela nous éloignait des propos de ce chapitre, nous décidâmes d'en finir là. Il me vint à l'esprit l'image de dieux, mi-hommes mi-bêtes, oiseaux ou reptiles, de nos légendes anciennes. Reprise à 23 h 50.)

Voici. L'animal n'a aucun besoin de pensée consciente. L'humain, cependant, de par la grande flexibilité de sa nature, avait besoin de se référer à cette sorte de culpabilité naturelle dont je vous ai parlé.

Ce que vous appelez votre «conscience» est une forme de jugement extérieur de ce qui est bien ou mal, que vous avez appris tout jeune à poser. En règle générale, ces idées représentent la conception qu'avaient vos parents de la culpabilité naturelle, biaisée par leurs propres croyances. *(Voir la session 619, chapitre 4, tome I, de même que la première session du présent chapitre.)* Vous aviez une raison, individuellement et collectivement, pour accepter de telles idées; car les civilisations de toute «époque» connaissent très précisément ce qu'elles créeront comme expérience à l'échelle planétaire.

De par votre libre arbitre, vous avez la responsabilité, le cadeau, la joie et, que dis-je, la nécessité de jouer avec vos croyances et de choisir la réalité personnelle que vous désirez. Je vous disais plus tôt *(voir la session 636, chapitre 9, tome I)* que vous ne pouviez pas perdre l'état de grâce. Cependant, chacun de vous doit l'accepter, intellectuellement et physiquement.

Cela pourra vous sembler du pur «pollyannisme»[1], peu importe, **le mal n'existe pas fondamentalement.**

Cela ne veut pas dire que vous ne rencontrerez pas des situations qui vous paraîtront négatives, mais à mesure que vous pénétrerez les dimensions de votre propre conscience, vous comprendrez que les apparentes oppositions ne sont que des manifestations de votre prééminente capacité créatrice.

Fin de la dictée. Voici une note personnelle pour terminer...

---

1. De «Pollyanna», héroïne du roman du même nom (1913) d'Eleanor Porter. Personne qui se caractérise par un irrépressible optimisme et une tendance à voir le bien en tout. *(Note du traducteur)*

(Exceptionnellement, Seth fit une digression pour nous parler d'une lettre et de quelques photos que nous venions de recevoir.)

(Puis, souriant) Je pourrais poursuivre encore longtemps.

(«Parle-nous donc un peu des oies!»)

Je le ferai avec plaisir. *(Pause)* Elles t'attirent par leur connaissance instinctive; elles représentent la liberté intérieure que l'homme est en train d'objectiver au niveau conscient. Elles vous rappellent aussi les fondements de votre humanité. Par leur vol, elles évoquent la connaissance inscrite en vous dans des domaines d'actualisation que vous soupçonnez à peine.

Leur migration est parfaite dans sa simplicité et sa complexité, cependant votre itinéraire comme race est beaucoup moins prévisible, car il ouvre sur d'innombrables probabilités. Votre conscience et votre libre arbitre vous permettent de devenir des créateurs avisés, en des mondes que vous préparez et que vous habitez.

(Amusé et plus fort) Est-ce que ça ira?

(«Oui. C'était bien.»)

Alors bonne nuit et mes meilleurs souhaits à vous deux.

(«Merci beaucoup, Seth. Bonne nuit.»)

(00 h 13. Jane avait toujours le cœur en fête, mais elle était fatiguée. Une note: ces derniers temps, Jane mettait une touche finale à son roman The Education of Oversoul 7 *[L'éducation de Sûr-âme 7], qu'elle avait terminé en juillet 1972. [Voir l'introduction de Jane et le chapitre 1, tome I.] Le nouveau livre portera plus précisément le titre de:* The Further Education of Oversoul 7 *[L'éducation plus poussée de Sûr-âme 7].)*

Session 649 – Le lundi 19 mars 1973, à 21 h 37

Bonsoir.

(«Bonsoir, Seth.»)

Tu mets maintenant ton chapeau d'écrivain...

(«Oui, c'est bien ça.»)

(Longue pause) Différents climats de croyances transpirent dans le monde selon les époques. Certains ont une portée locale, comme des systèmes de basse pression. Certains climats seront **généralement** régionaux, alors que d'autres balayeront les continents comme les grandes tempêtes saisonnières.

N'oubliez pas que les idées sont **aussi naturelles** que le climat. Elles suivent des motifs et obéissent à des lois encore plus rigoureuses que ne le font les phénomènes physiques.

Malheureusement, personne n'examine le mental d'un tel point de vue. Vous naissez au milieu de certaines croyances de masse, et celles-ci varient selon le pays. Comme vous venez dans un corps muni de tout un arsenal physique, ainsi êtes-vous immergé à la naissance dans un riche environnement psychologique, où les croyances et les idées sont tout aussi réelles.

Maître de vos pensées, vous examinerez évidemment les croyances qui vous entourent, tout comme vous jugerez de votre environnement physique et vous en éloignerez s'il le faut. Vous pouvez émigrer vers un **climat de croyances** plus convenable, tout comme vous recherchez des cieux plus cléments.

Peu importe vos mouvements, il est des tendances ou positions mentales qui vous suivent et qui font, jusqu'à un certain point, partie de votre vie. Certaines tendances seront directement ou indirectement liées à de vieux mythes ou à de vieilles croyances ancestrales. Votre conception du bien et du mal appliquée à la santé et à la maladie, par exemple, est très importante. (*Pause*) Rares sont les personnes qui peuvent éviter de porter des jugements de valeur en ces domaines. Si vous considérez la maladie comme une sorte de disgrâce morale, vous aggraverez alors inutilement votre état.

Ce genre de jugement est très simpliste, car il ignore l'immense étendue de la motivation et de l'expérience humaine. Si vous croyez dur comme fer que «DIEU» (avec majuscules et guillemets) ne crée que du bien, alors toute déficience physique ou difformité devient un affront à votre croyance; elle la menace, vous irrite et vous laisse plein de rancune. Si vous êtes malade, vous vous condamnerez pour n'être pas ce que vous pensez devoir être, c'est-à-dire l'image parfaite à la ressemblance de Dieu.

Par ailleurs, si vous poussez plus loin cette idée – que la maladie peut être un moyen de croissance – alors vous tombez dans l'autre extrême, à savoir glorifier la maladie ou l'infirmité comme une expérience nécessaire et ennoblissante, par laquelle vous purifiez votre corps afin de sauver votre âme.

(*21 h 55*) Avec une telle croyance, vous confondrez souffrance et sainteté, désolation et pureté, et vous considérerez la négation du corps comme un signe de spiritualité. Alors vous chercherez tout autant la maladie pour vous convaincre de la force de votre propre spiritualité, et faire ainsi impression sur les autres. Ces mêmes jugements de valeur peuvent être portés dans n'importe quel champ de l'activité humaine, ce qui évidemment aura une répercussion dans la société. Ces réactions s'ajouteront aux croyances prédominantes, qui à leur tour perturberont les individus.

Vous pouvez croire que «DIEU» dans sa bienveillance récompense la vertu par la richesse. La pauvreté devient donc une marque évidente de corruption. On entend souvent cette affirmation: «Dieu a mis tellement de pauvres sur la terre que personne ne devrait tenter de changer la situation.» Avec cette croyance, on méprise les pauvres tout comme les malades.

Quel péché le pauvre ou le malade ont-il commis? Cette question souvent inconsciente – sinon carrément posée – vous ramène à la croyance en la punition. Cela n'a rien à voir avec la culpabilité naturelle, c'en est plutôt une déformation. Cela vient aussi d'une fausse interprétation de la *Bible*. Le Christ selon votre tradition disait tout simplement que vous formiez votre propre réalité. Il essayait de se détacher des schèmes de pensée de son temps, mais il devait s'y référer, c'est ainsi que l'idée de péché et de punition vinrent biaiser son message.

Certaines personnes croiront au contraire que la pauvreté est vertueuse et que la richesse est dégradante, qu'elle est le signe évident d'un manque de spiritualité. (*Voir la session 614, chapitre 2, tome I.*) Cette croyance dans **votre société** remonte encore à la *Bible*, au Christ et à son association avec les indigents plutôt qu'avec les riches.

Tous ces dires cependant reposent sur un jugement moral d'ordre général, associé à la culpabilité, et ignorent l'expérience individuelle.

Faisons une pause.

(*De 22 h 10 à 22 h 19*) Cette évaluation critique rejoint même les gens de couleur. Le Blanc sera vu comme pur et le Noir impur, le Blanc sera bon et le Noir mauvais.

Ces croyances ont une connotation raciale, bien entendu, mais vous devez prendre conscience que votre situation présente est liée au lieu et au moment de votre naissance. Chacun de vous a appartenu à différentes races; vous avez donc partagé, historiquement parlant, les avantages et l'opprobre de ces diverses circonstances de naissance.

Nous ne ferons pas ici de grandes considérations sur le sens des races, cependant chacune a sa raison d'être et représente un aspect de l'humanité dans son ensemble. Chaque race a donc un sens symbolique pour la psyché humaine. L'expérience et le cadre extérieur de chacune d'elles peuvent changer, mais son symbolisme intérieur demeure et vous devez composer avec lui.

Votre expérience personnelle sera influencée à la fois par votre race et votre croyance à son sujet, par votre conception des autres races, de même que par le climat social général. Un exemple bien simple ici; si vous concevez Dieu en termes humains, vous en ferez un membre de votre race. Si vous appartenez à une minorité ou si vous êtes Noir, vous pourrez alors vous retrouver dans un conflit de croyances.

Il est impossible de séparer les divers aspects de votre expérience quotidienne des croyances et des jugements que vous portez à leur égard. Les croyances se rattachent donc à votre conception du bien et du mal; elles touchent votre attitude face à la maladie et à la santé, à la richesse et à la pauvreté, aux relations interraciales, aux conflits religieux et, ce qui est plus important encore, à votre réalité psychologique de tous les jours.

Regardons maintenant l'individu sous l'angle de sa vie personnelle dans sa relation avec les autres.

(*Avec chaleur*) Fin du chapitre.

Chapitre 13

LE BIEN ET LE MAL
LES CROYANCES PERSONNELLES ET
COLLECTIVES, ET LEURS EFFETS SUR VOTRE
EXPÉRIENCE INDIVIDUELLE ET SOCIALE

Session 649 (suite)

Un moment.

(*«Oui.» Pause à 22 h 31*)

Chapitre 13. Je veux que cela soit disposé d'une manière particulière; l'en-tête, «État de grâce», écrit comme ceci (*avec force, il fit des gestes à l'horizontale*), puis une ligne verticale... et en dessous, «santé»... et puis «richesse» et ainsi de suite.

(*Traçant ainsi dans l'air le modèle, Seth-Jane termina la liste, puis me dit de placer la seconde liste avec son en-tête en parallèle. Je prenais ce qu'il me disait, en cherchant à comprendre ce qu'il demandait.*)

<table>
<tr><td align="center">État de grâce</td><td align="center">Hors de la grâce</td></tr>
<tr><td align="center">❙</td><td align="center">❙</td></tr>
<tr><td align="center">Santé</td><td align="center">Maladie</td></tr>
<tr><td align="center">Richesse</td><td align="center">Pauvreté</td></tr>
<tr><td align="center">Race blanche</td><td align="center">Race noire</td></tr>
<tr><td align="center">Chrétien</td><td align="center">Non chrétien</td></tr>
</table>

Est-ce que tout est clair?

(*«Oui», dis-je, mais je n'avais pas disposé la liste opposée aussi clairement que maintenant. C'était plus ou moins précis dans ma tête, car je ne savais pas trop à quoi Seth voulait en venir.*)

Il ne s'agit pas ici du titre du chapitre. C'est un diagramme.
Bon. Voici une autre liste du même genre:

État de grâce   Hors de la grâce

Indien ou oriental   Américain

Pauvre et fier   Richesses embarrassantes

Personne de couleur   Race blanche

Grande compréhension mystique   Sans-cœur

Compréhension cosmique   Pauvreté spirituelle
                                    et désintégration

Autre catégorie:

État de grâce   Hors de la grâce

Jeunesse   Vieillesse

Compréhension intuitive   Rigidité, ignorance
                              mentale et spirituelle

Connaissance   Ignorance

Beauté   Laideur

Capacité intellectuelle   Diminution des
                                capacités mentales

Vigueur physique   Perte de vigueur

Perspective d'avenir   Fermeture de portes
                                à toute activité

Voici le titre du chapitre: «Le bien et le mal, les croyances personnelles et collectives, et leurs effets sur votre expérience individuelle et
sociale». Tu as tout pris en note?

(«*Oui.*»)

Dans ce chapitre, nous traiterons de certaines croyances courantes
relatives à votre comportement le plus intime, mais ayant une connotation sociale.

Faites une pause maintenant.

*(22 h 54. Je demandai à Jane si quelque chose l'avait dérangée, car
ce n'était pas très calme dans la maison ce soir. Elle répondit que non,
que sa transe avait été profonde. Elle devait transmettre les diagrammes comme il faut, et cela lui semblait difficile à faire.)*

(Elle les examina avec moi, vérifiant la position des mots sur la feuille de papier. À noter que Seth donnait une liste complète sous un titre, avant de passer à l'autre colonne. Puis, il indiquait le pendant de chaque élément; ce qui n'est pas une tâche simple, compte tenu de la diversité des thèmes. Reprise à 23 h 03.)

J'ai donc fait la liste de certaines idées opposées entretenues par de nombreuses personnes; elles sont toutes bonnes ou mauvaises, selon le camp dans lequel on se trouve.

Les mots eux-mêmes rendent le contraste encore plus frappant. Je voulais simplement lancer ce chapitre et m'assurer que l'aspect visuel de la chose soit bien compris. *(Satisfait)* Je vous donne congé pour le reste de la soirée, car nous progressons à un bon rythme. Nous aborderons certaines croyances de nature sociale, que nous n'avons pas traitées encore.

Je vous souhaite donc une bonne nuit. D'autres questions mijotent dans la tête de Ruburt, c'est une raison de plus pour écourter la session.

(«Merci, Seth. Bonne nuit.»)

(23 h 06. Je n'avais pas fini d'écrire que Seth n'était déjà plus là. Dans ses derniers propos, il se référait à un autre travail que Jane et moi avions entrepris. Jane dit qu'elle était fatiguée maintenant.)

Session 650 – Le jeudi le 22 mars 1973, à 21 h 50

(La session commença plus tard ce soir, car nous étions occupés à faire l'essai de la nouvelle chaîne stéréo que nous venions d'acheter. Jane tenait à cet appareil pour son travail en chant Sumari. Au magasin, je m'étais laissé tenter par les montres. Je me suis procuré un modèle qui donnait le jour et le mois; je trouvais cet élément plutôt amusant.)

Bonsoir.

(«Bonsoir, Seth.»)

Je suis heureux que tu puisses connaître le jour du mois automatiquement à présent.

(«Je m'en réjouis également.»)

Vous utiliserez souvent votre nouvel appareil d'enregistrement, et d'une manière que vous ne soupçonnez pas aujourd'hui.

Dictée. Ces simples diagrammes ne représentent que des systèmes globaux de croyances selon des «valeurs morales». Votre conception du bien et du mal n'influence pas seulement votre comportement avec

les autres, mais aussi votre activité dans une localité et dans le monde
en général.

Certaines personnes croient – si l'on regarde le premier diagramme
– qu'il est «bon» et moralement meilleur d'être chrétien, de race blanche, riche et en excellente santé. Maintenant, le mot «mâle», qui n'apparaît pas ici, pourrait être ajouté à la liste des attributs choisis.

La réalité sera donc vue à travers ce système de croyances. Si vous
les endossez, vous sentirez que ces caractéristiques viennent de Dieu.
Selon la ferveur avec laquelle vous vous attacherez à ces idées, vous
verrez qu'elles vous emprisonnent, car d'une manière très limitée elles
définiront votre conception du bien. Les gens qui tiennent ce genre de
croyances sont souvent très religieux, au sens courant du terme. Les
pays qui entretiennent ces croyances envoient des missionnaires pour
«convertir» les païens (donc des êtres inférieurs).

Les individus qui ont ce sentiment seront très mal à l'aise lorsqu'ils
se mêleront aux gens de race, de couleur ou de foi différente; malgré
eux, ils se montreront d'un conservatisme haineux pour traiter, par
exemple, des problèmes de nature communautaire. Ils verront la pauvreté comme un signe de désapprobation divine et ils seront enclins à
laisser le problème entier entre les «mains» du bon Dieu. Ils pourront
paraître compatissants devant l'affliction d'autrui, mais en même temps
ils considéreront cette difficulté comme la simple conséquence de l'infériorité et de l'inégalité.

On retrouve ces gens dans tous les groupes d'âge. Ils peuvent venir
de tous les milieux économiques. Si vous êtes protestant, mâle, Blanc,
Américain, riche et vigoureux, vous pouvez, du moins à l'intérieur de
ce cadre, avoir une idée claire de vous-même. Votre assise est sans
doute précaire, mais au moins vous y êtes bien pour le moment. Vous
remarquerez que j'ai ajouté «protestant» à ce système de valeurs ainsi
qu'«Américain». Cependant, si vous partagez cet ensemble de croyances et que vous n'êtes pas à la hauteur, ou que sur un point vous ne
cadrez pas avec le modèle, alors, même dans les limites de ce système,
vous êtes en mauvaise posture.

(22 h 05) Certaines composantes de ce système ont plus d'effet que
d'autres. Un catholique ou un juif ayant ces croyances aura perdu le pas
pour ainsi dire et il se sentira coupable s'il se compare à cette norme.
(De manière déterminée) Un Noir qui accepte ce système est réellement en difficulté. S'il est **pauvre** de surcroît, alors il est **doublement**
menacé.

Dans cet ensemble de croyances, la maladie, la féminité, les idéologies ou origines, autres que chrétiennes ou de race blanche sont considérées dans une certaine mesure comme mauvaises.

Toute intrusion d'autres croyances sera menaçante. Les problèmes raciaux et les dissensions religieuses seront justifiés sur la base de ces croyances. Certains lecteurs se croiront bien éclairés en pensant, par exemple, que la réincarnation consiste en une série de vies consécutives. Cependant, ils utiliseront ce concept pour défendre leur croyance en l'infériorité des autres races. Ils diront que puisque l'individu choisit les défis qu'il rencontre dans cette vie – naître Noir par exemple, ou pauvre, ou les deux – il fait son karma; donc point n'est besoin de changer les lois ni les coutumes pour autant. (*Voir la session 636, chapitre 9, tome I pour d'autres renseignements sur le karma, la réincarnation et l'idée de Seth sur le temps «simultané».*)

Regardez le second diagramme, du côté gauche. Il fait référence aux gens de ce pays[1] à l'esprit plus «libéral». Mais vous ne les trouverez pas si libéraux quand vous comprendrez qu'ils ont dans un sens autant de préjugés que l'autre groupe dans sa propre orientation.

Nous avons ici un système où il est mauvais d'être Blanc, Américain ou riche, ou tout simplement de bien s'en sortir en termes pécuniaires. Tous les travers de la civilisation chrétienne deviennent ici apparents, alors que le premier groupe, évidemment, ne les montrait pas. Dans notre deuxième groupe, la richesse et la blancheur de la peau ne sont pas seulement considérées comme mauvaises, mais sont des symptômes évidents d'une dégradation morale. Le premier système de croyances considère l'argent et les biens comme des signes de bénédiction divine, le second voit les possessions matérielles comme la marque d'une décadence spirituelle.

Voici que dans ce cas l'exotisme devient romanesque, l'étranger est idéalisé et le pittoresque considéré comme réel. La peau noire ou brune devient un critère de perfection spirituelle; la pauvreté est un insigne à porter non seulement avec fierté mais même à utiliser comme mode d'agression. Les gens qui acceptent ce système de croyances se pensent dans la vérité. Leur style de vie, leurs affiliations, leurs enseignements politiques seront en opposition directe avec l'éthique «blanche-aisée».

---

1. Seth parle ici à des Américains. (*Note du traducteur*)

Si vous êtes pauvre et de couleur, que vous croyez en ce système, vous vous y sentirez à tout le moins en sécurité. Si par contre vous êtes de race blanche et riche, et croyez en ces valeurs, vous vous sentirez évidemment inférieur; vous ferez tout ce que vous pouvez pour montrer à quel point vous êtes libéral, original et avez l'esprit ouvert. Vous tenterez aussi de montrer votre sympathie envers les Orientaux à la peau brune, tout en ne changeant pas de couleur de peau, en étant à l'aise financièrement, et en demeurant, peut-être secrètement, chrétien pratiquant. Vous étalerez très probablement, et avec un certain goût, des bouddhas et des chapelets indiens dans votre demeure.

Nous ferons une pause ici.

(*De 22 h 27 à 22 h 45*) Le troisième diagramme peut interférer avec les autres systèmes de croyances, bien entendu. Les deux premiers groupes laissent cependant une certaine latitude. Ainsi, vous pouvez être plus attaché à une, deux ou trois caractéristiques, mais quand il s'agit de votre conception au sujet de l'âge, là vous êtes coincé; car tôt ou tard, «si vous avez de la chance», selon votre point de vue, vous arriverez à la vieillesse.

Certaines personnes croient que c'est l'âge du dépérissement mental et physique, une période où tous les traits de maturité acquis par un dur labeur s'estompent et où les facultés de l'esprit disparaissent, comme des grains de sable tenus trop longtemps dans les mains pensantes de l'intelligence! Si la vie apparaît bonne dans ce système de croyances, la jeunesse en est le couronnement, sommet duquel il n'y a d'autres avenues que la descente. On ne reconnaît pas aux vieillards la sagesse, on les craint plutôt, les considérant comme misérables et laids, indésirables ou effrayants.

Tel que je l'ai mentionné (*voir la session 644, chapitre 11 du présent ouvrage*), les personnes qui obéissent à ces croyances essaient de les cacher à leurs propres yeux en tâchant désespérément de paraître jeunes. La jeunesse et la vieillesse ont chacune leur place, et dans votre civilisation les deux jouent un rôle important.

Vous pensez en termes d'hérédité. Du point de vue physique, cela est important, mais non pas comme vous pouvez l'imaginer. Certains acquis terrestres dépendent de la durée; ils sont le résultat du jeu de l'esprit sur sa propre expérience à travers de longues saisons terrestres.

Des fonctions précises entrent en opération très naturellement; elles sont à peine perçues par vos scientifiques et encore moins comprises.

Quand l'esprit voit la fin de son séjour terrestre approcher, **il se produit une accélération psychique et mentale.** Ceci ressemble à bien des points de vue à l'expérience de l'adolescence, avec sa floraison d'activités créatrices; d'autres questions se posent et la personne se prépare à une toute nouvelle forme de croissance et de développement.

(*Jane parlait avec vigueur et gesticulait.*) Ceci serait très apparent s'il n'y avait pas ces systèmes de croyances à travers lesquels le vieillard voit son expérience. Vous trouvez **séniles** certaines de leurs activités de croissance mentale et psychique et d'expansion de la conscience. Vous n'avez pas cherché à comparer l'expérience subjective de la personne âgée, spécialement dans ces moments dits de «sénilité», et celle d'autres personnes dans des expériences similaires, naturelles ou provoquées par la drogue.

(*23 h 06*) Toute sensation de ce type est immédiatement repoussée par la personne âgée, par crainte justement d'un diagnostic de «sénilité». Ces expériences agissent sur l'hémisphère droit du cerveau et permettent le déploiement de certaines capacités, un peu comme cela se produit chez l'adolescent.

Au moment voulu donc, l'individu commence à voir au-delà de la vie temporelle; il s'ouvre à d'autres dimensions qu'il n'avait pas le loisir d'explorer lorsque toute sa concentration se portait sur sa vie adulte normale. Malheureusement, la personnalité n'a, généralement, aucun système de croyances pour appuyer sa nouvelle vision. Les thérapies naturelles, physiques et mentales, sont toutes deux désavouées. Des drogues sont souvent administrées comme sédatifs, masquant le phénomène qui apparaît alors comme une divagation. Pourtant, la vieillesse comporte des aspects parmi les plus créatifs de votre vie. Mais la société fait plutôt sentir aux vieillards qu'ils sont inutiles. Souvent, bien entendu, ces personnes partagent ce jugement avec leur entourage, et leur vie en société ne les prépare nullement à accueillir ces phénomènes subjectifs.

Il n'y a pas de maîtres pour les aider. Le vieil âge est une étape très créatrice de la vie. On compare souvent la vieillesse à l'enfance, mais pour la déprécier; pourtant la personnalité est dans un état des plus féconds. Je généralise ici, bien entendu, car vos conditions de vie biaisent tellement la situation naturelle.

Les changements chimiques et hormonaux eux-mêmes **contribuent** alors au déploiement spirituel et psychique. L'affirmation joyeuse de la vieillesse est déniée aux individus, justement à cause de vos systèmes de croyances.

Faites une pause.

(23 h 17. Jane, dans une transe très profonde, était tellement concentrée sur le sujet que rien ne pouvait la déranger. «Ciel! Je sentais que Seth transmettait ici une excellente matière, un tout nouveau système gériatrique, dit-elle. Je ressentais directement ces émotions. Les animaux connaissent déjà tout ceci instinctivement. Mais c'est si étrange et merveilleux d'entrer ainsi dans ces domaines du troisième âge.» Et elle continua, étonnée: «Notre société ne se doute même pas de cela. Cette découverte m'emballe!»)

(Jane et moi étions en quelque sorte préparés pour recevoir un tel enseignement, du moins au niveau émotionnel. Mon père mourut en février 1971, après avoir vécu trois ans dans une «résidence» pour malades chroniques. La sénilité fut le diagnostic. On l'a tenu sur des sédatifs à peu près tout ce temps. À la lumière de ce que j'entends ce soir, je ne puis que déplorer le fait qu'il ait perdu une bonne partie de son héritage naturel. Avait-il décidé cela de lui-même, lui avait-on imposé cet état de choses ou était-ce une responsabilité partagée? Seth dirait sans doute que mon père avait choisi ces circonstances de vie et qu'une telle dépossession dans sa vieillesse était une probabilité envisagée qui s'était matérialisée. Mais malgré ma compréhension, je ne peux que déplorer ce fait...)

(Une note ici au sujet de la matière transmise à 23 h 06. Le cerveau comporte deux hémisphères côte à côte, joints par une base commune. Habituellement, l'un des hémisphères domine. Chacun est constitué de régions ou lobes ayant des rôles particuliers. Les circonvolutions du cerveau varient souvent d'un hémisphère à l'autre, comme c'est le cas aussi pour leurs lobes. Ces deux hémisphères ne sont donc pas identiques.)

(Jane se rendit compte qu'il ne lui restait qu'une cigarette. «Eh bien!, dit-elle, en allégeant l'atmosphère, ce sera alors une courte session!» Reprise à 23 h 35.)

(Pause d'une minute) Dans un sens, les «expériences psychédéliques» ne peuvent se comprendre dans votre cadre de référence limité; non pas que de telles illuminations soient au-delà de toute explication, mais justement à cause de vos systèmes de croyances actuels trop restrictifs.

Ainsi, peu importe l'âge, toute forme de révélation est difficile à décrire aux autres. Pour ce qui est des vieillards, personne n'est intéressé à savoir ce qui se passe; pourtant c'est ici comme à l'adolescence que se déploie la plus grande créativité, et elle passe généralement inaperçue. Cette période **serait plus profitable** que toute autre à l'individu et à la race, si elle était comprise et reconnue pour ce qu'elle est.

Les changements chimiques particuliers qui se produisent ouvrent le plus souvent sur de plus vastes expériences et de nouvelles conceptions, **mais** celles-ci ne trouvent chez vous aucune application pratique. Libre des tâches de l'«adulte», la personne âgée se détourne de son orientation spatio-temporelle par un déclic naturel.

La personnalité, encore une fois, voit l'expérience d'un œil nouveau. Dans certaines civilisations anciennes, ceci faisait partie des mœurs; (*pause*) on écoutait religieusement les vieillards, tout en s'occupant de leur bien-être physique.

Ceci rejoint l'image du «vieux sage» et d'autres légendes semblables, tout comme les concepts mystiques de la vieille femme forte. Par eux-mêmes, dans leur cheminement naturel, les vieillards comprennent très bien leurs propres «visions». Le corps et l'esprit fonctionnent merveilleusement ensemble.

Et ce sera (*avec plus de force*) la fin de la session. Mes meilleures salutations à vous deux.

(*«Merci et bonne nuit, Seth.» 23 h 49.*)

Session 651 – Le mardi 26 mars 1973, à 21 h 46

(*Nous avons tenu la session dans le bureau de Jane afin d'utiliser sa nouvelle chaîne stéréo. Jusqu'ici nous n'avons pas réussi à tirer les meilleurs résultats de cet appareil.*)

Bonsoir.

(*«Bonsoir, Seth.»*)

Continuons la dictée... Vos croyances en ce qui concerne l'âge, comme pour toute autre croyance, conditionneront votre expérience et de façon collective influenceront votre civilisation. De par les conceptions courantes de votre société, les hommes et les femmes craignent l'âge avancé depuis leur enfance. Si l'état de jeune adulte est considéré comme la vie même, l'espoir et le succès, l'âge avancé est à l'opposé: un temps d'incapacité et de décrépitude.

Ces conceptions sont en partie liées à vos idées préconçues du conscient et de l'inconscient. Habituellement, dans la société occidentale, la pensée consciente est vue comme s'épanouissant d'elle-même, avec le passage de l'enfance inconsciente à la connaissance critique et à la différenciation. Cette capacité de discrimination est perçue comme l'une des plus importantes caractéristiques de la conscience, c'est pourquoi on y attache tant de valeur. Par ailleurs, ces autres aspects, tous aussi fondamentaux que l'assimilation, l'association et la corrélation, sont négligés. Pour les initiés, et même aux yeux des non-scolarisés, l'intelligence se limite au raisonnement, de sorte que plus vous posez de diagnostics, plus vous êtes logique, plus on vous considère comme intelligent.

L'adulte occidental se concentre avec vigueur sur un champ précis d'activités et sur le comportement physique. Depuis l'enfance, on développe en priorité les facultés de raisonnement et d'analyse. La créativité n'est admise que dans des champs bien précis.

Dans un âge plus avancé, à la retraite par exemple, cette forme de concentration intellectuelle devient moins pressante. L'esprit redevient **lui-même**, il se sent libre d'utiliser un plus grand éventail de ses capacités; on lui permet de dévier des champs traditionnels, d'approfondir ses connaissances et de créer.

Mais précisément à ce moment, on prévient l'individu des dangers d'un tel «vagabondage», car ce genre de comportement est un symptôme de détérioration mentale. Ceux qui partagent les croyances de masse trouvent que leur propre image a changé. Ils pensent que leur âge ou l'existence les a trahis. Alors, ils se voient comme des restes, de pâles vestiges de meilleurs «soi» et dans leur propre jugement de valeur, ils se condamnent par le fait même de leur pérennité. S'ils se sont déjà fiés à l'intégrité de leur corps, ce n'est plus le cas maintenant. Ils entrent dans un drame dont le scénario a été écrit par d'autres, mais qu'ils ont approuvé.

Cette situation ne semblera pas avoir de lien avec vos croyances relatives à la race, cependant les deux sont intimement associées.

Je vous laisse maintenant faire une pause pour écouter votre enregistrement.

(22 h 05. Nous avons écouté, fait quelques ajustements et ce fut la reprise à 22 h 23.)

Vous associez la couleur blanche à la vivacité d'esprit, au bien et à la jeunesse, et le noir à l'inconscient, au vieil âge et à la mort.

Dans ce système de valeurs, la race noire est redoutée, tout comme on craint la vieillesse. Les Noirs sont traités de primitifs. On leur attribue par exemple la créativité musicale, mais une telle activité fut longtemps associée à la résistance; des productions musicales acceptables en sont issues, mais les Noirs eux-mêmes ne furent pas admis dans les salles de concert respectables de la nation.

Dans votre société, la race noire représentait les éléments chaotiques, sauvages, spontanés et inconscients du soi, l'envers du «citoyen américain correct».

Il fallait donc opprimer les Noirs, mais d'un autre côté les traiter avec indulgence comme on le ferait pour des enfants. On a toujours craint que la race noire sorte de ses frontières – si on accorde un centimètre aux Noirs, ils prendront un mètre – simplement parce que la race blanche appréhende l'inconscient et reconnaît le pouvoir qu'elle essaie désespérément de contenir à l'intérieur.

Les nations, comme les individus, peuvent parfois connaître des dédoublements de personnalité. Ce fut donc une question de concessions mutuelles; les Noirs exprimèrent certaines tendances de la société et les Blancs firent montre d'autres caractéristiques.

Les deux groupes acceptèrent leur rôle. Dans une perspective plus vaste, évidemment, chacun a appartenu à l'autre race en d'autres temps et lieux; ou, plus précisément, dans des existences simultanées, les uns jouent le rôle des autres.

En ce qui concerne l'âge avancé, la couleur noire représente un retour à ces forces inconscientes. Mais tout ceci est considéré sous l'angle de la croyance occidentale américaine, ce qui correspond à la réalité de bon nombre de mes lecteurs. En d'autres systèmes de croyances «clandestins», le Noir est le symbole d'une grande connaissance, du pouvoir et de l'énergie. Ceci poussé à l'extrême aboutit à des cultes sataniques, où des forces riches et créatrices, mais souvent mal comprises, éclatent déformées. Là, les dessous de la conscience sont glorifiés au détriment des valeurs blanches, soi-disant «conscientes et objectives».

Pourtant, dans ces deux systèmes, on refuse aux vieillards leur pouvoir, leur force et leur sagesse unique, privant ainsi la civilisation et les citoyens d'un précieux apport.

(*Amusé*) Mon ami Ruburt a touché le fond de son verre, nous ferons donc une courte pause.

(*De 22 h 37 à 22 h 48*) Tout ceci est également lié à vos croyances concernant les états de veille et de rêve; les Blancs étant familiers avec le jour et les Noirs avec le décor onirique. Ici encore ressort l'antique opposition entre le Dieu de Lumière et le Prince des Ténèbres, ou Satan; ces distinctions se réfèrent à l'essence et à l'origine de la conscience actuelle.

À travers les âges, les philosophies occultes ont essayé de concilier ces deux concepts, habituellement passant d'un extrême à l'autre, et toujours en opposition avec les idées de leur époque. Pour certains, par exemple, le jour est bien pâle en comparaison de l'éclatante lumière des rêves; alors le noir devient le symbole de cette connaissance secrète que la conscience normale ne peut deviner ou qui ne peut être examinée en plein jour.

Ainsi, l'on retrouve les contes de magiciens noirs; et ici encore l'âge entre tellement en ligne de compte, que les légendes du vieillard ou de la vieille femme sont passées au folklore. La mort est vue en termes de bien et de mal, de blanc et de noir; l'anéantissement de la conscience étant perçue comme noire et la résurrection blanche.

L'illumination est perçue comme une lumière blanche, mais souvent pour faire ressortir l'obscurité de l'âme ou pour éclairer la nuit. Donc dans votre propre langage, les deux sont interdépendants et leur connotation varie en fonction de vos croyances.

Chez de nombreuses civilisations anciennes, on vénérait la noirceur et on explorait les secrets de la conscience nocturne. On faisait des liens tels que cette connaissance pouvait être mise à profit durant le jour. Ces deux aspects apparemment séparés de la conscience se rejoignaient; et il y eut des civilisations florissantes en termes culturels et artistiques que vous pouvez à peine imaginer aujourd'hui. Chez ces peuples, toutes les races tenaient joyeusement leur place; et les personnes de tous les âges étaient respectées dans leur apport respectif.

Dans ces sociétés, les jugements restrictifs que nous venons d'analyser ne comptaient pas. Les individus – ou les races – n'avaient pas à tenir des rôles précis pour représenter divers aspects de l'humanité; on reconnaissait à chaque personne son caractère unique, avec tout ce que cela comporte.

L'humanité n'a pas pour autant abandonné la «grâce» pour un état inférieur, comme il peut vous sembler. Cela **veut dire** que vous avez choisi de diversifier les fonctions et les aptitudes, de les isoler pour ainsi dire afin de mieux les comprendre et les développer.

Il vous est possible de concilier lumière et obscurité, bien et mal, jeunesse et vieillesse, et d'enrichir ainsi très concrètement votre expérience. Ce faisant, vous vous mettrez en valeur, vous, votre société et le monde en général. Vous reconnaîtrez aussi l'état de grâce dont vous jouissez. Voyons un peu comment y arriver.

Mais faites une pause pour que Ruburt vérifie les boutons de l'appareil d'enregistrement.

(*De 23 h 01 à 23 h 19*) Vous devez chercher le lien entre des aspects soi-disant opposés de l'expérience; combiner les notions de lumière et d'obscurité, de conscient et d'inconscient, ainsi de suite; et non seulement dans la vie individuelle, mais dans la vie collective.

Comme il a été mentionné dans *L'enseignement de Seth*, mon livre précédent, vous avez créé un grand fossé entre la vie éveillée et le sommeil. (*Voir la session 532, chapitre 8 du présent ouvrage*[1].) Ces deux états sont vraiment démarqués, et vous ne faites pas grands efforts pour les rapprocher. Ainsi, vous accepterez difficilement de changer vos habitudes de sommeil, vu vos horaires de travail. Mais quelques personnes pourront se permettre ce luxe. Si l'idée vous intéresse réellement, vous pourrez trouver quelques variantes à l'occasion. Ces essais vous permettront d'associer plus efficacement votre activité onirique et votre expérience éveillée.

(*Pause*) Certains d'entre vous s'accommoderont très bien de cinq heures de sommeil et d'une sieste au besoin. Un bloc de quatre heures est idéal, équilibré par un repos au moment où la nature vous y porte.

Dans ces circonstances, il n'y a pas cette division artificielle entre ces deux états de conscience. La conscience éveillée peut mieux se rappeler et assimiler ses expériences de rêve; et inversement, le «moi-rêvant» peut mieux utiliser l'expérience de veille.

---

1. *L'enseignement de Seth*, publié chez J'ai Lu, 1991. Ceux qui peuvent se le permettre découvriront qu'un nouvel agencement leur sera très avantageux. Je suggère des blocs de sommeil d'un maximum de six heures. Si vous sentez le besoin de plus de repos, vous pouvez faire une sieste ne dépassant jamais deux heures.

Avec l'âge, ce rythme vient assez naturellement, mais ceux qui se réveillent spontanément après quatre heures et qui, à cause de leurs croyances, se disent insomniaques ne peuvent pas tirer profit de leur expérience. Pourtant, le conscient et l'inconscient fonctionneraient beaucoup plus efficacement avec un régime de sommeil court; et pour ceux qui font de la «création», cet agencement favoriserait grandement leur intuition et permettrait une meilleure application de leurs connaissances.

Les individus qui adoptent un tel mode naturel de vie connaissent une plus grande stabilité. À l'intérieur de ces modèles généraux, chacun pourra trouver son propre rythme; il faudra sans doute faire quelques expériences pour arriver au bon équilibre. Mais il en résultera un débordement de vitalité.

Il est vrai que ces habitudes varieront selon les époques de la vie. En suivant votre propre rythme, des périodes plus longues ou plus courtes s'ensuivront. Votre conscience s'élargira avec de telles pratiques. Généralement, il ne vous est pas profitable de dormir plus de huit heures d'affilée; ce n'est d'ailleurs pas naturel pour votre race.

(23 h 37) Les échanges, ou le rythme des réactions chimiques, sont favorisés par de courtes périodes de sommeil. De nombreuses personnes dorment durant les périodes les plus propices à la créativité, où le conscient et l'inconscient sont merveilleusement concentrés et unis. Le conscient est souvent engourdi par le sommeil, juste au moment où il pourrait tirer le meilleur de l'inconscient et réagir avec le plus de justesse dans votre monde. C'est là que les souvenirs de vos rêves sont les plus vifs; ils pourraient donc plus facilement contribuer à enrichir votre réalité physique. Vous y feriez des liens évidents entre les diverses oppositions dans votre vie.

(Avec chaleur) Ce sera la fin de la dictée et de la session, à moins que vous n'ayez des questions.

(«Eh bien!... il ne me vient rien de particulier à l'esprit.» J'étais passablement fatigué.)

Je vous souhaite donc une très bonne nuit, et je vous suggère d'expérimenter quelques-unes des idées que nous proposons aux autres. Vous pourriez avoir des surprises.

(«Très bien.»)

Je vous salue tous les deux, et amusez-vous bien avec votre machine!

(*«Merci, Seth. Bonne nuit.»*)

(*Fin à 23 h 43. Jane avait eu une transe profonde. Elle avait entendu le déclic de fermeture du magnétophone dix minutes auparavant, mais aucun autre bruit ne l'avait dérangée.*)

(*Nous dormons habituellement six heures, et récupérons le jour grâce à une sieste d'une demi-heure en fin d'après-midi. Assez souvent, Jane se lève la nuit, durant une heure ou deux.*)

Session 652 – Le mercredi 28 mars 1973, à 21 h 13
Bonsoir.

(*«Bonsoir, Seth.»*)

Commençons la dictée. (*Pause*) Un tel changement dans vos habitudes de veille et de sommeil est précieux; il vous aide à voir d'un autre œil votre univers personnel et change votre conception de la réalité en général.

Dans une certaine mesure, vos activités conscientes et inconscientes s'entrecroisent naturellement et spontanément. Cela peut vous aider à comprendre les échanges qui existent entre l'*ego* et les autres parties du soi. L'inconscient n'est plus associé à l'obscurité ou à quelque autre élément inconnu et effrayant. Son caractère se transforme; ses qualités «sombres» deviennent des phares lumineux de la vie consciente. L'inconscient est alors vu comme la source intarissable d'énergie de l'expérience «*ego*-centrée» normale.

Par ailleurs, des champs de l'activité ordinaire demeurés dans l'ombre – par exemple des comportements personnels mal compris – peuvent soudain s'ouvrir, à la suite de cette transformation; leurs aspects inconscients prennent tout à coup un éclat insoupçonné.

Les barrières sont démolies et avec elles certaines croyances qui leur servaient de fondement. Si l'on ne craint plus l'inconscient, alors les races qui les représentent n'imposent plus de crainte.

Ce changement de rythme de veille et de repos suggéré favorisera de nombreuses autres formes naturelles de connaissances. L'inconscient, la couleur noire et la mort ont une grande charge négative et sous ces aspects on craint le moi intérieur; on se méfie des rêves qui souvent suggèrent des pensées de mort ou de malédiction. Mais, encore une fois, le changement dans le rythme «repos-activité» amène une nouvelle vision et il devient évident que les rêves sont une source de sagesse et de créativité. L'individu se rend bien compte que l'inconscient est de fait très conscient et que son sens d'identité est maintenu en état de rêve. La crainte de l'anéantissement, symbolisé par la mort, disparaît.

Comme résultat, d'autres croyances greffées à ce noyau conflictuel s'effondrent naturellement.

(21 h 30. Je vis une grosse fourmi aillée ramper sur le dossier de la chaise à proximité de la tête de Jane. Puis la voilà sur son cou. Elle sursauta au beau milieu de son discours, cherchant à écarter vraisemblablement quelque chose qu'elle ne voyait pas. Elle me fixa avec stupeur, puis s'affaissa dans son fauteuil. «Un insecte a ce pouvoir», finit-elle par dire. Elle s'alluma une cigarette et bientôt elle replongea dans son sommeil de transe.)

As-tu tout saisi?

(Je lus la dernière phrase à haute voix et Seth-Jane continua.)

Lorsque vous êtes aussi éveillé, sensible et lucide en rêve que durant l'état de veille, vous ne pouvez plus fonctionner dans votre ancien cadre. Cela ne veut pas dire que vous atteindrez ce niveau de conscience dans chacun de vos rêves, mais vous y arriverez souvent grâce au schème «veille-sommeil» suggéré.

(Avec force) Dans certaines situations naturelles, le conscient et l'inconscient se rejoignent pour votre plus grand bénéfice. Cela se produit, peu importe vos habitudes de sommeil, cependant ces moments privilégiés sont très courts et vite oubliés. Cet état optimal est bref justement à cause de cet engourdissement prolongé de votre esprit conscient.

Les animaux suivent leurs propres schèmes de «veille-sommeil» et à leur façon profitent mieux que vous de ces **deux** états, en concordance avec leur système corporel inné de thérapie. Ils savent exactement quand allonger ou raccourcir le temps de sommeil, pour ajuster l'émission d'adrénaline et régulariser leur système hormonal.

Chez l'humain, la nutrition entre aussi en ligne de compte. Avec vos habitudes, vous affamez votre corps pendant de longues heures nocturnes, puis, bien souvent, vous le suralimentez le jour. Les rêves vous prodiguent de précieux renseignements thérapeutiques, mais ils sont oubliés à cause de cette immersion trop prolongée dans ce que vous nommez l'inconscience du sommeil.

Le corps lui-même peut se reposer et se restaurer dans moins de huit heures; déjà après cinq heures, les muscles ont besoin d'activité.

Ce besoin donne le signal d'éveil, ce qui vous permet par la même occasion d'assimiler la matière inconsciente et les renseignements obtenus dans vos rêves.

Faites une pause.

(*De 21 h 45 à 21 h 55*) Votre interprétation erronée de la nature de la réalité est reliée à cette division que vous mettez entre la vie éveillée et l'état de rêve, entre vos activités conscientes et inconscientes. Vous voyez des oppositions où il n'y en a pas. Vous devez donc recourir aux mythes, aux symboles et à la rationalisation pour expliquer ce qui **apparaît** divergeant, ces apparentes contradictions entre les réalités.

Cela peut parfois déclencher des névroses ou autres troubles psychiques; ces affections mettent en lumière des dilemmes qui auraient pu être résolus plus facilement par un échange entre la réalité consciente et le monde inconscient...

(*22 h 01. Ici encore nous avons été interrompus par le téléphone. J'ai répondu, puis Jane a pris la relève. C'était une dame habitant à deux heures de chez nous, qui souhaitait assister aux cours en ESP.*)

Dictée. (*en chuchotant*)

(*«Très bien.»*)

Dans une relation naturelle corps-esprit, le sommeil sert de lien, ou de lieu d'interprétation; il permet le libre-échange de la matière consciente et inconsciente. Dans les schèmes de «veille-sommeil» suggérés, les conditions optimales pour cet échange sont en place. Grâce à un tel équilibre, névroses et psychoses peuvent être reléguées aux oubliettes. Avec ce va-et-vient naturel, la solution des dilemmes et problèmes extérieurs est simulée en rêve; de même, des difficultés **intérieures** peuvent être symboliquement résolues par l'expérience physique.

Durant la veille, il peut vous venir des éclaircissements concernant le moi intérieur et, inversement, pendant le sommeil, de précieux renseignements peuvent lui être transmis du moi conscient. Dans les deux cas, un flux spontané d'énergie psychique provoque des réactions hormonales appropriées. Ainsi, aucune répression ne vient endiguer l'énergie; les émotions et leur expression ne sont pas redoutées.

Vos systèmes de croyances actuels et la méfiance que vous entretenez à l'égard de l'inconscient génèrent souvent la crainte des émotions. Non seulement sont-elles réfrénées dans votre vie éveillée, mais elles se voient censurées jusque dans vos rêves. Leur expression devient des plus difficiles et il s'ensuit un grand blocage d'énergie, d'où naissent les comportements névrotiques et autres obsessions plus graves.

L'inhibition de telles émotions perturbe votre système nerveux et ses mécanismes thérapeutiques. Ces émotions étouffées et la tension générée par votre conception biaisée de l'inconscient se transfèrent ensuite sur autrui. Dans votre environnement, il se trouvera des personnes sur qui vous projetterez vos craintes émotionnelles ou autres traits menaçants. Par la même occasion, vous serez **attiré** vers ces personnes car ces projections représentent une partie de vous-même.

Au niveau national, ces caractéristiques seront projetées sur un ennemi. À l'intérieur même du pays, on pourra reporter ces traits sur les membres d'une race, d'une couleur ou d'une religion.

(*Pause prolongée à 22 h 24*) Ce n'est pas par hasard que vous avez pris telle ou telle habitude de sommeil. Elles ne sont pas le résultat de la technologie ou d'exigences industrielles. Au contraire, elles vous viennent de ces croyances mêmes **qui vous ont amené** à développer votre société industrialisée. Elles émergèrent avec le morcellement de plus en plus grand de votre expérience et avec votre éloignement de la source de votre propre réalité psychologique.

Normalement, les animaux dorment tout en étant conscients du danger ou de l'approche d'un prédateur. Le cerveau du mammifère a ce pouvoir de maintenir le corps de l'animal dans un état de parfaite relaxation et sa conscience en suspens, «passive mais vigilante». Cet état permet à l'animal une participation consciente à l'activité «inconsciente» de rêve. Cette condition favorise le repos du corps, sans le laisser inactif pour de longues périodes.

(*Pause*) Les mammifères ont également changé leurs habitudes pour s'adapter aux conditions que vous leur avez imposées, de sorte que leurs comportements en laboratoire ne sont pas obligatoirement ceux qu'ils manifestent dans leur habitat naturel.

Hors contexte, cette affirmation peut paraître abusive. Les changements de comportement étant eux-mêmes naturels, bien entendu.

La conscience animale est différente de la vôtre. Chez vous, l'assimilation du matériel inconscient nécessite un plus grand discernement. (*Longue pause*) Toutes les capacités humaines sont à l'état **latent** dans le cerveau animal; par ailleurs, il existe chez vous plusieurs attributs en latence que vous ne soupçonnez pas. Le circuit biologique est déjà là tout prêt.

(*Très vivant*) Dans **votre** conception, conscience équivaut à acuité intellectuelle; vous considérez la maturité intellectuelle comme le summum du développement mental, entre la perception «non différenciée» de l'enfance et la décrépitude de la vieillesse. Les schèmes de «veille-sommeil» suggérés précédemment permettraient de vous familiariser avec les vastes portions créatrices de votre comportement psychologique, qui ne diffèrent pas de votre conscience, mais que vous avez appris à voir différemment; ces énergies créatrices agissent sur votre vie durant.

Les expériences naturelles de l'enfance et de la vieillesse, par exemple, que vous interprétez comme des déformations du temps, appartiennent à votre «environnement temporel» fondamental, et ce de façon plus marquée encore que le temps indiqué par vos horloges.

Les schèmes que je vous ai proposés vous rapprocheront donc beaucoup de la réalité de votre être et vous aideront à abattre les croyances qui introduisent une division entre la personne et la société.

Vous pouvez maintenant faire une pause.

(*22 h 46. «Ah! c'était une excellente transe, dit Jane en riant, si l'on oublie le téléphone et les moustiques!» Puis à 22 h 56: «Il se prépare à commencer...»*)

Voici. Les longues périodes d'activités éveillées entrent en conflit avec vos tendances naturelles.

Je me répète ici, elles vous coupent de l'échange spontané de l'information consciente et inconsciente et **demandent** des ajustements qui **rendent nécessaires** les périodes prolongées de sommeil (*délibérément*). On refuse au corps les fréquents moments de repos dont il a besoin. Vous vous imposez un surcroît de stimuli conscients difficiles à assimiler, ce qui met une tension dans la relation corps-esprit.

La division entre les deux aspects de l'expérience introduit des comportements tout à fait distincts. L'inconscient devient de moins en moins familier avec le conscient. Les croyances et le symbolisme qui entourent l'inconscient sont exagérés. L'inconnu apparaît menaçant et dépravé. Le lien entre le mal et la couleur noire se resserre, chose à éviter. Le soi se sent toujours menacé d'anéantissement en rêve ou pendant le sommeil. Par la même occasion, toutes ces poussées émotives spontanées, flamboyantes et créatrices qui **émergent** normalement de l'inconscient sont appréhendées et projetées sur des ennemis ou d'autres nations ou groupements religieux.

L'activité sexuelle sera considérée comme une dépravation par ceux et celles qui sont les plus effrayés de leur propre nature sensuelle. Ils l'associeront à des sources primitives maléfiques ou inconscientes et ils chercheront même à imposer une censure à leurs rêves, à cet égard. Ils accuseront ensuite de la plus grande licence sexuelle les groupes qui incarnent leur propre comportement réprimé. S'ils considèrent le sexe comme mauvais, l'autre groupe sera évidemment dénoncé comme pervers.

Si les membres d'un tel groupe dans leur rigidité croient malgré tout en l'innocence de l'enfance, ils refuseront aux jeunes l'expérience sexuelle et écarteront de leur propre mémoire les souvenirs qui ne concordent pas avec cette croyance.

Si un jeune adulte croit que le sexe est bon et que, par ailleurs, l'âge avancé ne l'est pas, il verra comme impossible toute exubérance sexuelle chez la personne âgée. En rêve, l'enfance et la vieillesse existent simultanément et l'individu peut y retrouver la gamme complète des capacités humaines.

(23 h 12) La sagesse de l'enfant et du vieillard est disponible en tout temps. Les leçons de l'«expérience future» sont également à votre portée. Le corps possède des mécanismes qui favorisent ces interactions. Vous vous privez de précieux atouts par cette séparation artificielle créée par vos habitudes de «veille-sommeil» auxquelles, je le répète, sont intimement associées vos idées de bien et de mal.

Ceux qui ne peuvent en pratique rien changer dans leurs heures de sommeil retireront quand même beaucoup en changeant leur attitude face à tout cela. Ils apprendront à se souvenir de leurs rêves et à prendre de brefs repos en temps opportun; ils noteront toutes les impressions retenues de ces moments.

Vous devez rejeter toute idée préconçue quant à la nature équivoque de l'activité inconsciente. Vous devez croire en la bonté de votre être. Autrement, vous ne pourrez explorer ces autres états de votre propre réalité.

Lorsque vous aurez confiance en vous-même, vous vous fierez à votre propre interprétation des rêves; vous en tirerez une meilleure compréhension de vous-même. Vos croyances concernant le bien et le mal se clarifieront et vous n'aurez plus besoin de projeter exagérément vos tendances réprimées sur les autres.

Fin de la session.

(«*Merci.*»)

Mes meilleures salutations à vous deux. Et vois à ce que Ruburt révise ses notes.

(«*Très bien. Bonne nuit, Seth.*»)

(*Fin à 23 h 24. Seth se référait à des écrits de Jane sur son projet à long terme,* Psychologie des aspects. *Voir son introduction, ainsi que les commentaires de la session 618, chapitre 3 du tome I.*)

Session 653 – Le mercredi 4 avril 1973, à 21 h 23

(*Ce week-end, nous avons eu la visite de Robert Monroe et de son épouse Nancy; le couple habite une ferme du centre de la Virginie. Bob est l'auteur de* Journeys Out of the Body[1], *un livre que Jane et moi considérons comme majeur sur le sujet. Il voulait entre autres parler du centre de recherches, nommé temporairement* The Mentronics Institute, *qu'il est en train de développer à sa ferme. L'institut sera fréquenté par quelques personnes «triées sur le volet» pour étudier les différentes phases de l'activité psychique. Ces «individus» seront recrutés parmi des médecins, parapsychologues, psychanalystes, ainsi que des membres d'autres disciplines scientifiques.*)

(*Seth entreprit une longue discussion avec les Monroe, ce dimanche soir du premier avril. Le lendemain matin, Jane connut une forte «résurgence» d'inspiration créatrice, quelque chose de tout à fait transcendant qui dura plus de deux heures. Elle en eut un avant-goût dimanche, avant l'arrivée de nos visiteurs. Je décris ici le phénomène, incluant de larges extraits du rapport qu'elle en fit, afin de montrer d'autres facettes de son activité psychique pendant la production de ce livre. Ces perceptions nous donnent aussi un éclairage sur le livre lui-même.*)

(*Jane me décrivit son état modifié de conscience le jour même, puis le lendemain elle en fit un récit aussi complet que possible. Pendant qu'elle dactylographiait, elle revivait encore à un moindre degré certaines parties de l'expérience...*)

(*Jane: «Dimanche, avant l'arrivée de nos visiteurs, je commençai à feuilleter un livre de Ralph Waldo Emerson [poète et philosophe, 1803-82]. Je tombai sur un essai,* The Poet, *dans lequel il parle des "enseignants" comme des êtres qui se servent de leurs aptitudes pro-*

---

1. Publié chez Doubleday & Co., Garden City, N.Y., 1971.

fondes pour "proférer les secrets intimes de la nature". L'essai m'impressionna beaucoup. Il faisait écho à des éléments de mon vécu "psychique" et à mes écrits puis, bien entendu, je pensais aux "Enseignants" que Seth décrit au chapitre 20 de L'enseignement de Seth. [Selon Seth, Emerson était aussi un Enseignant!] Puis, Bob Monroe et son épouse arrivèrent. Ce fut une soirée chargée. Seth intervint à plusieurs reprises.)

(»Assise à mon bureau le lendemain, le 2 avril, je fus remplie de la plus forte et de la plus claire inspiration qu'il m'ait été donné de recevoir. Toute la journée, je fus comme emportée par elle; j'écrivais fiévreusement, agitée, et cependant exultante. Il en sortit un poème de neuf pages appelé Dialogues of the Speakers (Dialogues des Enseignants), qui devait se poursuivre et éventuellement former un livre. C'est ainsi que naquit ce livre de poésies, maintenant appelé Dialogues of the Soul and Mortal Self in Time.)

(»Vers la fin de ce long poème, au milieu de l'après-midi, j'avais de plus en plus de difficulté à décrire et à transcrire ce que je ressentais. Voici les derniers vers:

Les Enseignants vivent-ils?
Leur vie chargée déborde la nôtre
et à travers leur pupille
l'univers nous observons;
mais tout ce que nous voyons
ou connaissons n'est qu'un détail
d'une production telle
qu'à décrire maintenant je faiblis,
et je crains que mon senti
ne tombe en des mots hors de la portée
d'une telle évidence intérieure.
Je sens des fossés tels
que le non-dit est tout
et là
ce que je ne retiens pas
est ce que je suis et ce que vous êtes.
Mes pensées sont aussi faibles
que mes mains en coupe
pour saisir leur fluide contenu,
mais notre vie
n'est que l'ombre de mes doigts.
Ainsi sommes-nous
par d'autres envoyés

géniteurs gigantesques
d'une famille si vaste,
au sein de laquelle pourtant
chaque membre se réchauffe.

(»*Dans mon effort pour pénétrer ces concepts, mon état se transforma à un tel point que j'appelai Rob à nouveau. Je commençai à sentir l'immense charge de vie des Enseignants et je m'aperçus être allée au-delà du poème. L'inspiration dirigeait ma perception au point de modifier la vision de ce qui m'entourait. Lorsque cela m'arrive, cet état soi-disant subjectif devient réel et objectif au point de le voir à la manière de notre vie physique normale.*)

(»*Il ne s'agit pas d'un processus complet en soi, mais la transformation des données intérieures et leur projection extérieure est une expérience splendide, même si elle est inquiétante parfois.*)

(»*De mon bureau, je faisais face aux fenêtres de notre cuisine. Je pouvais regarder au loin à travers le feuillage du faîte des arbres — nous demeurons au second étage — et voir la rue de l'îlot voisin. Alors j'ai vu... j'ai senti, non pas en trois dimensions mais d'une autre manière très intense, des silhouettes massives en marge de ma vision physique... sur la rive du monde. Mes yeux étaient ouverts, bien entendu. Par ma "voyance" intérieure, je sentis que l'une de ces formes, extrêmement musclée et imposante, pourrait se pencher et, de son œil de géant, regarder par ma fenêtre... même si je savais que ce n'était que ma propre interprétation de ce que je recevais.*)

(»*Au même instant, par contraste, ma perception de la pièce se transforma. Tout en gardant leur propre dimension, les objets me parurent minuscules, comme une maquette, mais bien réels et vivants, avec mon propre appartement à l'intérieur de l'une des innombrables "maisons-jouets". J'étais enivrée mais inquiète à la fois. J'essayais de me laisser prendre au jeu, tout en cherchant à garder une certaine distance "par crainte de me perdre" dans cette expérience.*)

(»*Rob me suggéra de faire une sieste, car les Monroe seraient là d'ici une heure. En essayant de dormir, une idée parmi d'autres me vint, brutale: "Nous sommes EN Dieu. Nous n'avons JAMAIS été extériorisés!" Ces mots n'expliquent cependant pas toute l'émotion ni mon sentiment d'adhésion à cette idée, car tout à coup, je me sentis "être en Dieu", comme si l'on disait "être dans une maison". Tout ce que nous connaissons et imaginons est en lui. Il n'y a pas d'extériorité.*)

(»*Je me sentis devenir quelque peu claustrophobe... ma perception*∹
visuelle fut à nouveau transformée d'une étrange mais agréable ma-
nière, de sorte que tout ce que je voyais était "un dedans" à l'intérieur
de lui-même et cela à l'infini. Je me sentais rapetisser. Mais presque
immédiatement, j'eus cet étrange sentiment d'une merveilleuse sécurité
et je pris conscience d'être en Dieu... Je sentis que nous étions littéra-
lement fait d'étoffe-divine et donc éternels.)

(»*Puis vint ce sentiment que cette intériorité était tellement vaste*
qu'elle pouvait contenir tout "espace" en expansion continue; seul un
intérieur pouvait posséder ces caractéristiques d'expansion constante.)

(»*Chacune de ces idées me vint comme une révélation émotion-*
nelle, accompagnée de diverses sensations corporelles et de modifi-
cations visuelles. Ici, d'autres expériences se présentèrent et, à certains
stades, je m'y suis perdue. Dans l'une, mon corps devint gigantesque,
et ce n'était pas une impression mais bien une réalité. Finalement,
j'étais là, étendue. D'une certaine manière, je pris de l'ampleur, j'al-
lais en grandissant...»

(*Jane connut ensuite toute une série de phénomènes, lui faisant*
vivre différents aspects du gigantisme. Malgré leur «authenticité» à ses
yeux, elle savait en tout temps que ces manifestations étaient en fait des
interprétations symboliques de réalités intérieures. Nous pensons que
la mémoire cellulaire décrite par Seth entrait aussi en ligne de compte;
et j'en prends à témoin les extraits suivants de son compte rendu.)

(«*... Puis je constatai que j'étais étendue sur mon lit, toujours aussi*
immense; pour un moment j'eus peur. Ma main gauche sur l'oreiller
au-dessus de ma tête avait pris la forme des griffes de l'aigle. J'avais
les yeux fermés, mais c'est la sensation physique que j'en avais. Je
sentis cette force inouïe dans ma main; elle cherchait à se resserrer,
comme le ferait un aigle. Je sentis... ma peau se durcir pour former
cette étrange et flexible serre recouvrant ce que nous appelons la chair.
Puis mes épaules et tout le haut de mon dos se transformèrent en un
aigle géant, battant des ailes; la force et les sensations étranges qui
surgirent étaient stupéfiantes...)

(«*D'une manière impossible à décrire, il se produisit un autre*
changement. Cette fois, j'étais un dinosaure. Oui, J'ÉTAIS un dinosaure.
Je me tenais sur mes deux pattes dans une immense plaine, faisant de
puissants bruits gutturaux de... contentement. Il y avait une similitude
entre l'aigle et le dinosaure, en ce sens que leur corps possédait une
solidité singulière... ce sont toutes les étapes que j'ai dû franchir – ou

*tout au moins dont certaines des cellules de mon corps se souviennent
– mais ces impressions étaient frappantes pour moi par leur intensité...)*

*(»Rob m'interpella, puis il sortit quérir les Monroe à leur hôtel.
J'étais exaltée et exténuée tout à la fois. Je commençai à m'habiller,
ayant toujours ce sentiment d' "être en Dieu". Des oiseaux chantaient
à l'extérieur; je m'arrêtai, figée. Les oiseaux étaient bel et bien des
dieux chantant! Ce n'était pas une sensation symbolique ou poétique,
c'était pour moi un fait reconnu!)*

*(»La douceur incroyable de leur chant m'atteignait, malgré mon
hilarité soudaine... Puis, je me préoccupai de mes ongles; j'en avais
abîmé le vernis en tapant tout le jour mon poème de l'Enseignant. En
Dieu ou pas, je pouvais encore avoir des pensées aussi terre-à-terre!
Passant au salon pour préparer l'arrivée de nos invités, je vis que la
pièce aussi était en dedans d'un autre espace intérieur...»)*

*(Jane garda des échos pendant des jours de cette expérience trans-
cendante. Elle se rappela d'autres détails qu'elle avait omis de noter;
ces souvenirs étaient déclenchés par les événements courants de la
journée.)*

*(Pour les intéressés, je donne dans les deux paragraphes suivants
quelques références en rapport avec cette description.)*

*(Seth parle quelque peu de mémoire cellulaire à la session 638,
chapitre 10 du présent volume; voir aussi les sessions 632 et 637 du
tome I. Pour d'autres renseignements sur Jane et ses divers «états
modifiés de conscience», voir son introduction ainsi que les commentaires de la session 639, chapitre 10, et 645, chapitre 11 du présent
ouvrage. Il semble bien qu'elle connaîtra d'autres épisodes de ce genre
que nous pourrons ajouter au fur et à mesure. Elle a l'intention d'analyser toutes ses expériences en fonction des différents stades de la
conscience pour son livre* Aspect Psychology.

*(On peut faire des liens évidents entre les expériences de «massi-
vité» que Jane a connues dernièrement et ses premiers contacts avec
«Seth Deuxième» en avril 1968; elle décrit ces phénomènes au chapitre
17 du livre* The Seth Material[1]

*D'autres précisions sur «Seth Deuxième» sont données au chapitre
22 du livre* Seth Speaks[2]. *Jane décrit, dans le chapitre 1 du* Livre de

---

1. *Le livre de Seth*, J'ai Lu, 1990.
2. *L'enseignement de Seth*, J'ai Lu, 1991.

Seth, *son premier «voyage» en un état modifié de conscience, et comment s'ensuivit la production de son manuscrit* The Physical Universe as Idea Construction. *Voir les notes d'introduction de la session 633, chapitre 8, tome I.)*

(*Nous n'avons pas tenu de session lundi soir dernier. Au lieu de cela, Jane se concentra «par ses propres moyens» sur les circuits d'un appareil dont Bob Monroe avait fait l'esquisse; il avait vu cet appareil au cours de l'un de ses voyages «hors du corps». Des questions de physique ont été soulevées – l'écart de Fermi [relatif au mouvement et à la distribution de certaines particules] et autres – et Jane finit par dresser ses propres diagrammes. Elle est ravie d'utiliser ses capacités de cette manière.)*

(*Elle donna ses notes et dessins à Bob. Mardi, à part l'écriture de ses états «transcendants», elle fit un compte rendu de la discussion de lundi soir et refit ses notes et esquisses pour ses propres archives.)*

(*«Eh! bien, je sens que Seth tourne autour! dit Jane ce soir à 21 h 22. Je serai prête dans une minute. C'est bien étrange, mais actuellement j'ai une merveilleuse sensation de couleur et je suis dans une grande expectative. C'est fréquent et presque identique à cette sensation d'être dans les nuages, comme dans les moments d'inspiration poétique, tel que ce fut le cas lundi...» Et voilà les lunettes enlevées.)*

Bonsoir.

(*«Bonsoir, Seth.»*)

(*Avec douceur*) Vos attitudes face au sommeil, aux rêves ou à toutes formes de modification de la conscience sont teintées, jusqu'à un certain point, de vos conceptions occidentales du bien et du mal. Elles viennent de ce vieux principe puritain concernant le travail: «L'oisiveté est la mère de tous les vices.»

Ces pensées en elles-mêmes vous portent à suspecter le repos tout comme les rêves. La rêverie et même de légères modifications de la conscience attirent des jugements moraux. De telles idées se reflètent dans votre société sous toutes sortes de formes et dans des domaines où les aspects du bien et du mal ne sont pas apparents. Les sports sont considérés comme bons, mais par contraste les activités «passives» du type intuitif sont dites mauvaises.

Vous appréciez tout particulièrement les réalisations tangibles. Dans ce contexte, les rêveries ou les rêves ne sont pas vus comme constructifs ni productifs.

On enseigne aux jeunes à être agressifs; ce qui veut dire en d'autres termes: soyez concurrentiels! Cette attitude encourage toute forme d'extériorisation de la conscience individuelle. Non seulement la conscience doit-elle se centrer sur la réalité extérieure, mais **dans ces limites mêmes**, elle doit se river sur certains buts précis. On considère comme louche tout autre penchant.

On entraîne l'individu à croire que toute modification de la conscience et autres occupations soi-disant «passives» sont plus ou moins dangereuses. On tolérera un artiste, mais seulement s'il travaille bien; dans lequel cas on considérera qu'il est tout simplement **plus malin** que d'autres pour découvrir une manière de faire de l'argent.

L'écrivain est bien vu si ses livres le rendent célèbre ou s'il fait fortune. Le poète est à peine toléré, car habituellement ses dons n'apportent rien de tout cela.

Le rêveur prête au soupçon, peu importe son âge, son emploi ou ses antécédents familiaux, car il n'a même pas de métier pour excuser sa paresse morale. Les gens qui entretiennent ces croyances auront beaucoup de difficulté à comprendre leur propre créativité. Le travail accompli en rêve et les multiples expériences qu'on y retrouve demeureront pour eux invisibles. Ils auront peu de respect pour les rêveurs et les visionnaires qui émergent dans le monde et ils seront les premiers à écraser ceux de leur génération qui montrent de telles tendances.

Dans tout cela, cependant, les couches profondes de l'être individuel ne sont pas touchées par ces croyances. Évidemment, ces idées se refléteront dans l'expérience quotidienne de la personne et elles sembleront justifiées. Pourtant, en dessous, le moi intérieur est très conscient de la grande poussée créatrice qui se déploie dans les rêves; il comprend bien que la source de l'énergie individuelle n'a rien à voir avec de tels concepts superficiels jugeant du bien ou du mal.

Faites une pause, car c'est la fin du chapitre.

(*«Très bien.»*)

Chapitre 14

QUEL MOI?
QUEL MONDE?
VOTRE RÉALITÉ QUOTIDIENNE, EXPRESSION
D'ÉVÉNEMENTS PROBABLES ET PRÉCIS

Session 653 (suite)

*(21 h 43. Jane n'a pas idée de ce que va contenir le chapitre 14:
«J'attends...», souffla-t-elle. À 21 h 51, elle poursuivit: «En fait, rien
ne me vient, ni de Seth ni quoi que ce soit d'autre.» Nous avons
continué d'attendre. Une pluie fine commença; nous entendions le
chuintement des roues de voitures sur le pavé. Le son de la télévision
d'un appartement situé en dessous montait jusqu'à nous, mais nous ne
l'entendions pas trop fort cependant. Finalement, la session a repris à
22 h 01.)*

Chapitre 14: «Quel moi?», au-dessous *(avec un geste horizontal)*
«Quel monde?»

*(En transe, les yeux fermés, Jane resta silencieuse plus d'une mi-
nute.)*

Puis, Seth continua le titre: «Votre réalité quotidienne, expression
d'événements probables et précis.» Voilà le titre complet du chapitre.

(Une longue pause à 22 h 06) Le cerveau peut tout simplement être
appelé la contrepartie physique de l'esprit. Par l'entremise du cerveau,
les fonctions de l'âme et de l'intellect entrent en connexion avec le
corps. C'est justement grâce aux particularités du cerveau que des
événements qui n'ont pas d'origine physique deviennent tangibles.

Il effectue alors un travail précis de clarification et de concentration. Plus précisément, par vos croyances conscientes, vous donnez
vraiment à la réalité son apparence. Ces croyances servent **d'agents**

directeurs, elles sélectionnent certains événements probables non physiques et les actualisent en trois dimensions.

D'autres événements probables pourraient tout aussi bien être physiquement expérimentés. Ces croyances sur vous-même créent votre propre image et déterminent votre façon de voir ce qui est possible ou non pour vous. Par conséquent, de ces événements probables non physiques, vous ne choisirez que les plus concordants.

En raison de votre structure psychologique et psychique, il y a de fait, dans la complexité de votre être, une infinie variété de ce que vous pourriez appeler des «moi» probables. Dans une réalité ou dans une autre, ils seront tous expérimentés. Toutefois, vous n'utiliserez dans votre existence actuelle que les traits psychologiques que vous **croyez** posséder. Comme vous le voyez, la personnalité ne peut se définir simplement comme ceci ou comme cela.

Votre constitution physique se conforme à vos croyances, ainsi toutes les données de vos sens refléteront fidèlement les orientations prises. Dans une certaine mesure, l'hypnose n'est qu'un exercice de transformation des croyances; elle nous montre clairement que l'expérience résulte des attentes.

Le «vous», actuellement perçu comme vôtre, n'est qu'un des autres états probables de votre être; ce «vous» présent dirige alors la vie corporelle, «encadre» et définit les données des sens. Lorsque votre idée de vous-même change, votre expérience suit également.

Même les traits profonds du corps se retouchent. Vous pouvez dire que vous êtes vous, mais **lequel**? Chacun, d'une manière très personnelle, crée son propre monde. Les mécanismes biologiques de votre race orchestrent en grande partie votre expérience collective, suffisamment pour convenir de certaines choses, mais seulement dans les grandes lignes.

(*Pause à 22 h 27*) La perception de votre expérience intime forme votre monde. Mais **quel monde** habitez-vous? Si vous transformez vos croyances, et par conséquent votre propre sensation de la réalité, ce monde alors qui apparaissait comme le seul possible changera également. Vos croyances se transforment sans cesse de même que votre perception du monde. Vous avez l'impression de ne plus être la même personne et vous avez bien raison! Vous **n'êtes plus** la personne que vous étiez, votre monde **a changé** et ce n'est pas symbolique.

Il vous arrive souvent de perdre le sens de la réalité, et ainsi d'être moins attentif à vos occupations. Dans cet état, vous ne semblez plus être en contact avec vous-même; en effet, au beau milieu de votre journée, vous agissez de la façon la plus mécanique qui soit, par habitude, en étant moins sensible aux stimuli extérieurs.

Dans ces occasions, vos croyances deviennent imprécises et les directives données à votre corps ne sont plus claires; le monde semble confus. Vous vous situez alors dans une période de profondes activités inconscientes, durant laquelle, si on peut le formuler ainsi, des caractéristiques latentes guettent leur heure d'apparition.

Vous pouvez faire une pause.

(*De 22 h 37 à 22 h 55*) De votre point de vue, vous actualisez les événements probables à l'aide de votre système nerveux selon l'intensité de votre volonté et de vos croyances conscientes.

Ces croyances ont bien sûr une autre réalité en dehors de celle qui vous est familière. Elles attirent et engendrent certains événements plutôt que d'autres. Elles **actualisent** les événements à partir d'une variété infinie de possibilités. Vous pensez être au centre de votre univers, car pour vous votre monde commence à ce point de rencontre entre l'âme et la conscience physique.

(*Longue pause à 23 h 04*) Accordons-nous un peu de temps...

Votre sens du «je» résulte du jaillissement constant d'identités probables; sa continuité est maintenue par les pulsations de votre système nerveux. Vous ne vous souvenez cependant que de la partie actualisée de votre identité, la partie représentée sous vos traits physiques. (*Avec force, accompagné de gestes*) C'est l'effet jumelé de la concentration et des limites du cerveau; en effet, votre efficacité dans votre réalité dépend justement du temps de réaction du système nerveux. L'activité nerveuse cause donc l'illusion d'un présent dans lequel votre conscience s'active et se concentre.

Dans un certain sens, les événements «futurs» existent déjà, mais ils se déroulent trop vite. D'un bond ultrarapide, ils franchissent les terminaisons nerveuses, vous ne pouvez donc pas les percevoir ou les ressentir physiquement.

Les impulsions procèdent d'une réalité bien différente de ce qu'en pensent les physiciens et les biologistes. Pendant que vous pensez le moment présent, le «passé» continue d'avoir lieu. La «traînée» franchit encore les synapses, mais une fois de plus tout ceci n'est pas perçu physiquement. Les événements passés continuent donc. Par votre structure corporelle, vous ne saisissez consciemment que certaines parties des événements; toutefois, la **structure elle-même** les a enregistrés.

Les cellules, d'une manière quelconque, gardent le souvenir des événements, bien que vous **n'en soyez pas conscient**. De plus, le corps perçoit les soi-disant situations futures même si en règle générale vous ne les saisissez pas consciemment. (*Soudainement, avec intensité et rapidité*) Toutefois, à **d'autres niveaux** de l'activité psychique, une telle connaissance vous est aussi accessible, mais seulement si vous dissociez votre expérience de votre structure neurotemporelle. Vous pouvez le faire grâce aux divers états de modification de la conscience, qui vous viennent d'ailleurs souvent très spontanément.

Nombre de ces états peuvent vous fournir une expérience beaucoup plus intime de votre réalité incorporelle que ne le ferait **normalement** n'importe quelle réflexion consciente. Quel moi? Quel monde? Vous pouvez par vous-même faire la découverte des autres «vous» probables qui font partie de votre être.

Faites une pause.

(*23 h 20. Jane précisa que durant la transe, elle ne se rendait pas compte de la lenteur de son débit. Cependant, elle sembla se souvenir de ses hésitations quand je l'ai questionné à ce sujet. Elle pensait que Seth «essayait de formuler la matière dans des termes que pourrait comprendre une personne sans grandes connaissances de ce domaine, tout en restant digne de l'intérêt d'un physicien, ce qui n'est pas facile dit-elle. Il en avait beaucoup plus à dire au sujet des synapses, neurones et autres choses du genre, mais il s'en est abstenu...»*)

(*La jonction de deux cellules nerveuses ou neurones est appelée synapse. [Voir la session 637 du chapitre 9, tome I]. Ces jours-ci, Jane reçoit plus de lettres en provenance des scientifiques, plusieurs d'entre eux posant justement des questions intéressantes au sujet de la matière traitée dans cette session. Reprise à un rythme plus rapide à 23 h 45.*)

Vous faites aussi une sélection des événements futurs parmi ceux probables, mais certaines situations qui vous concernent passent trop rapidement pour être captées par vos neurones. Elles ne vous sont pas utiles dans votre présent.

Elles feront partie de votre expérience mais à un niveau autre que physique. Mon cher ami Ruburt (*un peu plus fort*) en a donné une analogie dans le premier tome de son roman *Sur-âme sept.* Vous saisissez un événement particulier comme partie du présent. Par les synapses, vos croyances lui ouvrent le passage et l'attirent. Puis le voilà passé, semble-t-il. En fait, vous n'en avez physiquement syntonisé qu'une partie; cet événement continue d'exister avec son propre «futur», que vous capterez ou non, selon l'action probable que **vous ferez** intervenir au cours de vos prochaines expériences.

Par conséquent, le passé **possède** réellement son propre passé, présent et futur. D'un événement passé vous ne concrétisez qu'un aspect du futur, alors que l'événement en lui-même persiste et possède sa propre dimension, ses **multiples dimensions**, devrions-nous dire, comme vous-même en possédez.

Vous pouvez puiser, par exemple, dans la mémoire cellulaire. En utilisant la mémoire, vous n'observez à rebours qu'une suite connue d'événements. Il y a cependant des éléments de votre passé qui sont imprévisibles comme semblent l'être maintenant ceux de votre futur (*catégoriquement*). Comme lui, votre passé est créateur, mais pour utiliser de telles expériences vous devez apprendre à changer vos croyances et, jusqu'à un certain degré, vous devez vous évader de cette sorte de concentration étroite de la conscience que vous avez l'habitude d'utiliser.

Maintenant, nous pouvons continuer la session...

(*«Allons-y.»*)

... ou la terminer si vous le préférez. Si vous continuez, faites une courte pause... Certaines de ces sessions peuvent prendre beaucoup de temps.

(*23 h 55. «Est-ce que nous ne venions pas de faire une pause?»* demande Jane, perplexe. Je lui explique alors la situation. Les sessions ne se déroulent pas souvent ainsi. Reprise à 00 h 05.*)

En elle-même, la structure physique contient les éléments indispensables à l'évolution de la conscience et même, dans une certaine mesure, à l'organisation de votre expérience dans des directions avec lesquelles vous n'êtes pas actuellement familier.

Les données des sens **peuvent être** organisées de différentes manières. Il existe des mécanismes et des voies qui vous permettraient de **voir les sons ou d'écouter les couleurs**, même si ce n'est pas dans votre ordre actuel des choses.

(*Pause*) Dans un sens, on peut dire que vous sautez des intervalles de temps; ainsi en est-t-il lorsqu'une odeur ou une vision «du passé» vous revient tout à coup avec l'éclat du présent, pourtant vous savez que cela est arrivé dans le passé. Dans ces conditions précises, le souvenir peut soudain devenir plus réel que l'événement en cours et se précipiter de nouveau dans votre expérience aussi vivement qu'au moment où vous l'aviez vécu pour la première fois, il semble même masquer les faits de l'instant présent.

Cela ne se produirait pas si votre structure physique ne possédait pas les mécanismes voulus et si, sous certaines conditions, le passage entre les synapses des cellules nerveuses ne pouvait être franchi d'une autre manière. De la même façon, une expérience future peut être perçue physiquement dans votre présent. Alors, au-dessous de votre conscience habituelle, votre organisme physique peut réagir à des événements futurs sans que vous en preniez connaissance; il en va de même pour ceux du passé. Dans ces circonstances, l'intensité de l'événement initial non physique suffit pour percer la structure normale des neurones.

Si vous captez un tel épisode futur, vous serez forcé de répondre en tant qu'être conscient. De toute manière, votre structure temporelle réagira, que vous connaissiez ou non les raisons de ce comportement. Alors l'incident futur pourra arriver en son temps et vous le reconnaîtrez, mais dans ce cas vos réactions à ce futur, devenu votre présent, seront différentes à cause justement de ce soi-disant souvenir passé.

Cet événement peut aussi ne jamais se présenter, car il peut provenir d'un passé probable qui fut jadis votre présent, mais dont vous vous êtes éloigné. C'est une des raisons pour laquelle les prédictions des «voyants» semblent souvent ne pas se confirmer, mais vous gardez toujours le libre choix de transformer votre expérience en utilisant vos croyances.

Vos croyances forment le pivot de votre expérience actuelle.

Fin de la dictée. Quelques remarques...

(00 h 20. Seth nous dévoila deux pages de matière pour Jane et moi, la session s'acheva à 00 h 37.)

Pour en savoir davantage sur les probabilités, consultez les chapitres 15, 16 et 17 de *L'Enseignement de Seth*[1].

---

1. *L'Enseignement de Seth*, J'ai Lu, 1991.

Session 654 – Le lundi 9 avril 1973, à 21 h 45

Bonsoir, passons à la dictée.

(«*Bonsoir, Seth.*»)

Pour parler dans vos termes, on peut dire que les événements probables semblent avoir plus de sens si vous les envisagez en tant qu'événements futurs latents.

Cependant, le fait demeure que des événements probables passés «peuvent encore arriver» dans votre expérience personnelle antérieure. Un nouvel événement peut littéralement naître dans le passé, «maintenant».

Généralement, **cela passe inaperçu** (vous feriez bien de souligner la dernière partie de cette phrase).

Une nouvelle croyance du présent peut toutefois causer, au niveau des neurones, des changements du passé. Vous devez comprendre que fondamentalement le temps est simultané. Des croyances présentes peuvent réellement transformer le passé. Dans certains cas de guérison, par exemple la disparition spontanée du cancer ou de toute autre maladie, des transformations modifient la mémoire cellulaire, les codes génétiques et les schèmes nerveux du passé.

Dans ces exemples, je vais l'expliquer le plus simplement possible, il se produit un retour en profondeur à des structures biologiques antérieures; de ce point, les probabilités sont transformées et le mal actuel enrayé en même temps que dans le passé.

(*Pause à 22 h 01*) Une subite et intense croyance de guérison peut totalement «renverser» une maladie, mais dans le fond c'est un **renversement du temps**. Au niveau cellulaire, des souvenirs nouveaux remplacent les anciens. Ce type de thérapie arrive souvent tout naturellement; les gens se débarrassent eux-mêmes de maladies dont ils ignoraient l'existence.

La connaissance ne passe pas simplement d'un tissu vivant à un autre – vos biologistes l'ont découvert – elle modifie aussi la réalité de tout le corps, en changeant parfois au complet les messages transmis aux cellules anciennes qui, pour vous, ont cessé d'exister.

De la même manière, la croyance intense actuelle en une capacité précise atteindra le passé et effectuera les changements qui auraient dû arriver alors (*avec des gestes*), et fera ressortir cette capacité.

C'est ce qui explique les résultats de quelques expériences menées à l'étranger. Dans ces expériences, un apprentissage accéléré se produit quand, sous hypnose ou d'une autre manière, une personne se convainc qu'elle est, par exemple, un grand peintre ou un linguiste. La croyance présente active les capacités «latentes» de chaque personne[1].

(*Pause*) La structure biologique telle qu'elle existait dans le passé s'en trouve par conséquent modifiée. L'expérience qui, à votre point de vue, n'existait pas est intégrée à l'organisme. C'est une sorte de «re-programmation». Bien sûr, il vous est impossible d'examiner la structure cellulaire telle qu'elle existe et, simultanément, voir ce qu'elle était dans le passé (*très catégorique*). Scientifiquement, vous ne pouvez vérifier que les effets dans votre présent. Quand vous transformez votre croyance d'aujourd'hui, vous «re-programmez» votre passé. En ce qui vous concerne, le présent est votre champ d'action, de concentration et de pouvoir.

À partir de cet acte de volition, vous formez votre futur et votre passé. Si vous comprenez cela, vous comprendrez alors que vous n'êtes plus à la merci d'un passé sur lequel vous n'avez aucun pouvoir.

Faites une pause.

(*22 h 20. «Seth allait très lentement, afin que je comprenne bien, dit Jane. Les biologistes n'accepteront pas cela, enfin... pas facilement.» Reprise au même rythme à 22 h 35.*)

Pendant que vos croyances conscientes dictent votre expérience présente et que votre corps, selon votre perception, apparaît dans sa solidité du moment, les particules mouvantes dont il est constitué, de même que votre conscience, sont elles-mêmes relativement libres du temps. Elles ont une réalité multidimensionnelle avec laquelle la conscience rationnelle ne peut pas encore transiger.

Cela ne diminue en rien la fonction ou les capacités naturelles de la conscience qui raisonne; celle-ci vous permet de vous concentrer sur votre expérience courante et d'y diriger l'énergie avec une attention ferme.

---

1. Seth semble se référer à la «réincarnation artificielle» pratiquée par les Soviétiques. Voir *Psychic Discoveries Behind the Iron Curtain* (Découvertes psychiques derrière le rideau de fer) de Sheila Ostrander et Lynn Schroeder (Bantam Books).

(*Pause*) De votre point de vue, cette action contribue au processus naturel de transformation de la conscience rationnelle, qui, comme vous le pensez, est en évolution.

Votre conscience n'est pas une chose que vous possédez. Votre individualité n'est pas une chose limitée. Si vous demandez: «Où est mon identité dans tout cela?» ou «Quel "moi" suis-je?», automatiquement vous vous considérez comme une entité psychologique bien délimitée qui doit être protégée de tous cotés. Vous pouvez dire: «Je suis né dans une maison, dans une certaine rue, dans une certaine ville, et rien ne peut venir le contester.» Pourtant, si dans le moment présent **un événement passé** peut être transformé dans vos neurones, alors, au fond, aucun événement n'est à l'abri d'un tel changement.

Dans votre expérience concrète, une table reste une table, mais les physiciens savent très bien que l'apparence physique est une sorte de mirage. Dans votre vie de tous les jours, de nombreux effets sont acceptés et utilisés d'une manière bien pratique, comme le sont vos tables. Vous ne voyez pas les molécules et les atomes qui les composent; de la même manière, on peut dire que les événements semblent aussi «solides» que le sont les tables.

Maintenant, sur un autre plan, cette solidité apparente des événements s'effondre aussi. Quel moi? Quel monde? La croyance en une maladie soudaine rejoindra le passé; elle perturbera l'organisme en déclenchant dans l'expérience cellulaire passée les événements biologiques mêmes qui donneront naissance à cette nouvelle maladie.

De son point de vue actuel, votre conscience dirige non seulement la connaissance présente, mais aussi future et passée, d'événements neurologiques profonds.

(*Longue pause à 22 h 59*) Accordons-nous un peu de temps...

La mémoire cellulaire peut être changée en un point ou l'autre. Les croyances actuelles peuvent introduire dans le passé de nouveaux souvenirs psychologiques et physiques. Le futur n'est absolument pas prédéterminé **fondamentalement parlant**. Cela ne veut pas dire que le futur ne peut pas être prédit quelquefois, car, au sens pratique, vous suivez souvent la ligne de probabilités que vous pouvez percevoir comme «à l'avance».

De telles prédictions peuvent influencer les probabilités et renforcer une croyance actuelle. Les médecins se demandent souvent s'ils doivent avertir de leur mort prochaine les patients en phase terminale. La controverse à ce sujet est vive. Dans certains cas, une telle prédiction peut accélérer la mort, alors que le contraire peut régénérer la croyance du patient dans sa propre capacité de vivre.

Par contre, personne ne meurt simplement parce que le médecin le lui dit. Personne n'est à la merci des croyances d'un autre. Généralement, chacun connaît ses défis et l'**ensemble** de sa mission, ainsi que la venue de sa mort. Cependant, ces décisions peuvent être transformées à n'importe quel moment de votre «maintenant», le corps entier peut être régénéré d'une façon impossible à prédire dans des termes médicaux habituels. (*Voir la session 624, chapitre 5, tome I.*)

Vous menez votre expérience à partir de ce point précis de votre présent, là où vos croyances rencontrent directement d'une part le corps et le monde physique et, d'autre part, le monde invisible d'où vous tirez votre énergie et votre force. Cela s'applique aux individus, aux sociétés, aux races et aux nations mais aussi aux activités sociales, biologiques et psychiques.

Dans l'expérience quotidienne, essayez de vous concentrer pour un moment sur vos capacités apparemment moins développées, celles que vous croyez latentes. Si vous le faites régulièrement, à l'aide de votre imagination et de votre volonté, ces aptitudes s'épanouiront de manière remarquable. Les nouvelles croyances reprogrammeront et transformeront l'ancienne expérience. Les événements passés inconsciemment perçus ne seront pas simplement restructurés et organisés sous de nouveaux chefs, mais **dans ce passé**, (*non perceptible maintenant*), l'entière réponse psychique à ces soi-disant événements passés changera.

(*Avec vigueur, malgré quelques pauses*) Votre désir, ou croyance, sera bel et bien en train de remonter dans le temps, enseignant à votre système nerveux les nouvelles astuces. Des réorganisations précises **dans ce passé** surgiront alors **dans votre présent**, votre comportement s'en trouvera donc complètement transformé.

(*Une minute de pause à 23 h 21*) Ce comportement rééduqué métamorphosera le présent et le futur, mais aussi l'ancienne conduite. Votre pouvoir, qui est vu comme la conscience rationnelle axée sur le présent, vous ouvre les portes d'une créativité que vous commencez à peine à comprendre. Au fur et à mesure de **votre apprentissage**, vous comprenez mieux la nature multidimensionnelle de votre espèce et des autres également. Le moment tel que vous l'imaginez est le cadre de travail dans lequel vous, ce «moi» non physique, créez continuellement la réalité corporelle; par cette fenêtre de l'existence terrestre, vous formez à la fois son passé et son futur.

Vous pouvez faire une pause.

(23 h 30, «Sapristi!, dit Jane, sortie d'une excellente transe, je sentais que l'on apprenait des choses nouvelles. Je me souviens avoir pensé: c'est génial, Seth, mais j'espère que les gens pourront le lire et le suivre...» Reprise à 23 h 47.)

En termes purement physiques, ce que vous définissez comme conscience de soi correspond à un état culminant atteint par la conscience globale[1] des atomes et molécules, et des cellules et organes qui composent le corps.

(Pause) La réalité physique constitue le domaine du «moi» que vous connaissez, mais, même en termes humains, son existence englobe plus qu'aucune analyse ne pourrait démontrer. Comme il dirige l'activité du corps, il est, dans cette mesure, dépendant de l'activité neurologique.

La structure psychique de la conscience qui organise cette forme corporelle n'en dépend toutefois pas; ainsi le vous que **vous vivez** n'est qu'une partie de cette plus grande identité.

Durant certaines phases du sommeil, vous court-circuitez les structures neurologiques et vous discernez des expériences de nature multidimensionnelle que vous tentez de traduire le mieux possible en stimuli physiquement assimilables; vous convertissez alors ces stimuli en symboles qui peuvent être compris et auxquels, jusqu'à un certain degré, votre structure corporelle peut réagir.

Bien souvent de telles constructions sont utilisées comme motifs visuels intérieurs. Elles ressemblent dans bien des cas à l'architecture intérieure des cellules ou à l'agencement des planètes. Vos images de rêve sont alors organiquement structurées. Les expériences qui les **sous-tendent** vous mettent en contact avec les parties les plus profondes de votre réalité non physique; c'est l'inconscient qui traduit ces expériences en images et formes que vous pouvez reconnaître.

De la même manière, à partir d'une réalité non différenciée, votre inconscient transforme **pour vous** les champs d'énergie en objets et événements familiers de votre quotidien.

---

1. «Gestalt» (en anglais).

Vous pouvez jouir maintenant d'une expérience de vie unique, à travers ce corps que vous avez revêtu! Quand je vous propose des techniques qui vous permettent d'entrevoir d'autres champs de réalités, comprenez qu'elles doivent servir à accroître votre joie en tant que créature et à enrichir votre expression tant sensible[1] que spirituelle. Les deux sont enlacées dans l'éclat de votre être physique.

Fin de la dictée.

(*00 h 05. La session n'était toutefois pas terminée. Seth dicta une page de matière pour Jane et moi, au sujet de notre travail. Le tout se termina à 00 h 15.*)

Session 655 – Le mercredi 11 avril 1973, à 21 h 36

(*Aujourd'hui, Jane a écrit deux poèmes, dont un de plusieurs pages; poèmes qui s'intègrent bien, dit-elle, à son éventuel livre de poésie,* Dialogues of the Speakers. *Voir les notes préfaçant la session 653 du 4 avril, chapitre 13 du présent ouvrage, qui décrivent la naissance du long poème original* Speaker [l'Enseignant] *durant un état modifié de conscience. Son inspiration d'aujourd'hui marquait certaines similitudes.*)

Bonsoir.

(*«Bonsoir, Seth.»*)

L'activité de vos neurones structure votre expérience consciente. Vos rythmes profonds vous font passer naturellement du repos à des périodes d'intense concentration.

Le jour et la nuit forment le cadre de votre expérience, fournissant les stimuli et le calme nécessaires à la conscience pour une assimilation adéquate des événements. Tel que je l'ai mentionné (*aux sessions 651 et 652, chapitre 13 du présent ouvrage*), le corps possède des mécanismes pour modifier un tel ordre naturel lorsque des données supplémentaires pourront être disponibles.

En général, vous en avez assez de vous occuper des faits quotidiens, sans penser à ceux de la semaine à venir; c'est pourquoi, dans la succession des événements, la réalité des actions probables vous est normalement cachée. (*Pause*) Cette réalité plus complexe fait partie intégrante de votre humanité. De plus, de votre point de vue, vous existez plus d'une fois en tant que créature. Cette même relation des

---

1. «Sensuelle» (en anglais).

probabilités joue dans chacune de vos existences «réincarnées». Chaque fois, la pensée consciente établit un territoire-d'identité (avec un trait d'union) qu'elle considère comme sien, ce qui fournit un cadre précis pour l'action «présente». Toutes ces incarnations sont simultanées.

(*Une longue pause à 21 h 50*) La mort n'est qu'une nuit de l'âme. La plus vaste entité dont vous faites partie suit votre évolution aussi facilement que vous suivez vos activités de jour en jour. En général, vous vous réveillez pour la plupart dans le même lit, dans la même maison ou la même ville, mais incontestablement vous vous réveillez la même personne, dans le même siècle. À sa façon, l'entité se réveille **chaque jour** en personne différente, dans un siècle différent; à son niveau d'expérience, chaque vie paraît une journée. Elle se souvient de l'expérience simultanée de chacun de ses «moi».

(*Une minute de pause à 21 h 55*) Accordons-nous du temps...

Une «forme» est fondamentalement non physique. Ce que vous voyez de la forme n'est que la partie active ou matérialisée dans les limites de votre système de réalité. **Ainsi, l'entité, à sa manière, possède ce que vous considéreriez comme des structures nerveuses futures.** (Soulignez au complet cette dernière phrase).

À l'intérieur de cette forme immense se trouve votre propre vous, plus petit, mais non pas perdu, limité ou prédéterminé. Vous formez votre coin d'univers, lui-même partie d'un autre. Dans ce contexte, les actions et croyances de l'une des parties auront un effet sur toutes les autres.

(*Lentement à 22 h 03*) Chaque partie est vitale et d'une manière ou d'une autre, il y a communication instantanée entre la plus petite et la plus grande, entre la toile et l'araignée, entre l'homme, l'entité et les étoiles, et chacune tisse son propre réseau de probabilités à partir desquelles d'autres univers surgissent continuellement.

Vous pouvez faire une pause.

(*De 22 h 05 à 22 h 18*) Quel moi? Quel monde?

Tout cela peut sembler n'avoir que peu de rapport avec votre expérience personnelle quotidienne; c'est pourtant intimement lié, car individuellement et collectivement vous pouvez vraiment créer «le meilleur» des mondes.

La performance d'un grand athlète met en évidence des talents peu utilisés mais inhérents à la forme humaine.

Les grands artistes démontrent par leurs chefs-d'œuvre d'autres attributs latents de la race dans son ensemble. Ces capacités ne représentent qu'une voie de développement. Votre race possède tous les schèmes d'un épanouissement complet de l'être humain, où toutes les aspirations pourraient être complètement exploitées et trouveraient leur pleine réalisation.

L'individu déploierait alors toutes les grandes aptitudes connues de la race et réaliserait, selon son tempérament unique – artiste, mathématicien, athlète, inventeur – toutes les qualités extraordinaires de la création; les réalités émotionnelles seraient utilisées au maximum et toutes les qualités ou caractéristiques de l'espèce prendraient leur plein essor.

Sagesse et sottise seraient vues comme des compléments. Les dogmes ne viendraient pas brouiller la religion ni la science chez un tel individu. De même, en suivant «le filon» de votre propre expérience, vous pouvez découvrir ces talents «probables» qui sont vôtres et, jusqu'à un certain point, comprendre les actions possibles que vous pourriez matérialiser.

Dans votre expérience actuelle, il y a des traces de vos «moi» probables, de même qu'il y a chez chacun des signes de tous ces grands talents que seuls quelques individus développent d'une manière si flamboyante. Ces traces **peuvent venir** enrichir votre expérience. De toute façon, elles le font à des niveaux inconscients et elles président au choix de vos expériences actuelles.

Brièvement, le prochain chapitre sera consacré aux méthodes qui vous permettront d'exploiter au maximum votre potentiel et d'introduire dans votre vie quotidienne des expériences et des événements qui étaient jusqu'ici «latents». Bien sûr, les choix de chacun seront différents; néanmoins, il vous est possible d'attirer certaines connaissances et de tirer profit de vos liens avec vos propres réalités probables.

Vous pouvez donc consciemment approfondir les diverses dimensions de votre vie en l'habillant de la précieuse étoffe des probabilités. Point. Fin de chapitre et pause.

Chapitre 15

QUEL MOI? QUEL MONDE EST LE VÔTRE?
VOUS ÊTES SEUL À POUVOIR Y RÉPONDRE
COMMENT VOUS LIBÉRER DE VOS LIMITES

Session 655 (suite)

(*De 22 h 41 à 22 h 47*) À présent, je vais commencer le prochain chapitre, à moins que tu ne veuilles couper court.

(«*Non, vas-y. Je me sens bien*», dis-je, *même si j'étais un peu fatigué.*)

Chapitre 15 : «Quel moi? Quel monde est le vôtre? Vous êtes seul à pouvoir y répondre. Comment vous libérer de vos limites.»

Accordons-nous un instant. (*Pause*) Puisque ce sont vos croyances conscientes qui conditionnent les mécanismes inconscients de votre expérience personnelle, votre première démarche est donc d'élargir vos croyances.

Les concepts exposés dans ce livre sont de nature à vous aider dans ce sens. Dans votre réalité subjective se trouvent des traces de tous ces chemins qui n'ont pas été pris et de toutes ces capacités qui n'ont pas été utilisées. Vous pouvez vous percevoir essentiellement comme parent ou agir principalement en fonction de votre travail ou de votre profession. À présent, oubliez le plus possible la vision familière que vous avez de vous-même et attardez-vous à votre identité.

Écrivez toutes les capacités physiques et mentales que vous pressentez, qu'elles aient été développées ou non; énumérez toutes vos attirances pour certaines occupations, qu'elles vous aient vaguement intéressé ou qu'elles soient vives en votre esprit.

Vous avez retenu de cet ensemble de capacités probables celles qui font l'objet de votre intérêt actuel. Avec ces qualités vous avez donc défini cette réalité qui vous semble maintenant gravée dans le roc.

(*22 h 59*) Chacun des chemins que vous suivez enrichit votre expérience et vous ouvre d'autres possibilités. Cependant, l'image que vous vous êtes fait de vous-même vous ferme des avenues. Mais si vous vous regardez comme un être multidimensionnel, vous constaterez alors qu'il y a beaucoup d'autres voies d'expression et d'enrichissement. Ces accomplissements probables resteront en suspens tant que vous n'aurez pas fait le choix conscient de les amener à l'avant-plan. Vous pouvez développer tous les talents que vous pressentez avoir, si vous le décidez. La simple prise de décision activera alors les mécanismes de l'inconscient. Abstraction faite de la santé, de la situation financière ou des circonstances, vous disposez d'un riche éventail d'expériences possibles. **Vous devez consciemment maîtriser la direction de votre vie.** Même si vous dites: «Je prends ce que la vie m'offre», vous prenez une décision consciente. Si vous dites: «Je n'ai aucun pouvoir sur mon destin», vous faites encore un choix délibéré, mais, dans ce cas, il est limitatif.

(*Pause*) Le trajet de l'expérience n'est pas prédéterminé. Chaque route s'ouvre sur d'autres avenues. De grands champs d'action probables vous sont accessibles à chaque instant. Votre imagination peut vous servir d'amorce; elle pourra vous aider à actualiser certaines trajectoires.

Si vous êtes pauvre, c'est que vous choisissez cette réalité parmi de nombreuses autres qui **ne comportent pas** de pauvreté et qui vous sont aussi offertes. Si vous êtes malade, il existe une autre réalité probable prête à éclore, si vous choisissez plutôt d'opter pour la bonne santé. Si vous êtes seul, il y a des amis potentiels que vous avez refusé de rencontrer dans le passé mais qui seraient prêts à être vos amis aujourd'hui.

(*23 h 14*) Visualisez donc ces capacités et ces événements probables qui se manifestent; ce faisant, l'intensité de votre désir les fera entrer dans votre expérience. Encore une fois, l'être n'est pas entouré de balises. Il existe littéralement plusieurs autres «moi» probables. Vous pouvez puiser dans leurs capacités comme ils puisent dans les vôtres, car vous êtes tous intimement liés.

Vous devez comprendre que vous êtes vraiment un «moi» probable. Votre expérience est le résultat de vos croyances. Par une certaine concentration de votre structure neurologique, les expériences contraires à vos attentes peuvent rester cachées. Changez vos croyances et n'importe quel «moi» probable peut, à l'intérieur de certaines limites, être actualisé.

Bon, fin de la dictée et fin de la soirée. (*Plus fort, en souriant*) Mes vœux les plus chers à vous deux, et bonne nuit.

(*«Bonne nuit, Seth. Merci beaucoup.»*)

(*La session prit fin à 23 h 22.*)

Session 656 – Le lundi 16 avril 1973, à 21 h 14

Bonsoir.

(*«Bonsoir, Seth.»*)

(*En souriant*) Dictée **probable**! Ce qu'il est important de comprendre c'est que chacun des événements de votre vie fut «d'abord» **probable**. Alors, dans un certain champ d'action, vous choisissez les événements qui seront matérialisés.

Cet énoncé est valable autant individuellement que collectivement. Supposons qu'un voleur soit venu chez vous aujourd'hui. Hier, le vol était un des maints événements probables. Je choisis cet exemple parce qu'il inclut plus d'une personne, soit la victime et le voleur. (*Pause*)

Pourquoi le vol a-t-il lieu chez vous et non chez le voisin? D'une manière ou d'une autre, vous avez attiré un tel événement par vos pensées conscientes, le faisant passer du possible à la réalité. Il pourrait s'agir d'une accumulation d'énergie – transformée en action – soutenue par des croyances concordantes.

Vous pouvez être convaincu que l'humain est méchant, que personne n'est à l'abri de l'agression ou encore que les gens sont surtout motivés par l'avarice. De telles croyances attirent leur propre réalité. Si vous possédez des objets de valeur, vous êtes alors convaincu que quelqu'un vous les prendra ou essayera de le faire. À votre façon, vous envoyez des messages qui rejoignent ce type de personnes. À la base, vos convictions se ressemblent, mais l'un de vous se voit victime et l'autre agresseur, c'est-à-dire que chacun de vous réagira différemment aux mêmes croyances. Par conséquent, vous êtes tous deux indispensables pour qu'un crime de cette nature ait lieu.

(*21 h 25*) Vos croyances trouvent une justification dans la vie physique et se renforcent mutuellement. La peur des voleurs attire les voleurs. Si vous pensez que l'homme est mauvais, vous ne pouvez cependant pas toujours voir ceci comme une croyance, vous le prenez plutôt comme une donnée de la réalité.

Toute votre expérience est tirée d'une réalité probable. Durant votre vie, chaque événement doit passer par la structure neurologique de votre être physique et son mode de reconnaissance lié au temps; il se produit alors un décalage entre la croyance et sa réalisation matérielle. Quand vous essayez de changer vos convictions dans le but de changer votre expérience, vous devez d'abord freiner le «momentum» que vous avez créé. Vous changez vos messages, alors que le corps est habitué à réagir aveuglément à un ensemble défini de croyances.

Des réactions familières se sont établies devant l'activité consciente habituelle qui canalise les événements à travers la structure nerveuse. Lorsque par l'effort vous modifiez vos croyances conscientes, votre système demande un certain temps pour s'ajuster à la situation désirée. Cependant, le temps requis est relativement moindre si vos croyances changent rapidement.

D'une certaine manière, chaque croyance peut être perçue comme un puissant récepteur qui capte, parmi un ensemble de probabilités, les seuls signaux pour lesquels il est conçu et qui ignore les autres. Quand vous syntonisez un nouveau poste, certains parasites du poste voisin peuvent interférer pendant quelque temps.

Chacune de vos capacités peut alors être «réglée», amplifiée et passer du probable au pratique. Mais dans un tel cas, vous devez vous concentrer plus sur la capacité que sur le fait, par exemple, de ne pas le maîtriser parfaitement.

Vous pouvez faire une pause.

(*De 21 h 44 à 22 h 01*) Un artiste consacre sa vie à son œuvre. Chaque tableau n'est qu'une représentation, une variante, d'une infinité de tableaux **probables**. La sélection des données se fait, ici encore, selon les conceptions de l'artiste: ce qu'il croit être, quel bon artiste ou quel genre d'artiste il est, à quelle «école» il appartient, ses idées et où il se situe par rapport à la société, ses valeurs esthétiques et matérielles, pour n'en nommer que quelques-unes.

(*Longue pause*) Ce même processus se répète pour chaque événement dans lequel vous êtes engagé. Vous créez votre vie. Pour l'artiste, les images intérieures sont d'une grande importance. Il essaie de les projeter sur la toile ou le tableau. Chacun de vous est son propre artiste et vos visualisations deviennent les modèles d'autres situations et événements. L'artiste y va de son expérience et mélange ses couleurs pour donner corps à sa peinture. Les images que vous avez en tête attirent l'énergie émotionnelle appropriée et le pouvoir nécessaire pour les faire émerger en événements physiques.

À tout moment, vous pouvez changer le portrait de votre vie si seulement vous comprenez qu'il n'est qu'un parmi d'innombrables portraits probables de vous-même. Les particularités de vos portraits probables porteront toujours votre marque et non celle d'un autre.

Les capacités, les forces et les variantes que vous souhaitez actualiser sont toujours latentes et demeurent à votre disposition. Supposons que vous soyez malade et que vous désiriez être en bonne santé. Si vous comprenez la nature des probabilités, vous n'aurez pas besoin de **prétendre** ignorer votre maladie. Vous la reconnaîtrez plutôt comme une réalité probable de votre création. En admettant ce fait, vous prendrez les mesures nécessaires pour amener une nouvelle probabilité dans votre vie.

(*22 h 19*) Pour cela, vous vous concentrerez sur ce que vous souhaitez réaliser, mais en ne sentant aucun conflit entre ce que vous voulez et ce que vous avez, car cela n'est pas contradictoire; chaque aspect sera perçu, dans la vie quotidienne, comme le reflet d'une croyance. Comme il faut un certain temps pour développer votre image actuelle avec ses tares, peut-être vous en faudra-t-il aussi pour la modifier. Mais une **concentration** sur la maladie présente ne fera que la prolonger.

Les deux états sont aussi plausibles l'un que l'autre. Quel moi? Quel monde? Généralement, à l'intérieur de certaines limites de votre nature humaine, vous avez le choix. Votre passé, comme votre subconscient, n'a d'influence sur votre expérience présente que dans la mesure où vous entretenez cette croyance. Pour chacun de vous, le passé contient des moments de joie, de force, de créativité et de splendeur, ainsi que des périodes de chagrin, peut-être même de désespoir, de trouble et de cruauté. Vos convictions actuelles agiront comme un aimant, activant toutes ces situations heureuses ou tristes du passé. De votre expérience antérieure, vous choisirez **tous ces événements** qui renforcent vos croyances conscientes et vous ignorerez les autres; vous n'en connaîtrez peut-être même pas l'existence.

Comme nous l'avons mentionné dans le présent ouvrage (par exemple dans le chapitre 14), les souvenirs qui montent à la surface stimulent les mécanismes corporels et unifient le passé et le futur en une représentation harmonieuse. En d'autres mots, les éléments s'ajustent mutuellement, qu'ils soient joyeux ou non.

Dans ce contexte, cette jonction du passé et du présent vous prédispose à des événements futurs similaires, puisque vous vous y êtes préparé. Un changement modifie donc autant le passé que le futur.

Étant donné le fonctionnement de votre système nerveux, le présent est certainement, chez vous, le seul lieu à partir duquel le passé et le futur **peuvent être modifiés**, car c'est de ce point que l'action est affectée.

Je ne parle pas de manière symbolique. De la manière la plus intime, votre passé et votre futur **sont modifiés** par vos réactions présentes. Des transformations surviennent dans le corps entier. À l'intérieur même du système nerveux, les circuits sont changés, et des énergies que vous ne comprenez pas refont de nouvelles connections à des niveaux bien profonds, loin derrière la conscience.

Vos croyances gouvernent l'éclosion des événements. Chaque personne développe sa créativité et son expérience, minute après minute. Point et pause.

(*De 22 h 35 à 22 h 59*) À présent, vous devez comprendre que c'est dans votre «ici et maintenant» que convergent la chair et l'esprit. Par conséquent, tel que vous le concevez, le présent est votre **point de pouvoir** en cette vie. Si vous accordez une plus grande force au passé, vous vous sentirez inefficace et vous vous priverez de votre énergie.

Comme exercice, asseyez-vous; gardez les yeux ouverts en vous concentrant sur vous; prenez conscience que cet instant est votre point de pouvoir à partir duquel vous pouvez modifier les événements passés et futurs. Le présent qui vous arrive, avec son expérience physique, résulte d'une action dans **d'autres présents identiques**. Toutefois, ne soyez pas intimidé par le passé ou le futur. Il n'y a pas de raison que des aspects indésirables de votre réalité actuelle se trouvent projetés dans le futur, à moins que vous utilisiez le pouvoir du présent pour le faire.

Si maintenant vous saisissez le sens de ce pouvoir, vous pouvez l'utiliser avec plus d'efficacité pour modifier votre situation, selon votre choix, mais toujours à l'intérieur de votre cadre naturel. Si vous êtes né manchot, par exemple, votre pouvoir **dans cette vie** ne pourrait régénérer automatiquement ce membre, bien que vous le possédiez dans d'autres systèmes de réalité. (*Voir la préface de Seth, et aussi la session 615, chapitre 2 du tome I.*)

Les conditions extérieures peuvent toujours être changées si vous comprenez les principes dont je vous parle. Les maladies peuvent être enrayées, même celles qui semblent incurables, mais seulement si les croyances à leur sujet sont effacées ou suffisamment modifiées pour que leur effet précis sur le corps soit levé.

Le présent, tel que vous le percevez, est ce point d'expérience que vous choisissez parmi tous ces événements qui **auraient pu** prendre forme. Vos conditions physiques changent automatiquement avec vos croyances. Au fur et à mesure que votre connaissance s'accroît, votre expérience s'enrichit. Cela ne veut **pas forcément** dire que tout s'aplanit ou qu'il n'y a plus de hauts ni de bas. Chaque aspiration demande l'admission d'un manque, chaque défi présuppose un obstacle à franchir. Les plus aventuriers choisiront souvent de plus grands défis; alors, dans leur esprit, l'écart entre ce qu'ils veulent réaliser et leur situation actuelle peut leur sembler infranchissable.

Toutefois, dans chaque cas, le **point de pouvoir** est le présent, d'où vous tirez ce «moi» et ce «monde» qui est vôtre. La culture d'un pays est l'accumulation des choix de chaque individu qui l'habite. Ainsi, quand vous choisissez vos propres circonstances, vous influencez chaque personne à l'intérieur même de votre pays et de votre monde.

(*Pause à 23 h 15*) Dans certaines cultures indigènes, un individu n'est pas du tout considéré selon son âge, car le nombre d'années ne signifie rien. En fait, un homme peut ne pas considérer son âge selon vos schèmes. Ce serait d'ailleurs une très bonne chose pour vous – jeune, adulte et plus vieux – d'oublier votre âge, parce que dans votre culture tant de croyances vous restreignent à ce sujet. La sagesse est refusée à la jeunesse et la joie à la vieillesse.

Prétendre ignorer votre âge et agir comme un jeune par peur de vieillir n'est certes pas la réponse. (*Voir la session 644, chapitre 11.*) Encore une fois, votre point de convergence en cette réalité et votre point de pouvoir se trouvent dans votre expérience actuelle. Si vous comprenez cela vous pourrez, à n'importe quel âge, attirer des qualités et des connaissances qui «existaient» dans votre passé ou qui «existeront» dans votre futur. Votre âge est probable [simultané[1]].

Bien que fondamentalement le temps que vous «percevez» n'existe pas, votre système nerveux vous présente votre vie comme une série d'instants qui passent. Ainsi créé, vous êtes né jeune et vous vieillissez. Par contre, les animaux, en tant que créatures, ne sont pas aussi limités à cet égard. Ils ne croient pas que la vieillesse élimine automatiquement leurs capacités; ainsi laissés à eux-mêmes, malgré leur condition de créatures mortelles, ils ne dépérissent pas de la même manière.

---

1.   Ajout de Robert Butts. Hors du temps pourrions-nous dire. (*Note du traducteur*)

Vous ne comprenez pas les réactions de vos animaux domestiques qui, par exemple, interprètent vos croyances à leur manière[1]. Ils reflètent donc vos idées et ils deviennent vulnérables, alors qu'ils ne le seraient pas dans leurs conditions naturelles. En d'autres termes, leur relation avec vous est **naturelle**, bien sûr, mais leur compréhension innée de leur point de pouvoir dans le présent est jusqu'à un certain degré amoindrie par leur acceptation et leur interprétation de vos croyances. Un chaton est traité différemment d'un chat. Le chat réagit à un tel conditionnement. De la même manière, vos propres conclusions au sujet de l'âge deviennent un fait dans votre expérience. Suivant cette logique, si vous pouviez vous convaincre que vous êtes dix ans plus jeune ou dix ans plus vieux, cet état se refléterait fidèlement dans votre environnement personnel.

À vingt ans, vous pouvez attirer la sagesse que vous imaginez pouvoir posséder à trente.

À soixante ans, vous pourrez utiliser la force physique que vous imaginerez n'avoir pas eu plus jeune, car elle sera alors disponible. Tout cela pourrait être physiquement et «biologiquement» exprimé à l'intérieur même de votre corps.

Quel moi? Quel monde? Si vous êtes seul, c'est que vous croyez à votre solitude en ce moment présent de votre temps. De ce qui vous semble être le passé, vous éveillez seulement ces souvenirs qui renforcent votre état actuel et vous les projetez dans le futur. Physiquement, vous accablez votre corps en lui administrant des produits chimiques et des doses d'hormones pour contrer un état de solitude. Vous vous privez aussi de votre propre capacité d'action. Des vitamines, une meilleure alimentation, une surveillance médicale peuvent temporairement rajeunir le corps, mais à moins que vous ne changiez vos croyances, il sera vite submergé de nouvelles sensations dépressives. Dans ce cas, vous devez comprendre que vous créez votre propre solitude et prendre la décision de changer **aussi bien en pensée qu'en action**. L'action, c'est la pensée en mouvement, perçue extérieurement.

Ceci est la fin de la dictée. Accordons-nous un instant. J'ai quelques mots à te dire...

---

1. Voir la session 639, chapitre 10 du présent ouvrage, au sujet de la vie et de la mort de notre chat Rooney. Seth mentionne aussi des probabilités en rapport avec Rooney. (*Note de Robert Butts*)

(23 h 37. Seth me fit ensuite une page de commentaires concernant certaines attitudes limitatives que j'avais à propos de la peinture et de l'âge. C'était très prenant et j'étais surpris de constater que j'entretenais ces idées depuis un bon bout de temps. La session se termina à 23 h 45.)

(«Je ne me souviens de rien depuis la dernière pause», dit Jane. Son débit et son discours devenaient de plus en plus forts et persuasifs au fur et à mesure que la session progressait. Nous nous sentions tous les deux détendus mais bien éveillés. Je lui suggérai d'aller boire une bière, puis je me dis qu'il était trop tard. Peu après, Jane retourna en transe pour une remarque amusante de Seth.)

Je vous avais dit de retourner à vos origines [*la semaine dernière*], mais personne n'a écouté.

(«Je l'ai bien entendu», dit Jane en riant.)

(Jane était très impressionnée par l'expression «point de pouvoir». Elle la trouvait très évocatrice. Après la session, elle insista pour que Seth l'utilise comme titre du chapitre. Elle a même parlé de l'ajouter au titre, mais sans le faire pour autant...)

Session 657 – Le mercredi 18 avril 1973, à 21 h 05

(Ces dernières nuits, Jane rêvait qu'elle recevait de Seth des renseignements pour le livre et qu'elle me les dictait. «Je me réveillais troublée», dit-elle. C'est généralement de la matière nouvelle et je me disais: "Eh! qu'est-ce qui se passe?" Quelquefois, ces messages me concernaient, mais de toute façon je savais que la dictée suivait son cours et que tu prenais des notes. Et puis je constatais que cela ne se pouvait pas, car tu étais encore au lit...» Elle avait déjà eu ce genre d'expérience. Voir, par exemple, les notes qui suivent la session 619 du chapitre 4, tome I.)

Bonsoir.

(«Bonsoir, Seth.»)

J'aimerais que la phrase que je vais vous donner soit séparée du reste du texte, centrée et écrite en caractère gras:

Le présent est votre point de pouvoir.

Cette phrase est l'une des plus importantes du livre pour son sens pratique et son lien avec le temps tel que vous le comprenez. Comme nous l'avons mentionné précédemment (session 653, chapitre 14 du présent ouvrage), dès la rencontre de l'esprit et de la chair vous actualisez les événements, les choisissant parmi les probabilités en accord avec vos croyances.

Toutes vos capacités physiques, mentales et spirituelles se rassemblent alors dans une brillante concentration de l'expérience présente. Vous n'êtes ni à la merci du passé, ni de quelques convictions antérieures, à **moins d'adhérer à cette croyance**. Si vous comprenez parfaitement votre **pouvoir** dans le présent, vous vous rendrez compte qu'en ce point, l'action transforme aussi le passé, ses croyances et vos réactions.

En d'autres mots, je vous explique que vos croyances actuelles sont comme des directives données à la personnalité entière; directives qui organisent et réorganisent simultanément l'expérience passée, en accord avec votre conception courante de la réalité.

Le futur – le futur probable – est bien sûr modifié de la même manière. Regarder en arrière pour trouver l'origine des problèmes actuels peut vous entraîner dans l'habitude de ne rechercher que les aspects négatifs de votre passé et vous empêcher d'y trouver une source de plaisir, d'accomplissement ou de succès. (*Très intensément*) Par vos insatisfactions actuelles, vous structurez votre vie antérieure et de là vous **renforcez** vos problèmes.

C'est comme si vous lisiez un livre d'histoire **qui ne serait consacré** qu'aux déboires, aux cruautés et aux erreurs de la race, ignorant tout de ses réalisations. De telles pratiques **peuvent vous amener à** déformer votre «histoire» personnelle par rapport à ce que vous êtes réellement, lui donnant la teinte de votre état actuel.

(*Pause à 21 h 21*) Ceux qui s'adonnent à ce continuel examen du passé pour découvrir ce qui est mauvais dans le présent ont trop souvent laissé passer l'essentiel. Ils renforcent constamment l'expérience négative, à laquelle ils essaient d'échapper. L'origine de leurs problèmes est **précisément** cette façon de penser. La plupart des mécontentements proviennent du fait que des individus sont craintifs à un moment de leur vie, doutent d'eux-mêmes et se fixent sur les aspects «négatifs».

D'une certaine manière, la situation peut être bien différente. Certains aspects de la vie peuvent ne pas être touchés par des attitudes particulières, alors que d'autres le sont. Ainsi une personne peut être en pleine forme physique et en bonne santé, mais, par ailleurs, à cause de certaines expériences, elle doute de sa capacité à s'entendre avec les autres. Alors elle peut commencer à scruter son passé, **ayant en tête** qu'elle ne peut s'associer aux autres et découvrir dans un comporte-ment précédent toutes les raisons qui renforcent cette idée.

Si en remontant dans ses souvenirs cette personne recherchait une preuve différente, alors dans ce même passé elle découvrirait des exem-ples où elle s'entendait bien avec les autres. Vos croyances actuelles organisent les souvenirs qui se présentent à vous maintenant, et vos souvenirs sembleront alors justifier vos croyances.

Quand vous essayez de changer vos croyances, regardez dans votre passé en gardant à l'esprit votre nouvelle vision. Si vous êtes malade, souvenez-vous des moments où vous ne l'étiez pas. Sondez votre vie pour y trouver des preuves de bonne santé. Votre vie par elle-même est une preuve évidente que **la bonne santé est en vous!**

Dans **presque** tous les cas, un thème principal se dessine derrière le problème; l'individu s'est éduqué **pour une raison quelconque** à ne regarder que les aspects négatifs de son expérience.

(*Pause à 21 h 40. L'expression de Jane, tout au long de cette dictée, fut aussi puissante qu'elle pouvait l'être, sans que le ton de la voix de Seth ne monte trop cependant.*)

J'ai souvent dit que les croyances créaient la réalité et qu'aucun symptôme ne s'estomperait à moins que la «raison» sous-jacente ne soit bien identifiée; mais l'explication déborde de beaucoup votre no-tion de cause et d'effet. Elle fait appel à vos jugements de valeur. Cachées derrière les **apparences** de difficultés personnelles, il y a des croyances pleines de signification et chaque individu aura recours à des éléments de **son expérience intime** pour les justifier. Cela s'applique à tout manque ou obstacle assez sérieux pour parler de problème.

On vous a appris que vous étiez à la merci d'événements antérieurs; alors vous cherchez dans votre passé la source de vos difficultés, mais pour y trouver ce que vous avez fait de **mal**, pour retracer les fautes commises ou les mauvaises décisions prises à ce moment-là! Je vous le répète, ignorez ce qui vous a été enseigné, le présent est votre point de pouvoir; et encore, vos croyances actuelles structureront vos souvenirs.

Ces souvenirs seront interprétés pour soutenir n'importe quelle con-clusion, comme peuvent le faire les statistiques. Dans cette démarche, vous pouvez retenir un ou deux événements parmi vos souvenirs et leur attribuer la cause de votre conduite actuelle. S'il en est ainsi, vous êtes déjà disposé à changer vos croyances et modes courants d'action et à utiliser tout simplement les circonstances ou habitudes du passé comme stimuli ou sources de votre motivation (*voir la session 616, chapitre 2, tome I*).

La question «qu'est-ce qui ne va pas en moi?» ne fera que créer d'autres limites et renforcer celles que vous avez déjà, en exagérant la situation présente et en la projetant dans le futur.

Quel moi? Quel monde? Ces questions doivent trouver leurs réponses dans le «présent» tel que vous le comprenez, dans la prise de conscience que votre pouvoir d'action est **dans le présent** et non dans le passé. Votre seul point vraiment efficace pour changer n'importe quel aspect de votre vie réside dans cette connexion miraculeuse et immédiate de l'esprit et du «soi», grâce à votre système nerveux.

Voulez-vous vous reposer?

(*«Non.» Pause à 21 h 56. Et avec intensité.*)

Alors, mon cher ami, pour vous débarrasser de vos fâcheuses restrictions, vous **remodelez votre passé à partir du présent**. Et pour cela, peu importe les circonstances, vous recherchez dans la riche source du passé ce qui vous a réussi. Quand vous fouillez dans votre passé pour y trouver les problèmes, vous ne voyez plus ce qu'il y avait de bien, de sorte que le passé ne fait que refléter les défauts auxquels vous devez faire face maintenant.

D'autres événements vous restent cachés. Et puisque, fondamentalement, votre passé et votre futur existent simultanément, vous compromettez dangereusement votre futur par la même occasion.

Certaines personnes peuvent aller de psychologue en psychologue, de thérapie en thérapie, avec toujours la même question: «Qu'est-ce qui ne va pas?» La question en elle-même devient le cliché par lequel l'expérience est perçue et elle est l'une des principales raisons de toutes vos limites physiques, psychiques et spirituelles. (*Voir la session 624, chapitre 5, tome I.*)

À un moment ou à un autre, l'individu cesse de se concentrer sur ce qui allait bien et il identifie et amplifie certains «manques» bien précis. Avec la meilleure intention, il cherche diverses solutions, mais elles sont toutes basées sur le principe que **quelque chose ne va pas**.

En continuant de vous concentrer sur les aspects négatifs, vous ne ferez qu'altérer graduellement les aspects de votre expérience qui étaient jusqu'ici intacts.

Faites une pause et retenez bien cette session.

(*«Oui.»*)

(*22 h 05. La transe de Jane était profonde. Je lui dis combien je trouvais cette matière excellente. Reprise de la même façon à 22 h 16.*)

Vous n'êtes donc pas à la merci des croyances du passé. Par ailleurs, plus vite vous commencerez à agir en fonction des nouvelles croyances, mieux ce sera. Si vous êtes pauvre, que vous désirez plus d'argent et que vous essayez de vous rallier à l'idée d'abondance, vous devez, dans votre situation de pauvreté actuelle, poser un geste symbolique qui démontrera que vous êtes prêt à accepter un changement.

Aussi absurde que cela puisse paraître, vous devez gaspiller un peu d'argent, ou, comme il vous conviendra, agir **comme** si vous aviez plus d'argent que vous n'en avez réellement. Vous devez répondre à vos nouvelles croyances, ainsi le nouveau message traversera votre système nerveux. Vous adoptez habituellement un comportement correspondant à vos croyances. Mais si vous mettez toute votre volonté à changer certaines de ces habitudes, alors le message passera. Vous devez vous-même en prendre l'initiative dans le présent. Au sens propre, vous devez **changer** votre point de vue, votre façon de voir votre passé et votre présent, et imaginer votre futur.

Vous devez chercher en vous-même les signes tangibles d'expériences positives souhaitées. Examinez votre passé dans cette perspective. Imaginez votre futur à partir de votre point de pouvoir dans le présent. Au moins, de cette manière, vous n'utilisez pas le passé pour renforcer vos faiblesses ou les projeter dans le futur. Il est bien naturel de comparer ce que vous voulez avec ce que vous avez, mais c'est parfois très décourageant; chercher vos erreurs dans le passé ne vous sera d'aucun secours.

Cependant, cinq minutes bien utilisés vous seront très salutaires. Durant cette période, concentrez-vous sur le fait que **ce moment constitue** votre point de pouvoir. Sentez et laissez-vous pénétrer de la certitude que vos capacités émotionnelles, spirituelles et psychiques sont concentrées dans votre chair et, pendant cinq minutes, dirigez toute votre attention sur ce que vous voulez. Utilisez la visualisation ou la pensée verbale, celle qui vous vient le plus naturellement; pendant ce temps, ne vous concentrez pas sur vos manques, concentrez-vous sur vos désirs.

(*22 h 30*) Mettez-y toute votre énergie et toute votre attention. **Puis,** passez à autre chose. Ne vérifiez pas continuellement si ça marche bien. Assurez-vous simplement que vos intentions sont claires. Alors, d'une façon ou d'une autre, selon votre situation, posez un geste ou un acte physique qui s'accorde avec votre croyance ou votre désir. Comportez-vous au moins une fois par jour d'une manière qui démontre que vous croyez en ce que vous faites. Ce geste peut être très simple. Si vous êtes seul et que vous ne vous sentiez pas désiré, vous pouvez sourire à quelqu'un. Si vous êtes pauvre, vous pouvez tout simplement vous acheter un objet que vous désirez et qui coûte deux sous de plus que celui que vous achetez d'habitude, avec la croyance, aussi faible soit-elle, que les deux sous vous seront donnés ou se manifesteront dans votre expérience; ainsi vous agissez comme si vous étiez plus riche que vous ne l'êtes.

S'agit-il de votre santé? Alors, une fois par jour, comportez-vous comme si vous n'étiez pas malade. La croyance actualisée, soutenue pendant cinq minutes et supportée par un geste concret apportera parfois des résultats vraiment impressionnants.

Par contre, de tels résultats seront obtenus seulement si vous cessez de retourner dans le passé pour trouver «ce qui ne va pas» et si vous cessez de renforcer les expériences négatives. Ces mêmes principes s'appliquent à tous les domaines de votre vie et dans chaque cas vous choisissez parmi une variété d'événements probables.

Ceux qui croient en la réincarnation de manière plus ou moins conventionnelle peuvent faire l'erreur de projeter dans leurs vies «antérieures» la source de leurs problèmes, les associant à leurs croyances actuelles. C'est déjà beaucoup de croire que vous êtes à la merci d'un seul passé, mais de vous voir comme impuissant face aux erreurs innombrables de plusieurs vies vous plonge dans une impasse; la volonté consciente est ainsi privée de son pouvoir d'agir. Ces vies existent simultanément. Elles sont d'autres expressions de vous-même en interaction; chaque soi conscient possédant son point de pouvoir dans son présent.

(22 h 45) C'est pourquoi les «renseignements sur les vies passées» sont si souvent utilisés pour renforcer votre situation personnelle dans votre société, parce que, comme pour le passé de cette vie, de tels souvenirs se forgent à travers vos croyances actuelles.

Si de tels renseignements vous sont transmis par quelqu'un d'autre, un médium par exemple, cette personne pourra capter ces «vies» qui ont un sens pour vous maintenant et — inconsciemment bien sûr — les structurer en complet accord avec vos croyances. Cela peut ne pas vous sembler évident. (*Avec emphase*) Si un individu se croit foncièrement indigne, on lui rappellera ou il se souviendra de ses vies qui justifient cette croyance. S'il pense qu'il doit payer maintenant pour ses péchés, alors il éveillera le souvenir de ses vies qui renforceront cette pensée; il s'agira d'un processus de rappel bien précis qui écartera tout ce qui ne s'y conforme pas.

Si un individu croit qu'on abuse de lui et que sa vie est banale, s'il ne se sent pas apprécié à sa juste valeur, alors il captera le renseignement lui montrant que dans d'autres vies il était très honoré; étayant ainsi sa croyance que **maintenant** on abuse de lui. Mes déclarations sont d'ordre général, car chaque individu renforce ses croyances à sa manière. Si vous pensez que vous êtes malade, il est presque certain qu'un renseignement sur une vie passée viendra prouver que vous payez maintenant pour des crimes commis autrefois. Quel que soit le cadre choisi, vous trouverez toujours de quoi appuyer votre croyance.

En vérité, VOUS CRÉEZ VOTRE RÉALITÉ MAINTENANT (en lettres majuscules), à la jonction de l'âme et de la chair. **De votre point de vue**, le présent est votre point de pouvoir.

Voulez-vous faire une pause?

(«*Oui.*»)

(*La transe de Jane fut excellente. Son débit était régulier mais parfois très vigoureux. «Juste ciel! tout était là», dit-elle, enthousiasmée. J'aime quand la matière coule ainsi. Je sais où cela nous mène: vers la réincarnation et cette notion de pouvoir.» Elle pointa sa droite, indiquant ainsi qu'il y avait plus d'un canal ouvert sur Seth maintenant: «Il y a des renseignements qui peuvent nous être utiles si nous le demandons.»*)

(«*Hum!, ajouta-t-elle, je viens juste de me souvenir. Seth communiqua ce genre de matière, dans la classe* [d'ESP], *hier soir...» Je l'avais oublié également. Jane en avait parlé quand nous rangions le salon à 1 h 15. Mais nous n'avons pas eu copie de la cassette du cours avant le mardi suivant.*)

(*Retour de Seth à 23 h 07.*)

À présent, chacun de vos «moi» réincarnés naît comme vous dans la chair. Chacun d'eux jouit de son propre «point de pouvoir» de moment en moment et, d'une façon linéaire, il concrétise aussi son existence quotidienne à partir des probabilités dont il dispose.

Pour ceux qui s'intéressent à ce sujet, tout cela sera expliqué dans un autre livre; il y a une sorte de coïncidence de tous ces points de pouvoir présents, entre vous et vos «moi réincarnationnels». Si on pense à la «mémoire» cellulaire, il y a lieu de parler même de liens biologiques. (*Voir la session 653, chapitre 13 du présent ouvrage.*) Par vos croyances actuelles, vous pouvez donc attirer dans votre propre espace-temps des expériences partagées par ces autres «moi». L'interaction est constante en ce point de pouvoir multidimensionnel. C'est donc dire qu'un «moi» incarné tire de tous les autres «moi» les capacités qu'il veut exercer, selon des croyances bien précises.

(*Pause*) Ces «moi» sont des pendants[1] de vous-même, vivant une réalité corporelle; mais en même temps, votre organisme vous masque le caractère simultané de l'expérience. Cela ne veut pas dire qu'à d'autres niveaux vous ne perceviez pas cette simultanéité; c'est que, en général, les événements semblent se présenter à vous en série.

Du point de vue de la race, aussi bien que personnellement, le passé se déroule encore. Vous le créez de votre présent selon vos croyances. Un appendice enlevé ne réapparaîtra **pas** physiquement. Il y a certains codes acceptés et inscrits dans votre nature. Par contre, il existe une plus grande liberté, même au niveau cellulaire.

Fin de la dictée.

(*23 h 21. Seth nous donna quelques indications sur la manière d'utiliser le matériel de cette session. Justement, à la dernière pause, Jane disait qu'une communication personnelle nous attendait. Nous avons l'intention de parler de cette session à notre rencontre du vendredi soir. Fin à 23 h 38.*)

(*Une note ajoutée ici. J'ai l'impression qu'il y a un rapport entre les points de pouvoir «réincarnationnels», la mémoire cellulaire et les points de coordination que Seth mentionne au chapitre 5 de* L'Enseignement de Seth: «*Ces points de coordination agissent comme des canaux par lesquels circule l'énergie ou comme des fenêtres ou voies invisibles d'une réalité à l'autre. Ces points de coordination agissent aussi comme des transformateurs et fournissent une grande partie de l'énergie régénératrice de votre univers... Ces points influencent ce que vous appelez le temps et l'espace...*» Voir aussi la session 593 à l'appendice du livre* L'Enseignement de Seth.)

---

1. «Counterparts» (en anglais). (*Note du traducteur*)

Session 658 – Le lundi 23 avril 1973, à 21 h 43

(*Hier, Jane a commencé à écrire un assez long poème en Sumari, qu'elle nomme* The Song of the Silver Brothers (*Le chant des frères Argent*). *Commencé dans un état «normal», elle le termina dans un niveau modifié de conscience, «plongée dans un grand état de concentration intérieure», dit-elle. Au cours de son travail, elle se mit à écrire deux poèmes en même temps, après chaque strophe en Sumari, elle faisait la contrepartie en anglais. Normalement, elle n'entreprend pas avant un certain temps la traduction d'un écrit en Sumari. Des jours, des semaines, des mois peuvent passer avant qu'elle ne s'y mette.*)

(*Cet après-midi, quand elle retourna au poème, ses sensations d'état second revinrent encore plus intenses. [Ces sensations se rapprochent de celles décrites au chapitre 10, session 639, et au chapitre 13 du présent ouvrage, session 653, pour ne nommer que deux cas similaires.] Finalement à 15 h 30 – je peignais alors dans mon studio – elle m'invita à lire* Silver Brothers. *Ce n'était pas encore terminé. «Mais maintenant je ne sais pas quoi faire», dit-elle à plusieurs reprises. Elle paraissait plutôt perplexe. «Cela me vient si rapidement en Sumari, que je n'ai pas le temps de l'écrire; je dois laisser la version anglaise de côté pour passer au prochain concept...»*)

(*«En même temps, je vis ces idées; non plus seulement des mots... Oh!...» Elle hocha la tête. Elle se détendait de plus en plus. «Parfois, ce que j'écris – même quand c'est de la vraie poésie –, ne peut pas exprimer ce que je sens, car c'est trop faible. Je fais même de nouveaux mots à partir des anciens, comme "fossilant" de "fossile"... Je voudrais poursuivre, mais je suis survoltée et trop fatiguée pour continuer...» À la fin, elle ne souhaitait que dormir.*)

(*À propos, la nuit dernière, Jane travaillait encore au livre de Seth dans son sommeil; elle dictait de la matière que nous n'avions pas encore vue.*)

(*Note: Aujourd'hui, elle a reçu une copie de son roman* The Éducation of Oversoul 7 (*L'Éducation de Sur-âme 7*) *de son éditeur Prentice Hall inc. Le livre vient tout juste de sortir de presse. Toutefois, le lancement «officiel» ne se fera pas avant le 10 septembre. Voir l'introduction de Jane.*)

Bonsoir à vous.

(*«Bonsoir, Seth.»*)

e bonne séance d'hypnose montrera clairement que
uvoir est dans le présent et que vos croyances dictent
Il n'y a rien de magique dans l'hypnose. Chacun de
stamment. (*Voir la session 620, chapitre 4, tome I.*) Si
la suggestion hypnotique vous paraît ésotérique, c'est que vous lui
assignez des fonctions particulières et que vous la dissociez de la vie
normale. Une hypnose structurée permet simplement au sujet d'utiliser
ses pleins pouvoirs de concentration, en activant de cette manière les
mécanismes inconscients.

Toutefois, avec les distorsions qu'apportent les séances organisées
et avec les erreurs des praticiens, le phénomène semble alors se montrer
autrement. Le sujet se dispose à accepter les croyances de l'hypnotiseur. Puisque la télépathie existe (*voir le chapitre 3, tome I*), le sujet ne
réagira pas seulement aux commandes verbales mais aussi aux croyances non énoncées du praticien, «prouvant» ainsi les théories de sa
profession d'hypnotiseur.

L'hypnose montre nettement, sous une forme concentrée, comment
vos croyances influent votre comportement normal. Les différentes
méthodes concentrent toute votre attention sur un point précis, écartant
toutes distractions.

(*Une longue pause à 21 h 54*) Vos croyances agissent comme un
hypnotiseur. Ainsi votre expérience se conformera «automatiquement»
à la direction donnée. Voici la suggestion clé dans cette affaire: «Je crée
ma réalité et le présent est mon point de pouvoir.»

Si vous n'aimez pas les effets d'une croyance, vous devez la modifier, car aucune modification des conditions extérieures ne pourra allé-
ger votre fardeau. Si vous comprenez **vraiment** votre pouvoir d'action
et de décision dans le présent, vous ne serez plus alors hypnotisés par
les événements passés.

Voyez le présent comme un bassin d'expériences alimenté par les
affluents du passé et du futur. Il y a une quantité infinie de ces affluents
(probabilités) et, à travers vos croyances, vous les choisissez et vous en
ajustez le débit. Par exemple, si vous vous concentrez constamment sur
la croyance que votre enfance fut négative, alors seules de telles expériences remonteront du passé dans votre présent. Il est inutile de dire
«mais ma vie était traumatisante»; un tel énoncé ne fait que renforcer
cette croyance. Vous devez d'une manière ou d'une autre modifier cette
conviction – ou mieux la remplacer tout simplement – sinon vous
n'échapperez jamais à ses effets. Il ne s'agit pas de vous «mentir» à

vous-même; mais s'il vous semble que votre passé **ne contient aucune joie**, aucune réalisation ou aucun plaisir, alors **vous vous mentez**. Vous vous êtes concentré sur le négatif à un tel point que rien d'autre n'est visible. (*Voir la session 644, chapitre 11 du présent ouvrage*). À partir du présent, vous vous êtes hypnotisé vous-même, voyant le passé non pas comme il se présentait à vous, mais comme il vous apparaît maintenant à la lumière de vos croyances.

Vous l'avez reconstruit. Donc, quand je vous dis de reformer votre passé, je ne vous demande pas de faire une chose que vous n'avez jamais faite. Encore une fois, l'hypnose est simplement un état d'attention concentrée dans lequel vous fixez des croyances. Des séances populaires font croire au public que le sujet doit s'endormir ou être complètement détendu, ce qui n'est pas le cas. La condition préalable est une intense concentration sur une donnée précise, à l'exclusion de toute autre. Donc, à ce moment, les ordres donnés sont clairs. Aucun renseignement conflictuel n'est reçu ni aucun message contradictoire.

(*22 h 12*) L'exclusion de données superflues et une concentration aiguë sont les deux éléments les plus importants. La relaxation n'est utile que parce que le corps est au repos et que l'esprit n'en est plus préoccupé.

De nombreuses croyances ont pu être acceptées de cette manière, sans aucune induction formelle, à un moment où les circonstances étaient propices. Un instant de panique déclenche une concentration immédiate. Toutes les forces sont mobilisées simultanément; la relaxation n'y joue pas pour beaucoup.

(*Pause*) Par ailleurs, de telles croyances peuvent être acceptées quand le conscient **semble** être endormi ou affaibli, sous un état de choc ou durant une opération. Alors la concentration de l'attention est intensifiée. On fait trop de distinctions entre le conscient et l'inconscient. L'hypnose, utilisée **correctement** sans le «grand cirque» qui l'entoure habituellement, est une excellente méthode pour introduire de nouvelles croyances et pour se débarrasser des anciennes. Toutefois, cela n'est vrai que si vous comprenez le pouvoir de votre esprit conscient en cet instant, ainsi que sa faculté de mobiliser vos réactions inconscientes.

Vous pouvez faire une pause.

(*De 22 h 20 à 22 h 29*) Il est primordial de bien saisir certaines notions avant d'essayer la méthode que je vous suggère.

La première: l'inconscient n'est pas une éponge, absorbant aveuglément des renseignements sans tenir compte du «moi» conscient. Toutes les croyances ou suggestions sont d'abord examinées par votre conscient et seules celles qui ont été acceptées pourront modifier d'autres parties du «soi».

Par conséquent, aucune croyance négative ne vous est imposée contre votre volonté. Rien ne vous est infligé que vous n'ayez accepté consciemment. Dans l'hypnose proprement dite, l'hypnotiseur et le sujet jouent un jeu. Si l'hypnotiseur ordonne au sujet d'oublier ce qui s'est passé, cet individu s'y conformera. Dans ce contexte, les deux croient en l'oubli, ce qui démontre le pouvoir de la croyance. Mais vous ne le voyez pas ainsi, vous y voyez plutôt la preuve de l'impuissance de l'esprit conscient; ce qui n'est généralement pas le cas.

En pratique, vous vous êtes spontanément hypnotisé avec toutes vos croyances: vous les avez acceptées consciemment. Vous vous êtes concentré sur elles, vous avez rejeté les données contraires, vous avez resserré vos intérêts sur ces points précis et, par conséquent, vous avez activé les mécanismes de l'inconscient qui réalisent alors ces convictions dans votre expérience physique.

(*Pause*) L'hypnose formelle est simplement une version accélérée de ce qui se passe continuellement. C'est un exemple parfait de résultats instantanés, idéalement possibles – mais que l'on ne trouve pas souvent en fait – quand les croyances actuelles nient les anciennes.

(*Pause à 22 h 42*) Nous allons à présent traiter des méthodes pratiques qui vous permettront de modifier vos croyances et de changer votre expérience. Puis, nous montrerons comment vos croyances individuelles vous mènent aux joies ou aux désastres. Nous parlerons aussi des manières par lesquelles les croyances collectives entraînent certains d'entre vous dans de grandes périodes fastes, ou encore dans une ère de calamités, comme victimes ou rescapés de catastrophes qui semblent n'avoir aucun lien avec vous.

Nous parlerons pour commencer de l'hypnose naturelle et des façons dont vous vous en servez. Alors vous verrez comment vous pouvez assez facilement et délibérément en tirer profit dans votre actuel point de pouvoir.

Fin du chapitre. J'avais dit qu'il serait bref.

(*«Oui.»*)

Chapitre 16

L'HYPNOSE NATURELLE
UNE TRANSE EST UNE TRANSE D'UNE TRANSE

Session 658 (suite)

Accordons-nous un instant.

(*Pause à 22 h 46*) Chapitre...

(*«Seize», dis-je, puisque Seth-Jane hésitait.*)

(*En souriant, puis en parlant sur un ton plus fort et plus grave*) Chapitre 16, titre: «L'hypnose naturelle: une transe est une transe d'une transe.» Fin du titre.

Quelle est la réalité derrière la réalité? La vie physique est-elle une hallucination? Existe-t-il une réalité définissable et concrète dont vous n'êtes qu'une ombre?

Votre réalité est le **résultat** d'une hallucination, si par cela vous entendez qu'elle n'est que l'image montrée par vos sens. Bien sûr, physiquement, votre vie est perçue à travers les sens. Dans ce contexte, la vie corporelle est **une transe** dont l'attention est en grande partie canalisée à travers les sens, eux-mêmes convaincus de la réalité de leurs sensations. Cependant, cette expérience est l'image que **prend la réalité** maintenant, et ainsi la vie terrestre est **une version de la réalité**; non la réalité toute entière, mais une partie. C'est une façon pour vous de percevoir ce qu'est la réalité. Pour explorer cette avenue, vous dirigez toute votre attention sur elle, considérant toutes vos autres capacités (non physiques) comme accessoires et ajoutées.

Vous hypnotisez même les neurones et autres cellules de votre corps, pour qu'ils réagissent à **vos attentes**. Graduellement, toutes les parties du «soi», jusqu'aux infimes atomes et molécules, se conforment aux croyances de votre conscient. Les événements de votre vie, vos interactions avec les autres, de même que les réactions les plus simples et habituelles de votre corps, tout cela obéit à vos croyances.

(*23 h 04*) Je le répète, si vous êtes malade, vous pouvez toujours dire: «je ne voulais pas être malade»; si vous êtes pauvre: «je ne voulais pas être pauvre»; et si vous êtes seul: «je ne voulais pas être seul». Cependant, pour des raisons personnelles, vous recherchez plus la maladie que la bonne santé, la pauvreté plus que l'abondance et la solitude plus que l'affection.

Peut-être avez-vous accepté de vos parents certaines de ces idées. Leurs effets peuvent vous avoir emprisonné ou peut-être avez-vous modifié vos croyances à un certain moment de votre vie; mais chaque situation peut être changée si vous utilisez votre pouvoir d'action dans votre présent. Je ne dis pas que chacun de vous devrait être en parfaite santé, riche ou sage. Je m'adresse seulement à ceux qui ne sont pas satisfaits de leur vie. Alors, les suggestions que vous vous faites agissent globalement comme des croyances qui se reflètent dans votre expérience.

Certains d'entre vous ont simplement une sorte de paresse mentale. Vous n'examinez pas consciemment les données que vous recevez. De nombreuses personnes «rejettent» les suggestions négatives, les remplaçant par des affirmations positives, parce qu'elles sont convaincues que le pouvoir des croyances négatives est supérieur à celui des croyances bénéfiques.

Chacun de vous verra ses schèmes habituels de pensée confirmés par l'action qui en résulte, comme si le comportement était conditionné. En vous concentrant continuellement sur les aspects négatifs et en repoussant toute donnée non concordante, vous faites entrer ces résultats dans votre expérience, grâce à l'hypnose naturelle.

Faites une pause.

(*De 23 h 14 à 23 h 29*) Beaucoup de gens accordent un grand pouvoir à l'hypnotiseur, pourtant, quand vous captez l'attention entière d'un autre, vous êtes vous-même hypnotiseur.

Chaque fois que votre attention est complètement centrée sur vous-même vous êtes à la fois hypnotiseur et sujet. Vous vous donnez sans cesse des suggestions posthypnotiques, surtout quand vous projetez dans le futur les conditions actuelles. Je veux insister sur le fait que tout ceci découle des fonctions naturelles de l'esprit et ainsi dissiper toute idée préconçue quant aux vertus «magiques» de l'hypnose.

Pendant cinq ou dix minutes par jour, tout au plus, utilisez l'hypnose naturelle comme méthode pour vous ouvrir aux nouvelles croyan-

ces désirées. **Durant cet exercice,** concentrez-vous aussi in
que possible sur une seule affirmation. Répétez-la plusieurs
visualisant. Essayez de ressentir cette affirmation de toutes
nières possibles; ne vous laissez pas distraire, mais si votre esprit veut
se laisser aller, canalisez alors ses images dans le sens de votre affirmation.

La répétition, verbale ou mentale, est importante parce qu'elle active des circuits biologiques et les reflète. Ne forcez pas. Cet exercice
ne doit pas être pratiqué en même temps que celui du «point de pouvoir» déjà décrit. (*Voir la session 657, chapitre 15 du présent ouvrage.*)
Ils ne doivent pas empiéter l'un sur l'autre, mais être pratiqués séparément dans la journée. (*23 h 40*) Toutefois, durant l'exercice, rappelez-
vous que vous utilisez le présent comme référence pour introduire de
nouvelles croyances et qu'elles seront réellement matérialisées. Quand
l'exercice est fini, n'insistez plus. N'y pensez plus. Vous aurez fait
l'expérience de l'hypnose naturelle dans sa forme concentrée.

Peut-être aurez-vous à faire quelques essais avant de trouver la
bonne formulation de votre message, mais trois jours au moins sont
requis avant de connaître, par des résultats concrets, son efficacité. Un
changement de formulation sera peut-être nécessaire. Si l'expression
vous satisfait, alors continuez. Sinon, relâchez complètement votre attention, car il faut laisser ici s'écouler un certain laps de temps. Il se
pourrait que vous ayez des résultats spectaculaires en peu de temps.
Continuez quand même à faire l'exercice.

Les canaux intérieurs doivent être reformés. Une **sensation** se produira qui vous servira d'indice. N'en faites pas plus de dix minutes.
D'ailleurs, certaines personnes pourront trouver cela difficile. Prolonger l'exercice renforcerait simplement l'idée des problèmes rencontrés.

Fin de la session.

(*«Parfait.»*)

Mon affection à vous deux.

(*«Merci. De même pour toi. Bonne nuit.» Fin à 23 h 50.*)

Session 659 – Le mercredi 25 avril 1973, à 21 h 18
Bonsoir.

(*«Bonsoir, Seth.»*)

L'hypnose naturelle est l'acceptation de la croyance consciente par
l'inconscient. C'est grâce à la concentration, en l'absence de toute

distraction, que les idées désirées sont inculquées (dans l'hypnose conventionnelle). Le même processus joue cependant dans la vie normale; vos principaux champs de concentration régissent votre expérience biologique et mentale et engendrent des conditions semblables.

Prenons ce simple exemple: une croyance positive inculquée dans l'enfance. On dit à un individu qu'il est beau et qu'il a une personnalité agréable. L'idée s'impose. La personne s'y conforme en tout; mais de plus un éventail de croyances secondaires croissent autour de cette croyance principale.

La croyance en sa valeur personnelle porte cet heureux individu à réagir de la même manière envers ceux qui se montrent à lui sous leur meilleur jour. Sa vie renforce constamment cette idée et, bien qu'il sache que certaines personnes sont plus «aimables» que d'autres, son expérience intime lui fait voir le meilleur des autres et de lui-même. Cela devient pour lui un cadre bien établi pour juger de l'existence.

Toute donnée ou impulsion qui ne concorde pas avec sa vision demeure secondaire; elle n'est pas pour lui, mais il en reconnaît la validité pour autrui. Il n'aura pas à s'expliquer, il pourra donc plus équitablement accepter ses contemporains.

Il pourra ne pas se sentir à la hauteur à certains égards, mais en raison de sa croyance en sa valeur fondamentale, il sera capable d'accepter ces manques comme partie intégrante de son être, sans se sentir menacé. Il pourra essayer d'améliorer sa condition sans pour autant se rabaisser.

Maintenant, voici, certains de ses traits peuvent ne pas être jolis, mais il n'en fera pas de cas, alors que d'autres individus dans les mêmes conditions croiront qu'ils ne sont pas beaux. La croyance en sa propre beauté est si grande que les autres réagiront de la même manière à son égard. Par ailleurs, un individu peut avoir une grande beauté naturelle qui ne frappe ni lui ni personne. Il ne croit pas la posséder et en masque les aspects jusqu'à ce que sa beauté devienne littéralement invisible.

Vos croyances sont des suggestions hypnotiques et vous les renforcez constamment par le dialogue intérieur auquel vous vous adonnez.

(21 h 38) Cette communication intérieure agit comme la répétition constante de l'hypnotiseur. Toutefois, dans ce cas, vous êtes votre propre hypnotiseur. Peu de personnes n'auront qu'un seul champ de concentration. Généralement, il y en a plusieurs, mais c'est là votre

manière d'utilisez votre énergie. L'individu convaincu d'être digne d'intérêt n'a pas besoin de se battre pour cela. Les expériences appropriées lui arrivent naturellement. Dans plusieurs sphères de votre vie où vous êtes satisfait, vous n'avez pas besoin de faire d'effort. Vos pensées et votre concentration amènent les résultats qui vous conviennent. Cependant, dans les aspects qui vous troublent, vous commencez soudain à vous demander ce qui arrive, mais, ici encore, l'hypnose entre en jeu spontanément et vos idées conscientes trouvent tout bonnement leur réalisation physique. Vous devez donc prendre conscience que c'est là où vous êtes l'hypnotiseur.

Faites une courte pause.

(*De 21 h 43 à 21 h 50*) L'inconscient accepte les ordres de la pensée consciente.

Il est des domaines où vous êtes comblé. Cependant, là où vous êtes insatisfait, examinez les injonctions que vous vous imposez **dans ce champ particulier** de votre expérience. Les résultats ne sembleront pas se conformer à vos désirs. Par contre, vous découvrirez qu'ils se **calquent sur vos croyances conscientes**, ce qui peut être très différent.

Vous pouvez demander la santé, mais croire fermement que votre santé est délicate. Vous pouvez **désirer** la compréhension spirituelle, alors que vous pensez être spirituellement indigne et fermé. (*Pause*) Entre vos aspirations et vos croyances actuelles, il y a toujours un décalage. La croyance engendre les sentiments et les efforts d'imagination appropriés. Si vous voulez la santé, mais que vous opposiez sans cesse ce désir à la croyance en votre fragilité, alors cette croyance même, dressée contre le souhait, causera des difficultés supplémentaires. Dans ce cas, vous semblez vouloir l'impossible. Désir et croyance ne sont pas unis, mais séparés.

Dans l'hypnose conventionnelle, vous faites un pacte avec l'hypnotiseur; pour un temps donné, vous accepterez ses idées de la réalité. S'il vous dit qu'il y a un éléphant rose en face de vous, vous le verrez et vous agirez conformément aux suggestions. Si vous êtes un bon sujet et votre hypnotiseur un bon praticien, des cloques peuvent apparaître sur votre peau s'il vous dit que vous vous êtes brûlé.

(*Longue pause à 22 h 03*) Vous pouvez faire des prouesses physiques que vous auriez crues impossibles parce que vous avez volontairement mis en suspens certaines croyances et que vous acceptez d'en recevoir d'autres, pour le temps de l'exercice. Malheureusement, en raison du charabia jugé nécessaire, on croit la pensée consciente absente et son activité suspendue. C'est tout le contraire. Elle est concentrée, intensifiée et canalisée sur un point précis alors que tous les autres stimuli sont stoppés.

Cette intensité de la concentration consciente fait tomber les barrières et permet aux messages de se rendre directement à l'inconscient, où ils sont exécutés. Toutefois, l'hypnotiseur **est important** dans la mesure où il représente l'autorité.

En ce qui vous concerne, vous commencez par accepter les croyances de vos parents, cela, comme il a été dit, est lié à l'expérience du nourrisson. (*Voir la session 619, chapitre 4, tome I.*) L'hypnotiseur prend alors la place des parents. En cas de thérapie, l'individu est déjà sous le coup de la peur et, en raison des croyances de votre civilisation, il ne se reportera pas sur lui-même, mais cherchera l'aide d'une personne faisant figure d'autorité.

(*22 h 10*) Même dans les sociétés primitives, les sorciers et thérapeutes naturels ont compris que le point de pouvoir se situe dans le présent et ils ont utilisé l'hypnose naturelle comme **méthode** pour aider les **individus** à canaliser leur propre énergie. Tous les gestes, toutes les danses ou autres procédés sont des traitements de choc, sortant le sujet de ses habitudes et l'obligeant à se concentrer sur le moment présent. Cette désorientation ébranle tout simplement les croyances et fait sauter les cadres établis. L'hypnotiseur, le sorcier ou le thérapeute introduit alors immédiatement les croyances qu'il pense nécessaires au sujet.

Dans ce contexte, des groupes entiers endosseront l'idée du thérapeute. Dans votre société, on utilise souvent la régression; le patient se souviendra et revivra une expérience traumatisante du passé. Cela semblera être la cause de la difficulté actuelle. Si l'hypnotiseur et le sujet nourrissent la même croyance, alors, sur ce plan, il y aura amélioration.

Si une culture favorise la pratique vaudou ou la sorcellerie, la thérapie sera vue **dans ce contexte**; une malédiction sera découverte et le sorcier la renversera en utilisant le présent comme point de pouvoir.

Cependant, en dehors du contexte de l'hypnose conventionnelle, les mêmes problèmes se retrouvent. C'est avec grande compréhension et compassion que je me permets de vous dire que la médecine occidentale est à sa manière une des méthodes hypnotiques les plus barbares. Le plus brillant des médecins occidentaux considérera avec horreur et consternation qu'un poulet soit immolé dans la case d'un sorcier, mais trouvera scientifiquement plausible, voire inévitable, qu'une femme sacrifie ses seins au cancer. Les médecins ne verront tout simplement pas d'autre issue, pas plus que les patientes, malheureusement.

(*Pause*) Un médecin occidental contemporain – avec le plus grand embarras, je vous l'accorde – informera son patient d'une mort prochaine, son cas étant désespéré, mais réagira avec mépris et dégoût en lisant qu'un sorcier vaudou a jeté un sort à une innocente victime.

À votre époque, les gens de la médecine, toujours avec une grande supériorité, examinent les cultures primitives et les jugent sévèrement; ils pensent que ces peuplades sont sous l'emprise des sorciers ou du vaudou. Pourtant, grâce à la publicité et à l'organisation de votre société, **vos médecins** vous convainquent du besoin d'un examen médical tous les six mois, sinon vous aurez le cancer, ou encore de la nécessité d'une assurance médicale, car **vous serez certainement** malade.

À maints égards, les médecins modernes sont de médiocres sorciers qui ont oublié leur art; ils sont des hypnotiseurs qui ne croient plus au pouvoir de guérison et dont les suggestions provoquent d'autres maladies prédéterminées.

On vous dit quoi chercher. Vous êtes aussi ensorcelés, plus même, que n'importe quel indigène d'un village reculé; seulement vous, vous perdez des seins, des appendices et autres parties de votre anatomie. Les médecins ont leurs propres conceptions, bien entendu, et dans ce système ils se sentent tout à fait justifiés et pleins d'humanité.

Dans le domaine médical plus qu'ailleurs, vous vous heurtez de plein fouet à vos croyances, car les médecins ne sont pas les mieux portants, au contraire ils sont les moins vigoureux. Ils deviennent la proie des croyances auxquelles ils tiennent à tout prix. Ils se concentrent sur la maladie et non sur la santé.

Vous pouvez faire une pause.

(«*Merci.*»)

(*Avec humour*) Notre prochain livre sera dans la liste des lectures recommandées par l'A.M.A.!

(«*Je le parierais.*» Ici Seth parle de l'Association médicale américaine.)

N'oublie pas cette phrase.

(*22 h 34. L'état de dissociation de Jane fut excellent, son débit rapide et régulier. «Mon Dieu, il y allait fort, dit-elle en parlant de*

Seth. Il va nous donner encore de très bons renseignements après cela.» En ce qui concerne les propos de Seth depuis 22 h 10, le lecteur pourra se référer aux sessions 616 et 624 des chapitres 2 et 5, tome I, et à la session 654, chapitre 14 du présent tome. Reprise à 22 h 48.)

En d'autres mots, vos médecins sont aussi les victimes de leur système de croyances.

Ils s'entourent continuellement de suggestions négatives. Quand la maladie est vue comme un envahisseur qui brime, sans aucune raison, le «soi» dans son intégrité, l'individu paraît impuissant et la pensée consciente accessoire. Le patient se voit obligé parfois de sacrifier ses organes, l'un après l'autre, au profit de ses croyances, et de celles du médecin.

(*Pause*) Heureusement pour vous, vous entretenez d'autres croyances, soit en la chiropractie ou en l'alimentation naturelle, soit même dans les charlatans. Elles offrent toutes des avenues différentes pour résoudre les problèmes en matière de santé.

Au moins, avec ces moyens, les drogues nuisibles sont bannies et le corps n'est pas empoisonné davantage.

Les chiropraticiens sont des hypnotiseurs. Certains, malheureusement, cherchent des compromis avec le monde médical; ils mettent l'accent sur le côté «scientifique» de leur travail et minimisent l'intuition et l'aspect naturel de la guérison. Les «charlatans», pour leur part, sont le dernier recours des gens sans espoir; des gens qui constatent l'inefficacité des autres systèmes de croyances, mais qui se sentent dépourvus et ne voient pas d'autres solutions.

Certains «charlatans» seront sans scrupule et malhonnêtes, mais la plupart d'entre eux possèdent une compréhension intuitive et peuvent provoquer la «guérison» par la transformation immédiate de la croyance.

Le corps médical se flatte en disant que de tels individus empêchent les patients de chercher le traitement approprié. Mais comme ces personnes n'ont plus confiance au système de croyances des médecins, ces derniers ne pourraient rien dans leur cas.

Pour un médecin, tout cela semblera de la pure hérésie, parce que la maladie sera toujours considérée comme un phénomène dissocié du corps, devant être traité et supprimé objectivement. Mais un homme qui se sent dépourvu de générosité, un «sans-cœur», ne sera pas sauvé par une transplantation cardiaque des plus complexes, à moins que sa croyance ne soit d'abord changée.

Dans un autre domaine, un individu qui se pense pauvre perdra, dilapidera ou encore investira mal toute somme d'argent plus ou moins durement gagnée. Et voici un autre exemple. Une personne qui se conditionne à la solitude sera esseulée même entourée par une centaine d'amis et d'admirateurs.

(*23 h 02*) Que signifie tout cela dans votre quotidien et comment pouvez-vous utiliser l'hypnose naturelle pour améliorer votre situation?

Dans les domaines où vous êtes insatisfait, vous vous voyez **impuissant** et sans volonté ou encore vous croyez que ces conditions persistent malgré l'intention que **vous pensez avoir**. Mais si vous suivez bien le cours de vos réflexions, vous verrez que vous vous concentrez précisément sur ces aspects négatifs qui vous horripilent tant. Vous avez l'art de vous hypnotiser et de renforcer la situation. Vous pourriez alors vous écrier, stupéfait: «Que puis-je faire, puisque je me suis ensorcelé moi-même par l'embonpoint (ou la solitude ou une santé fragile)?» Par contre, en d'autres domaines de votre vie, vous avez pu vous attirer richesse et satisfaction, mais ici, vous ne vous en plaignez pas. Il s'agit du même processus. Les mêmes principes jouent. Dans vos expériences positives de vie, vous êtes sûr de vos actes. Vous ne doutez pas. Vos croyances deviennent réalité.

À présent, quand vous êtes **insatisfait**, vous devez comprendre ceci: **là aussi il n'y aucun doute.** Vous êtes totalement convaincu que vous êtes malade, pauvre, seul, spirituellement borné ou malheureux.

Alors, les conséquences s'ensuivent tout naturellement. L'hypnose naturelle, selon la définition que je vous donne, s'applique dans un cas comme dans l'autre.

Que devez-vous faire? D'abord, vous devez comprendre que **vous êtes l'hypnotiseur**. Vous devez prendre votre vie en main, tout comme vous le faites pour les aspects positifs de votre quotidien. Malgré la fragilité de vos arguments, vous devez vous dire ceci:

«Pour un certain temps, je vais suspendre ma croyance en ce domaine et accepter avec détermination la croyance que je choisis. Je vais faire comme si j'étais sous hypnose, en étant moi-même hypnotiseur et sujet. Le désir et la croyance ne feront alors qu'un. Il n'y aura aucun conflit parce que je le veux ainsi. Pendant cette période, je vais complètement changer mes vieilles croyances. Même si je suis là assis

sprit je me comporte comme si ma nouvelle croyance
...t partie de mon monde.»

exercice, ne pensez pas au futur, seulement au présent.
S... ... de l'embonpoint, commencez à penser à votre poids
idéal. Imaginez que vous êtes en bonne santé, si vous croyez ne pas
l'être. Si vous êtes seul, **croyez** que vous êtes imprégné du sentiment
d'amitié. C'est vous qui prenez l'initiative d'imaginer de telles situations, soyez-en conscient. Ici, il n'y a aucune comparaison possible
avec votre situation normale. Utilisez des images ou des mots, selon ce
qui vous vient le plus naturellement. Encore une fois, ne consacrez pas
plus de dix minutes à cet exercice.

Si vous le faites fidèlement, d'ici un mois, vous allez voir les
nouvelles conditions se matérialiser dans votre expérience. Votre structure nerveuse s'ajustera automatiquement. Votre inconscient sera sti-
mulé et mettra à contribution toutes ses capacités pour vous apporter
les nouveaux résultats. Ne **ressassez pas** ces nouvelles croyances, ne
vous tourmentez pas à longueur de journée à leur sujet. Cette attitude
ne ferait que créer un écart entre ce que vous **avez** et ce que vous
désirez. Oubliez cet exercice une fois terminé. Des impulsions vous
viendront en accord avec vos nouvelles croyances. Alors vous **pourrez**
choisir de les suivre ou de les ignorer.

(*Pause*) Ce sera votre initiative. Vous ne le saurez pas tant que vous
n'aurez pas essayé cet exercice. Si vous êtes de santé fragile et que
vous avez l'habitude de consulter un médecin, continuez à le faire, car
vous dépendez encore de ce système de croyances; mais utilisez ces
exercices comme supplément, pour renforcer votre perception de la
santé intérieure et pour vous protéger ainsi de toute suggestion négative
de votre médecin. Servez-vous de votre foi en la médecine puisque
vous y croyez déjà.

Vous pouvez faire une pause.

(*23 h 26. La transe de Jane était très bonne, son rythme rapide et
précis. Mais le sommeil commençait à la gagner pendant la pause. Ce
fut le signal de la fin de la session.*)

Session 660 – Le mercredi 2 mai 1973, à 21 h 27

(*Quelques notes et références...*)

(*Lundi soir, il n'y a pas eu de session. Jane et moi avions pris
quelques jours pour voyager.*)

(*«Honnêtement, dit Jane le matin suivant la dernière session, je pense que j'ai travaillé sur le livre toute la nuit, la seule différence était que j'entendais ma propre voix au lieu de celle de Seth. J'ai même pensé me lever pour écrire, mais je ne croyais pas que cela puisse fonctionner. J'espère cependant que nous recouperons ces renseignements importants lors de prochaines sessions...»* Ces effets nocturnes se poursuivirent le jeudi, mais avec moins d'intensité. Ils disparurent complètement avec la fin de la semaine. J'ai décrit à la session 644, chapitre 11, une expérience antérieure de Jane et sa préconnaissance de la matière du livre, il était question de croyances. Sa dernière expérience nocturne avec le livre de Seth est racontée à la fin de cette session.)

(*Je lui ai rappelé deux sujets; j'espérais que Seth en parle tel qu'il l'avait promis: 1. La grande inondation de juin 1972 dans notre région et le rôle que nous y avons joué; voir les notes de la session 613, chapitre 1, tome I. 2. Les tares de naissance déjà mentionnées par Seth.*)

(*Hier soir, Jane était très active en classe d'ESP surtout quand elle parlait et chantait en Sumari. Une nouvelle dimension plus complexe s'est manifestée dernièrement dans les chants; souvent à présent les sons et les «mots» sont brefs et voltigent avec agilité sur toute la gamme. On dirait une version sténographique. À cette occasion, il semble que Jane essaie de transmettre en même temps plusieurs sons ou idées dans un seul intervalle.*)

(*Durant la classe, Seth souligna que ce dernier développement en Sumari l'aiderait à déchiffrer les très anciens «manuscrits» – pour la plupart oraux – de l'Enseignant[1] dont elle parle dans son introduction. Toutefois, il ne lui a pas dit comment se ferait cette traduction. Pour plus de renseignements sur les Enseignants et le Sumari, voir la session 623, chapitre 5, tome I.*)

Bonsoir.

(*«Bonsoir, Seth.»*)

Il y a une grande correspondance entre le conditionnement et l'action compulsive.

Ici, la suggestion posthypnotique agit aussi bien qu'un «conditionnement» quotidien. Prenons par exemple une femme qui se sent obligée

---

1. «Speaker» en anglais. (*Note du traducteur*)

de se laver les mains de vingt à trente fois par jour. On reconnaît facilement qu'un comportement aussi répétitif est compulsif. Mais quand un homme souffre de son ulcère chaque fois qu'il mange certains aliments, il est beaucoup plus difficile de voir que ce comportement est également **compulsif** et répétitif. Voilà un très bon exemple d'un mauvais effet de l'hypnose naturelle sur votre système.

Dans un sens, les actions répétitives sont intimement liées à des croyances en la «magie». Habituellement, ce comportement exprime les efforts de l'individu pour éviter un «mal» imminent. Il est donc facile d'expliquer les actions répétitives extérieures, mais beaucoup plus difficile de voir sous le même jour de nombreux symptômes physiques, pourtant il se passe ici aussi toute une série de réactions en présence de certains stimuli. Derrière celles-ci se trouve souvent le même genre de compulsion. En fait, les symptômes se manifestent comme un rituel neurologique pour protéger le malade de quelque chose qu'il craint encore plus.

(*Pause à 21 h 42*) Voilà la raison pour laquelle les systèmes de croyances sont si importants quand on parle de santé et de maladie. Chacun prône des moyens – gestes, remèdes, traitements – qui reflètent les croyances aussi bien du guérisseur que du patient.

La situation est identique dans le cas de la fièvre des foins et aussi d'ailleurs dans la plupart des autres «mal-aises» (avec un trait d'union).

L'hypnose naturelle et les croyances conscientes donnent leurs propres instructions à l'**inconscient** qui, docilement, met en branle les mécanismes du corps en accord avec les croyances. Vous **conditionnez** donc votre corps à réagir d'une manière bien précise. Évidemment, ce n'est pas un problème facile à résoudre, parce que la première suggestion du «mal-aise» dépend elle-même d'une autre croyance. En Occident, par l'hypnose conventionnelle, vous pouvez régresser et découvrir le moment où la suggestion vous a été donnée pour la première fois. Par ailleurs, si l'hypnotiseur et vous-même croyez en la réincarnation, l'origine peut être découverte dans une autre vie.

Dans l'un ou l'autre cas, si la thérapie est appropriée, vos symptômes disparaîtront, dans la mesure où l'hypnotiseur et vous-même croyez implicitement en la situation et en ce cadre de référence.

Mais il y a beaucoup plus, car si vous ne croyez pas en votre propre valeur comme être humain, vous aurez d'autres malaises à éliminer de la même manière, en trouvant d'autres événements «passés» comme excuse, et cela bien sûr si vous avez de la chance! Par contre, si vous n'avez pas de chance et que la maladie touche vos organes internes, peut-être alors les sacrifierez-vous les uns après les autres.

Tout cela peut être évité si vous prenez conscience que votre point de pouvoir est dans le présent, comme nous l'avons mentionné précédemment (*voir la session 657, chapitre 15 du présent ouvrage*). Non seulement vous agissez selon vos croyances personnelles, mais aussi selon un système collectif auquel vous souscrivez d'une façon ou d'une autre. Dans votre société, une assurance-maladie est quasi nécessaire pour la plupart d'entre vous; je ne vous suggère donc pas de la résilier. Regardons de plus près cette situation.

Vous payez d'avance pour des maladies que vous croyez avoir un jour. Vous faites tous ces préparatifs en fonction d'un état morbide futur. Vous pariez sur la maladie et non sur la santé. C'est une hypnose naturelle des plus néfastes, mais dans votre système, l'assurance est vraiment nécessaire car **votre atmosphère mentale est imprégnée** de la croyance en la maladie.

Un très grand nombre de personnes tombent malades **après** avoir pris une telle «assurance», car pour elles l'acte en lui-même symbolise l'acceptation de la maladie. Les polices d'assurance pour personnes âgées sont encore plus regrettables, car elles sont établies selon des critères de santé et d'âge stéréotypés et biaisés. Il y a un lien étroit entre la sorte de polices que les gens contractent et les maladies dont ils sont atteints.

(*22 h 02. Tout au long de cette matière, Jane-Seth, qui ponctuait de gestes son discours, avait un débit plus rapide et énergique.*)

Encore plus fâcheuses sont les suggestions préventives données avec les meilleures intentions et dans des domaines bien précis de la santé. Il y en a deux en particulier dont j'aimerais vous parler.

D'abord, les campagnes publiques de dépistage du cancer, écrites ou télévisées, dans lesquelles sont présentés sept symptômes de la maladie. Malheureusement, dans le **cadre** des croyances, ces symptômes deviennent réalité chez de nombreuses personnes, notamment chez celles qui, en raison d'une quelconque expérience antérieure avec la maladie, ont une peur irrationnelle du cancer. La documentation et les annonces présentées deviennent de fortes suggestions négatives. Selon les caractéristiques de l'hypnose naturelle (processus de conditionnement), vous devez **chercher** des symptômes précis et examiner votre corps sous l'impulsion de la **peur**.

Chez des personnes ainsi conditionnées, de tels procédés peuvent causer des cancers qu'elles n'auraient pas eus sans cela.

Cela ne veut pas dire que ces individus ne succomberaient pas à une autre maladie, mais cela **veut dire** que par cette approche, la croyance dans la maladie est modelée et concentrée sur certains symptômes. **Ne vous demandez pas pourquoi** vous avez besoin d'assurance-maladie! La maladie n'est pas un agent étranger qui s'impose à vous, mais aussi longtemps que vous le croirez, ainsi en sera-t-il. Vous vous sentirez également impuissant à la combattre.

Le deuxième aspect de la santé dont je veux vous parler concerne les personnes âgées. Vos conceptions de la retraite vont généralement dans le même sens, car elles entretiennent une croyance insidieuse selon laquelle à un certain âge vos forces commenceront à diminuer. Ces idées sont habituellement acceptées par les jeunes et par leurs aînés. En y souscrivant, les jeunes commencent graduellement à conditionner leur corps et leur esprit. Ils en récolteront les résultats.

Particulièrement dans votre société où l'on se consacre pleinement à la poursuite de l'argent, ces croyances apporteront leur lot d'humiliations, surtout chez les hommes à qui l'on a souvent répété que la capacité de gagner de l'argent était signe de virilité. Il est donc aisé de comprendre qu'une fois cette capacité supprimée, ils se sentent castrés. Point et pause.

(22 h 15. «J'ai le sentiment que nous sommes allés en ville», dit Jane en riant. C'est le cas de le dire, mais elle sortit de transe presque d'un seul coup. Son rythme avait été bon pendant toute la transmission. Reprise de la même manière à 22 h 29.)

En général, ceux qui préconisent les «produits de santé» ou l'alimentation naturelle endossent certaines croyances semblables à celles des médecins.

Ils croient que les maladies proviennent de conditions extérieures. Leur politique peut se résumer ainsi: «Vous êtes ce que vous mangez.» Quelques-uns cependant adhèrent aussi à des idées philosophiques qui atténuent l'effet de ces concepts, car ils reconnaissent l'importance de la pensée. Là encore il y a de fortes suggestions à caractère très négatif qui font considérer tous les aliments, à l'exclusion de quelques-uns, comme nuisibles pour le corps et même comme des agents de maladies.

Les gens ont peur de ce qu'ils mangent; se nourrir devient alors un combat.

On prête une valeur morale à la nourriture, elle est jugée bonne ou mauvaise. Des symptômes apparaissent et ils sont tout de suite attribués à des aliments prohibés que l'on a mangés. Au moins, avec cette cure, le corps n'est pas endommagé par un assortiment déconcertant de drogues. Par contre, il peut être privé de certaines substances alimentaires indispensables. Tout le problème de la santé et de la maladie est alors vite réglé; seule la nourriture est examinée avec soin. Vous êtes ce que vous **pensez** et non ce que vous mangez; et, dans une grande mesure, ce que **vous pensez** de ce que vous mangez est encore plus important.

Ce que vous pensez de votre corps, de la santé et de la maladie conditionne l'assimilation de votre nourriture et aussi la façon dont votre chimie interne traitera les corps gras ou les hydrates de carbone, par exemple. Quand vous préparez les repas, votre attitude est prépondérante.

Il est vrai que physiquement votre corps a besoin de bien se nourrir. Mais, dans l'ensemble, la marge de manœuvre est grande, car l'organisme en lui-même a cette étonnante capacité de tirer profit même des compléments alimentaires et des succédanés. Le meilleur régime au monde, d'après vos plus hauts **critères**, ne vous gardera pas en bonne santé si vous croyez à la maladie.

La croyance en la santé peut vous aider de façon surprenante à tirer profit d'une alimentation «pauvre». Si vous êtes persuadé qu'un aliment vous donnera un malaise précis, vous ressentirez ce malaise.

Il vous semble que certaines vitamines préviennent les maladies. La croyance agit, bien sûr, en autant que vous fonctionniez dans ce cadre précis. Un médecin occidental peut donner des injections ou des comprimés vitaminés à un enfant indigène. L'enfant n'a pas besoin de savoir quelles sortes de vitamines lui sont données ni le nom de sa maladie; s'il croit au médecin et en la médecine occidentale, sa santé s'améliorera et dorénavant il aura besoin de vitamines. Il en sera de même pour tous les autres enfants.

Je ne dis pas de ne pas donner de vitamines aux enfants, puisque dans votre culture, c'est presque une obligation. Et vous trouverez encore d'autres vitamines pour traiter d'autres maladies.

Aussi longtemps que cette façon de faire semblera efficace, elle sera acceptée; mais le problème, c'est qu'elle ne l'est pas vraiment.

Si vous vous sentez fatigué et que vous mettez la main sur une publicité ou un livre traitant des vitamines qui vous intéresse, cela pourra vous aider, pour un temps du moins. Votre croyance vous les rendront bienfaisantes. Mais si vous persistez à croire en votre santé fragile, la contre-influence des vitamines n'aura bientôt plus d'effet.

(*22 h 53*) Il en va de même pour les «avis publics» en ce qui concerne le tabac et les drogues. La suggestion que «fumer donne le cancer» est beaucoup plus dangereuse que les effets physiques de la fumée; **cette suggestion peut donner le cancer à quelqu'un qui, sans cela, n'aurait pas été atteint** (*dit avec une grande fermeté*).

Les annonces relatives à l'héroïne, à la marijuana et à l'acide (LSD), bien que réalisées avec les meilleures intentions du monde, peuvent aussi être néfastes, car elles prédéterminent toute expérience que peuvent avoir ceux qui se droguent. D'un côté, voici une culture qui montre les dangers, souvent exagérés, de la drogue mais qui, d'un autre côté, utilise des drogues comme remèdes. Ici les dangers deviennent des rites d'initiation, où vous devez faire face à la mort avant d'être pleinement accepté dans la communauté. Mais ceux qui participaient aux rituels **primitifs** savaient davantage ce qu'ils faisaient; ils savaient, de par leur système de croyances, que le résultat – la réussite – était assez bien assuré.

L'hypnose naturelle joue dans tout ce dont je viens de parler.

Reprenons l'exemple de notre monsieur aux ulcères. Il croit aveuglément que certains aliments poussent son estomac à réagir de cette façon. Il existe cependant un médicament pour soulager sa douleur. Tant et aussi longtemps qu'il sera efficace, ce médicament ne fera qu'augmenter la conviction de cet homme que son mal d'estomac ne peut être soulagé que de cette façon.

Bien que faisant partie du même processus hypnotique, cela constitue une contre-suggestion fondée sur la croyance en sa maladie originale. Tant que le médicament sera efficace, l'homme en aura besoin, ce qui renforcera sa dépendance. Si sa croyance en une santé délicate n'est pas surmontée, le médicament ne pourra plus servir adéquatement de contre-mesure. Le bon sens dicterait alors de s'abstenir d'aliments qui provoquent cette condition. Mais chaque fois qu'il agit ainsi, l'individu renforce la suggestion hypnotique.

Il croit profondément qu'il sera malade s'il mange des aliments interdits et c'est ce qui se produit. Il ne lui vient pas à l'esprit de se passer de cette croyance, ni de penser que par autohypnose elle **suffit** à causer le conditionnement.

Le point de pouvoir est dans le présent. Vous devez parfaitement le comprendre; vous **pouvez** ainsi prendre en main votre vie et vous servir de l'hypnose naturelle à votre avantage et **dans tous les domaines.** C'est déjà ce qui passe pour tous les aspects de votre vie dont vous êtes satisfait.

Faites une pause.

(*De 23 h 13 à 23 h 25*) Quoi qu'il en soit, il est de la plus grande importance de ne pas concentrer votre attention sur les parties de votre expérience qui vous satisfont le moins. Cela intensifie la suggestion hypnotique. Le simple souvenir de vos accomplissements sera en lui-même constructif, même si vous ne faites rien d'autre. Cette attention soutenue sur les aspects positifs diminue automatiquement l'ampleur du problème. Elle affermit aussi le sens de votre valeur et de votre force personnelles, en vous rappelant votre excellent rendement à d'autres points de vue.

Chaque fois que vous essayez de vous échapper d'un dilemme, assurez-vous de ne pas y concentrer toute votre attention. Cet acte évince les autres données et intensifie votre préoccupation du problème. Quand vous cessez cette concentration, il se résout.

(*Pause, puis dans un débit très rapide*) Prenons un autre exemple très simple. Vous êtes trop gros. C'est un fait physique. Vous vous voyez gros, et cela vous désole. Vous commencez une série de régimes, tous basés sur l'idée que vous êtes trop gros **parce que vous mangez** trop. Pourtant, **vous mangez trop parce que vous croyez que vous êtes trop gros.** L'image physique s'ajuste, parce que votre croyance d'être trop gros conditionne votre corps à se comporter de cette manière.

Alors, de la façon la plus étrange, vos régimes renforcent tout simplement cet état; vous êtes au régime, car vous croyez profondément à votre embonpoint.

Tant que vous ne changerez pas votre croyance, vous continuerez de vous nourrir de la même manière, c'est-à-dire en **mangeant trop.** Vous continuerez de grossir. Tout votre comportement dépend des fortes suggestions hypnotiques; et bien sûr votre apparence et votre expérience renforcent sans cesse votre croyance.

(*23 h 39*) Vous devez volontairement suspendre cette croyance. À l'aide des exercices cités dans ce chapitre, vous devez faire un effort conscient pour introduire une nouvelle croyance; pour cela employez l'hypnose naturelle. Si en lisant le présent ouvrage vous prenez conscience de votre propre valeur, cet acte même peut anéantir n'importe quelle idée d'incapacité entretenue dans le passé et qui a pu vous pousser à cet état.

C'est la même chose si vous êtes maigre. Pendant un certain temps, vous pouvez manger énormément et ne prendre que quelques kilos ou trouver toutes sortes d'excuses pour ne pas manger. Même les plats les plus copieux ne vous feront pas grossir. **Vous n'êtes pas maigre parce que vous ne mangez pas assez ou que vous ne savez pas manger. Mais plutôt, vous ne mangez pas assez, car vous croyez que vous êtes maigre.**

Aucune nourriture ne sera suffisante tant et aussi longtemps que vous ne changerez pas votre croyance.

Comme pour les personnes trop grosses, vous devez utiliser les moyens dont je viens de parler pour en sortir. Dans les deux cas, l'hypnose naturelle conditionne les réactions du corps. Le comportement quotidien et le fonctionnement chimique s'harmonisent à la croyance.

Ici encore il est question de votre valeur et de point de pouvoir (*voir la session 657, chapitre 15 du présent ouvrage*).

Dans chaque domaine, des indices importants peuvent être décelés en prêtant tout simplement plus d'attention à vos pensées conscientes quotidiennes, car elles constituent d'infimes suggestions qui modifient votre comportement et perturberont les mécanismes de votre corps.

Accordons-nous un moment.

(*Une longue pause à 23 h 47*) Chapitre suivant.

Chapitre 17

L'HYPNOSE NATURELLE, LA GUÉRISON
ET LE TRANSFERT DE SYMPTÔMES PHYSIQUES
VERS D'AUTRES NIVEAUX D'ACTIVITÉS

Session 660 (suite)

(Une autre longue pause à 23 h 49. Le rythme de Jane a brutalement ralenti. Mystérieusement, il lui a fallu plus de six minutes pour donner le titre du chapitre 17.)

«L'hypnose naturelle, la guérison et le transfert de symptômes physiques vers d'autres niveaux d'activités». Voilà le titre.

(23 h 55. Maintenant son rythme se précipitait.)

Certaines personnes souffrant de maladies durant plusieurs années guérissent parfois soudainement et se jettent alors corps et âme dans des activités d'aide sociale dans lesquelles leurs problèmes se dissolvent et où une nouvelle stabilité s'établit. Il s'agit d'un transfert symbolique de symptômes du corps vers la structure sociale.

Je finis ici. Je voulais tout simplement vous donner un aperçu du contenu de notre nouvelle section.

(23 h 57 «Oui.»)

J'ai une petite, mais très importante, remarque à faire à Ruburt...

(Il transmit environ une page et la session se termina à 00 h 03. Jane ne comprenait pas pourquoi il avait fallu tant de temps pour donner le titre du chapitre 17. En transe, elle n'avait senti qu'une «légère pause».)

(Je mentionnais en début de session les évocations de Jane concernant la matière du livre. Les mêmes effets se sont reproduits la nuit qui suivit cette session, mais cette fois, elle décida de faire une expérience. «Quand je me suis réveillée, il m'est venu en tête quatre ou cinq chapitres entiers; ils m'étaient "tous disponibles", dans la mesure où

*je pouvais trouver un moyen de les transcrire dans l'instant, écrivit-elle
au matin. Je me suis levée à 3 h 15, essayant de consigner le tout, mais
je me suis rendu compte que la majeure partie de ces chapitres s'était
effacée.)*

(*»Le temps de me rendre à mon bureau, tous les points subtils et la
belle prose s'étaient envolés. Il ne me restait que quelques idées. Apparemment, cette matière doit passer par le cadre habituel des sessions, où elle est automatiquement transposée...» Jane se retrouva avec
une page environ de notes fragmentées et deux titres éventuels de
chapitre. Cette matière est évocatrice, même si Jane ne sait pas ce
qu'en fera Seth. «Sur le "pouvoir": chaque personne a son "territoire
psychique de pouvoir" qui ne doit pas être abandonné, écrit-elle,...
aucune maladie ou condition ne doit le perturber. C'est beaucoup
mieux de penser en termes de capacité qu'en termes de manques, soit
la capacité de "vivre", de se "mouvoir", de "parler"... Les gens con-
fondent cette capacité d'être avec leur pouvoir de maîtriser leur environnement ou les autres; ils se demandent alors pourquoi ce pouvoir
sur les autres ne fonctionne pas...)*

(*»Chacun de vous doit éventuellement comprendre qu'il ne peut
abandonner son pouvoir dans un domaine sans finalement menacer,
jusqu'à un certain point, son pouvoir lui-même... La croyance en son
impuissance, peu importe le domaine, entraîne l'incapacité dans d'autres domaines; elle agit comme une suggestion négative.)*

(*»Puis un chapitre sur l' "efficacité personnelle" d'un individu, soit
ses buts dans la vie et les limites imposées par son corps; de même que
ses choix à la naissance: la santé ou la maladie, la pauvreté ou la
richesse, les aptitudes...)*

(*»Et la foi qui peut déplacer les montagnes, comme il est dit, mais
elle peut aussi causer des catastrophes naturelles.»)*

(*Jane et moi avons discuté de tout cela au petit déjeuner le lendemain matin. Cela m'amena à lui lire le message de Seth de 23 h 25 sur
les croyances et le poids du corps. Après dîner, Jane écrivit spontanément ce que je cite au paragraphe suivant; elle voyait en cela un
complément aux renseignements de Seth sur le poids. «Je n'entendais
aucune voix pendant cette rédaction, dira-t-elle plus tard, je sentais ces
idées présentes et je les ai écrites.» Son travail ressemble aux écrits de
Seth. C'est le résultat semble-t-il des efforts de Jane, la nuit dernière,
pour arriver d'elle-même à structurer cette "matière du livre".)*

(*«À mon bureau, jeudi après-midi, le 3 mai 1973, livre de Seth: "Les régimes sont des signes extérieurs momentanés de votre prise en charge; comme tels, ils ont leur importance. Toutefois, habituellement, il s'ensuit une série de régimes non réussis qui sont autant de suggestions négatives. La résistance provient des conflits des croyances. Vous pensez être trop gros et vous l'acceptez comme une réalité. Se lancer dans un régime avec cette croyance en tête n'a aucun sens. C'est "irréaliste", voire même impossible.*)

(*»Il en va de même pour le manque de poids. Dans les deux cas, l'obsession de la "balance" devient un stimulus négatif renforçant votre condition. L'effort pour manger **davantage** sera contrecarré par l'état chronique de maigreur; il en sera de même pour l'obèse dans son effort pour se **retenir** de manger. Non seulement ces réactions se produiront-elles, mais des penchants opposés tendront à se développer. La concentration pour ne pas manger et la tension qui en résulte peuvent au contraire augmenter la consommation. La personne trop maigre mangera **moins**, alors qu'elle essaie de manger le plus possible, la croyance dans son état de maigreur venant annuler l'effort.*)

(*»Le mieux à faire est de cesser tout effort et de commencer immédiatement à changer vos croyances, tel que nous l'avons enseigné dans ce chapitre.*)

(*»La raison du succès de certains groupes de thérapie pour maigrir, du moins temporairement, vient du fait que l'on appuie sur la valeur du "soi". Malheureusement, le poids excédant est perçu comme "mauvais" ou "néfaste"; des jugements symboliques et moraux entrent en jeu. La thérapie a rarement des effets à long terme, puisque dans ce cadre tout gain de poids est jugé de manière encore plus négative.*)

(*»Il m'est venu aussi la nuit dernière que, en appendice, Seth pourrait apporter des compléments à certains chapitres, des façons d'utiliser l'hypnose naturelle et de travailler sur les croyances...»*)

Session 661 – Le lundi 7 mai 1973, à 21 h 40

(*Demain, c'est l'anniversaire de Jane...*)

Bonsoir.

(*«Bonsoir, Seth.»*)

Je ne veux pas insinuer que tous les travailleurs sociaux sont mus par leurs problèmes personnels. Par contre, il est juste de dire que ces questions deviennent, avec un changement d'état d'esprit, des défis qui amènent des changements sociaux.

Dans ce cas, le dilemme est projeté à l'extérieur du «soi» et perçu comme une condition extérieure avec laquelle on peut maintenant transiger. Il y a là vraiment une transformation «magique». Cependant, on ne peut conclure que toute créativité émane de problèmes individuels ou de névroses. En fait, c'est le contraire. Ces problèmes ainsi projetés hors de «soi» ne sont pas réellement résolus, en ce qui concerne l'individu, puisque leur raison d'être n'est pas comprise.

(21 h 45. Le téléphone sonna. Jane-Seth le désigna d'un geste.)

Vous pouvez faire comme vous voulez.

(Mais il n'y eut qu'une seule sonnerie. Nous avons attendu un moment et nous sommes revenus à la session.)

Puisque leur origine n'est pas comprise, aucune action sociale n'apportera une véritable solution et la personne se heurtera régulièrement à son problème. Ainsi, même le progrès social passera «inaperçu»; l'individu ne le remarquera pas. Il paraîtra infime en comparaison du problème.

Si vous vous concentrez sur la maladie, le même genre de réaction se produit; en raison de votre grande concentration sur les aspects négatifs, une légère amélioration vous paraîtra insignifiante.

Une soudaine conversion peut complètement délivrer un individu de symptômes physiques, peu importe le genre de conversion. Sous ce terme général, j'entends un fort engagement émotionnel, une affiliation ou un nouveau sens d'appartenance. Le contexte peut être religieux, politique, artistique ou tout simplement amoureux.

(Pause) Peu importe la nature ou la cause, le problème est d'une certaine manière «magiquement» transféré vers une autre sphère d'activité et projeté hors du «soi». De grands blocs d'énergie sont déplacés. L'homme qui se croyait mauvais pourra voir les gens, les adeptes d'une autre religion ou d'un autre parti politique comme mauvais. Il se sent alors débarrassé d'un travers, mais il est prêt à en accuser les autres, avec les justifications d'un pharisien.

(21 h 55) Je fais une distinction entre ce genre de conversion et une véritable conversion mystique[1], qui peut aussi se passer en un éclair.

---

1. Un exemple frappant est celui de la conversion de l'apôtre Paul (Saul de Tarses) sur la route de Damas, en l'an 36, quelques années après la «mort» de Jésus. *(Note de Robert Butts)*

Toutefois, dans l'illumination mystique, il n'y a pas d'ennemi, d'arrogance, d'attaque ou de justification de soi.

(*Pause*) L'amour, comme il arrive souvent, permet à un individu de trouver momentanément chez l'autre le sens de sa propre valeur. Il peut pour un temps suppléer à son propre manque d'estime de soi par la croyance de l'autre en sa bonté. Encore une fois, je fais une distinction entre ceci et un plus grand amour où deux êtres, conscients de leur propre valeur, sont capables de donner et de recevoir.

(*22 h 01*) Tu peux faire une pause ou aller chercher de la bière pour Ruburt pendant que je le laisse en transe, comme tu le désires.

(*«Je vais chercher une bière», dis-je, puisque Jane allait bien et que j'avais envie de continuer. Seth-Jane attendait tranquillement jusqu'à ce que je revienne de la cuisine.*)

Encore une fois, vous créez votre propre réalité. Votre vision du monde, les groupes sociaux et politiques, vos amis, votre expérience personnelle, tout cela entre dans votre champ d'activité par vos croyances. Par l'hypnose naturelle, décrite au chapitre précédent, vous rechercherez les situations qui confirment vos croyances et éviterez celles qui vont à l'encontre de celles-ci.

Il vous arrive souvent de projeter un problème à l'extérieur pour vous en libérer. Si vous le faites, le problème vous semblera définitivement détaché de vous, mais sans solution et démesuré. Prenons comme exemple la situation que vit une femme de l'Ouest américain, que j'appellerai Déveine et qui a téléphoné à Ruburt aujourd'hui; voyons dans quelle impasse une personne peut se trouver.

(*Pause*) Déveine est une femme bien éduquée, d'âge moyen, mère de plusieurs grands enfants, financièrement à l'aise et possédant tout ce que l'argent peut offrir. Elle a téléphoné à Ruburt, complètement désespérée et a sollicité son aide. Puisqu'elle avait écrit plusieurs fois à Ruburt, il était au courant de la situation. Déveine était convaincue d'être ensorcelée, hypnotisée et sous le pouvoir d'un autre.

Elle a fait la tournée des médiums et a touché un peu à l'écriture automatique. Elle voyait peu son mari qui était pris par ses affaires. Plusieurs médiums lui avaient dit qu'elle serait un jour une personne-ressource du même type. Ils lui ont donné différentes formules et techniques pour chasser les influences du «mal».

(*22 h 13*) Ruburt a très bien senti le goût de vivre chez cette femme, son besoin de mobiliser son énergie et d'exercer son initiative. C'était évident que Déveine ne faisait rien de ses journées, enfermée dans sa belle maison; elle ne faisait aucun effort pour se prendre sincèrement en main. Elle souhaitait que d'autres s'occupent d'elle, renforçant ainsi son sentiment d'impuissance. Elle sentait **n'avoir pas de prise** sur le présent.

C'est la pire démission qui soit, car elle engage votre spiritualité et votre nature biologique; vous vous sentez encore plus piégé qu'un animal, car vous reniez votre capacité même d'agir. Ce pouvoir retenu est alors transféré. Dans le cas de Déveine, il est projeté sur un autre. Puisqu'elle n'arrivait pas à prendre de décisions seule, cette autre personne pouvait par l'hypnose et à distance la **forcer** à agir, qu'elle le veuille ou non.

Mais cet autre individu n'a aucun pouvoir que Déveine ne possède déjà. (*Pause*) Déveine croit profondément au bien et au mal. Se pensant asservie aux forces du mal, elle se mit à prier. Comme Ruburt l'a souligné, les prières en elles-mêmes étaient une capitulation face au pouvoir du mal.

Ses prières ne s'appuyaient pas sur la croyance dans le pouvoir du bien, mais seulement sur un espoir superstitieux que si les forces du mal existent, les forces du bien existent aussi.

Ruburt expliqua que les communications automatiques n'étaient que des éléments réprimés du subconscient qui avaient besoin de sortir. Il suggéra à Déveine de se trouver un travail, d'arrêter de courir les médiums et de prendre ses propres responsabilités. Déveine croyait que les autres se comportaient d'une manière bizarre à son égard parce qu'ils avaient été hypnotisés. Si quelqu'un la regardait de travers, cela venait d'une suggestion hypnotique. Tout cela peut vous sembler étrange, cela ne concerne que les autres direz-vous; pourtant, **chaque fois** que vous attribuez à certaines de vos expériences des raisons extérieures, vous faites exactement la même chose que Déveine.

Elle pensait que certains rites ou aliments particuliers chasseraient cette suggestion maléfique. De la même façon, nombre d'entre vous prennent des vitamines, persuadés de pouvoir échapper ainsi à certaines maladies. Déveine, selon son système de croyances, agissait rationnellement et, selon votre système de croyances, vous faites de même.

Vous êtes convaincu de la **réalité** de la maladie. Ce ne sera peut-être pas une «extériorisation» aussi pernicieuse que pour Déveine qui croyait que le mal la poursuivait, mais les problèmes sont identiques.

(*22 h 29*) Si vous croyez attraper un rhume chaque fois que vous êtes dans un courant d'air, vous utilisez l'hypnose naturelle. Si vous pensez que les autres peuvent décider de vos allées et venues, vous êtes comme Déveine qui se croit obligée d'obéir à l'«hypnotiseur». Ainsi, Déveine n'a pas d'initiative et refuse toute responsabilité de ses actes; après tout, n'est-elle pas forcée d'agir en fonction des autres? Ruburt mentionna autre chose aussi. Déveine a demandé de me consulter mais Ruburt lui a répondu avec justesse: «Vous devez apprendre à ne plus dépendre des autres, mais à avoir recours à votre bon sens. Vous devez cesser d'utiliser un symbole et de le comparer avec un autre; occupez-vous de votre propre vie et de vos croyances.»

Vous pouvez transposer vos difficultés d'un champ d'activité à un autre ou renoncer à exercer vos talents, mais tant que vous ne prendrez pas conscience que **vous formez** votre réalité et que votre pouvoir est dans le présent, vous ne parviendrez pas à résoudre vos problèmes ni à bien utiliser vos forces.

Vous pouvez faire une pause.

(*De 22 h 36 à 22 h 49*) Reprenons maintenant. Déveine a soigneusement choisi le territoire où ses aventures devaient prendre place. Quand ses enfants eurent grandi, elle s'est sentie seule, inutile, en manque de cette raison vitale qui la mobilisait au sein de sa famille. Ainsi, toute son énergie qui allait auparavant à ses enfants n'avait plus d'exutoire.

À présent, sa vie, bien que difficile, trouve sa propre stimulation. Elle est devenue l'héroïne engagée d'un combat cosmique entre les forces du bien et du mal; elle se voit assez importante pour que quelqu'un veuille même la dominer. Les animaux eux-mêmes recherchent les stimuli et ont ce goût de vivre; ainsi, d'une manière insensée peut-être, Déveine exprime-t-elle un besoin essentiel de son être.

Ruburt lui a suggéré un conseiller; mais tant que Déveine n'adoptera pas des croyances qui lui permettront de déployer ses propres capacités, elle sera en difficulté.

Pourtant, Déveine est en excellente santé et elle est très séduisante. Elle n'a pas choisi une situation où sa santé ou sa beauté serait mise en péril. Elle n'a pas non plus de relations sexuelles en dehors du mariage. Elle a choisi l'univers psychique qui revêtait pour elle toutes sortes de mystères et qui sortait de l'ordinaire. Toutes les difficultés qu'elle allait rencontrer auraient leur charme et leur touche de distinction. Rassurée par d'autres qui partageaient ses croyances, elle s'y ancra profondément.

(*22 h 59. Seth développe maintenant une partie de la matière que Jane reçut dans son sommeil la nuit suivant la dernière session. Voir les commentaires de Jane à la fin de la session 660 du présent ouvrage.*)

Chacun possède son «territoire psychique de pouvoir». C'est une sphère inviolée que la personne garde jalousement; elle y est consciente de ses capacités et de son caractère unique. Cette région psychique sera protégée sur tous les fronts et ici on peut vraiment parler d'immunité contre toute maladie ou tout manque. D'autres parties de la psyché peuvent servir de champ de bataille, mais l'individu ne se sentira pas vraiment menacé aussi longtemps que ce territoire privilégié restera intact.

Pour exprimer tout son désespoir, Déveine a donc choisi son champ conflictuel. Elle évitera tout ce qui peut la défigurer ou tout problème sérieux de santé, ce qui pour elle représenterait un danger beaucoup plus grave. En raison de ses caractéristiques particulières, une autre personne gardera intactes ses facultés intellectuelles, mais acceptera des défis sur le plan de la santé physique. Une autre choisira la **pauvreté** la plus extrême, projetant dans cette situation les conflits à résoudre. Une autre encore peut choisir l'alcoolisme.

Si un psychanalyste ou un ami essaie de renverser ces situations de conflits, un sentiment de panique peut surgir. Par exemple, l'alcoolique connaît bien son champ de bataille. Un malade, soudain rétabli, doit faire face à des dilemmes masqués auparavant par la maladie.

Privée de l'aide du milieu qu'elle avait adopté, Déveine aura à faire face aux questions qu'elle y avait projetées. Toutes les difficultés intérieures peuvent être résolues en comprenant que vous formez votre réalité et que votre point de pouvoir est dans le présent (*avec intensité*).

(*23 h 09*) L'habitude à ne pas faire face aux problèmes, aux **véritables** défis, peut créer une dépendance. Un sentiment d'impuissance dans une sphère peut être transféré vers d'autres domaines. Si cela arrive par le biais de l'hypnose naturelle, même le territoire psychique de pouvoir peut alors être pris d'assaut. Dans ce cas, l'individu est complètement secoué et menacé. Il se rend peut-être compte, pour la première fois, de la nature de la croyance et de la précarité de sa situation. Une lutte créative entre la vie et la mort s'engage alors. Des guérisons ou des changements miraculeux peuvent se produire autour de la quarantaine.

Tout cela est intimement lié à votre structure biologique qui s'en remet à votre interprétation consciente de la réalité. Accordons-nous un moment...

(Reprise à 23 h 14. Jane est restée tranquillement assise et silencieuse pendant plus d'une minute.)

Comme je l'ai déjà dit, vos pensées sont la réalité. Elles agissent directement sur votre corps. Vous pensez être très civilisé en plaçant vos malades dans des hôpitaux où ils peuvent être traités. Ce que vous faites, bien sûr, c'est isoler un groupe de personnes remplies de croyances négatives à propos de la maladie. Les croyances sont contagieuses. Manifestement, les patients sont dans des hôpitaux **parce qu'ils sont malades**. Malades et médecins travaillent sur ce principe. *(Voir la session 659 du chapitre précédent; il contient d'autres données sur cette matière.)*

(Très intense pour tout ce qui suit.) **On impose le même environnement à la femme qui met un enfant au monde.** Cela peut vous paraître plein d'humanité, pourtant votre système laisse croire que l'accouchement est bien plus le résultat de la maladie que de la bonne santé.

Les stimuli propices à la santé sont bloqués efficacement dans de telles organisations. Les malades sont regroupés, privés de toutes les conditions normales et des incitatifs naturels qui, **seuls**, suffiraient parfois à **rétablir la santé** si on leur en donnait le temps.

Cet isolement, jumelé à la prescription de médicaments, serait déjà assez pénalisant sans la froideur avec laquelle on les administre. Les proches sont admis au chevet du malade seulement à certaines heures, ainsi ceux qui souhaitent le plus ardemment son rétablissement, ceux qui l'aiment le plus et qui lui sont les plus chers, ne peuvent plus exercer une influence constructive et naturelle.

(23 h 23) Finalement, les malades se retrouvent emprisonnés. Il sont alors forcés de se concentrer sur leur état. Tout cela entre en jeu, sans parler des autres effets dégradants, comme le surpeuplement, le non-respect de l'intimité et souvent la négation de la dignité.

L'individu est placé dans une position d'impuissance, à la merci des médecins et des infirmières qui n'ont souvent pas le temps ou l'énergie d'établir un rapport personnel ou de lui expliquer sa condition. Le patient se trouve alors forcé d'abdiquer son pouvoir, ce qui augmente ses souffrances et renforce le sentiment d'impuissance, cause première du délabrement de son état de santé.

De plus, les éléments naturels comme le soleil, l'air et la terre lui sont refusés. Il perd le sens de la continuité. Cependant, compte tenu de votre système de croyances, dans les situations graves, il vous faut vraiment aller dans les hôpitaux. Je ne nie d'ailleurs pas les efforts de nombreux médecins ou infirmières pour favoriser la santé et il s'opère certainement des guérisons; mais elles surviennent **en dépit** du système et non grâce à lui. Dans plusieurs cas, la **confiance** du médecin en la capacité du malade ranime et ravive chez ce dernier sa croyance en lui-même. La foi du patient en **son médecin** renforce tout procédé médical et il peut **alors** espérer la guérison. S'il y a des processus naturels de guérison chez les animaux, il en existe aussi chez les humains.

(*23 h 32*) Les maladies représentent généralement des problèmes que vous avez cherché à éviter et ces défis sont voulus pour votre plus grand accomplissement et enrichissement. Puisque le corps et l'esprit travaillent en harmonie, l'un cherchera à guérir l'autre et y arrivera souvent sans intervention extérieure. L'organisme a ses propres croyances en la santé qui demeurent inconscientes pour vous.

Vous faites partie de votre environnement. Vous le créez. Néanmoins, l'énergie qui **vous** forme, ainsi que votre environnement, prend vie en vous au contact du monde physique. Le soleil vous fait sourire. Le sourire en soi établit des circuits neurologiques, déclenche des activités hormonales et ravive de joyeux souvenirs. Il vous rappelle votre état naturel.

Les vieux sorciers œuvraient avec la nature, **utilisant** ses pouvoirs pratiques et symboliques de guérison de manière constructive.

(*Pause*) Cependant, dans vos hôpitaux, vous retirez vos patients de leur contexte et vous leur refusez souvent le réconfort naturel. Le monde des émotions est à peine effleuré. (*Une longue pause*) Les personnes séniles, dans leurs efforts pour échapper à l'isolement des hôpitaux, **démontrent** souvent une plus grande santé mentale que la famille ou la société qui les ont emprisonnées dans ces endroits morbides. Elles ont intuitivement besoin d'être libres et elles souffrent de ce manque de communion mystique avec la terre qui leur a été enlevée. (*Voir la session 650, chapitre 13.*)

De petits hôpitaux, situés sur des terrains spacieux permettant la liberté de mouvements à tous les patients, sauf aux grands malades, surpasseraient de beaucoup ce que vous avez actuellement. Mais dans le système que vous avez institué, cet environnement n'est possible que pour les mieux nantis.

Voulez-vous faire une pause?

(*«Oui, je pense bien...»*)

(*23 h 44. Cette pause me convenait tout à fait, j'avais besoin de me reposer. Jane constata durant la dictée que Seth développait certaines des idées qui lui étaient venues et que nous décrivions à la fin de la session précédente. Ce fut un de ces états dissociés intenses, où son énergie et la matière semblaient inépuisables. Son débit était générale- ment plus rapide et animé que d'habitude.*)

(*Je lui ai lu quelques passages. Nous avions plusieurs questions mais nous avons décidé de ne pas interrompre le cours de la session. Reprise à 23 h 55.*)

Chez de nombreuses espèces animales, l'individu malade s'isole lui-même pour prendre du repos; il est libre alors de chercher les conditions les plus propices à sa guérison. Il se déplace pour trouver certaines herbes ou se couche dans la boue ou l'argile au bord d'une rivière. Il est souvent aidé par les autres membres de son troupeau, mais il est libre.

S'il est **tué** par ses frères, ce qui peut se produire, ce n'est pas un acte de cruauté mais de compréhension envers la créature agonisante; c'est une euthanasie naturelle où le «patient» **donne son accord.**

Dans votre société, une telle mort naturelle est des plus difficiles à promouvoir, compte tenu de votre structure de pouvoir. La médecine ne peut sauver quelqu'un qui a décidé de mourir. Au plus profond de soi, l'individu comprend devoir quitter son corps à un moment ou à un autre, malgré un désir naturel de survie. Quand cet instant arrive, la personne le sait, et l'esprit vigoureux ne veut plus être emprisonné dans un corps souffrant.

La profession médicale a cherché à développer une technologie d'avant-garde qui force le «soi» à rester uni au corps, alors qu'il est temps pour l'esprit et la chair de se séparer. Il y a des mécanismes naturels qui s'enclenchent et qui préparent le «soi» à la mort, de même que des réactions chimiques qui facilitent le passage; ce sont des forces d'accélération qui propulsent normalement l'individu hors de son corps. Les drogues ne peuvent que nuire à ce phénomène.

Certains médicaments peuvent vraiment aider, mais ceux prescrits dans vos hôpitaux enlèvent à la conscience sa propre compréhension et entravent les mécanismes du corps qui favoriseraient une transition en douceur. Bien sûr, vous faites la même chose dans vos prisons, en isolant des groupes de gens qui ont les mêmes croyances; en les privant ainsi de tous stimuli naturels, il se produit alors une plus grande propagation de croyances semblables. Vous les séparez de ceux qu'ils aiment et de toutes les conditions nécessaires à leur croissance et à leur développement.

Voilà la fin de la session. Dis à Ruburt de continuer à travailler avec le livre comme il l'a fait jusqu'à maintenant en classe. Mes meilleurs sentiments à vous deux, et passez une merveilleuse nuit.

(*«Merci beaucoup, Seth. Bonne nuit.»* 00 h 07.)

Session 662 – Le mercredi 9 mai 1973, à 21 h 40

Bonsoir.

(*«Bonsoir, Seth.»*)

La plupart des criminels, prisonniers ou non, se sentent impuissants et en éprouvent de la rancœur. Pour cette raison, ils cherchent à se convaincre de leur force par des actes antisociaux, souvent violents.

Ils veulent être forts tout en croyant à leur faiblesse personnelle. Ils ont été conditionnés et ils se sont convaincus qu'il fallait se battre pour obtenir quelque chose. L'agressivité devient un moyen de survie. Puisqu'ils croient tant en la puissance des autres proportionnellement à leur propre fragilité, ils se sentent obligés d'agir agressivement en **prévention** contre une plus grande violence qui leur sera faite.

Ils se sentent seuls, isolés, repoussés et remplis d'une rage qu'ils expriment plus souvent qu'autrement à travers toute une série de crimes mineurs ou majeurs. La simple expression de l'agressivité, sans la compréhension, n'est donc d'aucune aide.

Dans le cas des criminels et de leur système de croyances, l'agressivité a une valeur positive. Elle devient une condition de survie. Certains autres aspects de la réalité, qui pourraient justifier la non-agressivité, sont minimisés et **peuvent même leur paraître** dangereux. Ils croient...

(*21 h 52. Le téléphone sonna.*)

Faites ce que vous voulez.

(*Je pris l'appel tandis que Jane sortait de transe. L'appel était pour elle, c'était une amie qui vit à New York. Comme il s'agissait de questions professionnelles, leur conversation dura jusqu'à 22 h 47. Nous n'avons pas repris la session. C'est donc l'une des plus courtes, bien que [sans vérifier] je me souvienne d'une plus brève encore qui eut lieu spontanément un jour de Noël, il y a plusieurs années.)*

(C'est le bon moment pour décrire la dernière «expérience psyché-délique» de Jane, en état modifié de conscience. Il était environ minuit et demi, le vendredi 11 mai 1973. Cet événement se déroula à la sortie d'un de nos clubs de danse préférés, à quelques rues de notre appar-tement, en descendant Water Street.)

(Aussitôt la porte franchie, Jane se mit à parler de la beauté céleste de cette nuit chaude. Nous marchions vers notre voiture. Une pluie fine venait de cesser, tout semblait propre et luisant; il me fallut donc quelques minutes pour saisir que ses perceptions allaient bien au-delà de cette apparente fraîcheur. Elle s'arrêtait par intervalles, s'excla-mant sur tout ce qui nous entourait et qui pourtant nous était familier: la circulation des automobiles, les réverbères et les enseignes au néon, les bâtiments et la rivière Chemung coulant doucement le long du quai, derrière le centre commercial que nous venions de quitter.)

(«Je fus soudain saisie d'une vive joie, écrivit Jane le matin suivant. Les couleurs de la nuit me laissaient tout ébahie; elles étaient si bril-lantes, flamboyantes et splendides. C'était la première fois que je vivais une telle expérience, dehors en marchant. Je trouvais que mon corps se déplaçait plus vite, plus facilement et plus librement. Cela ne dura qu'un instant. Ce fut un tel état d'allégresse qu'il me fallut un certain temps, de retour à la maison, avant de m'endormir. Par la suite, je regrettai de ne pas avoir demandé à Rob de faire un tour; ce qui m'aurait permis de prolonger cet état, mais ni l'un ni l'autre nous n'y avons pensé à ce moment-là...»)

(Au sujet des expériences de Jane, en états modifiés de conscience, voir la session 645, chapitre 11, et la session 653, chapitre 13 du présent ouvrage.)

Session 663 – Le lundi 14 mai 1973, à 21 h 09

Bonsoir.

(«Bonsoir, Seth.»)

(Pause) Je dégage les boucles du visage de Ruburt...

(Jane-Seth poussa ses cheveux derrière ses oreilles. Ils tombaient sur son visage chaque fois qu'elle baissait la tête.)

Poursuivons. Vous isolez le criminel dans un environnement où toutes les compensations lui sont refusées. L'organisation entière d'une prison – avec ses barreaux – rappelle toujours au prisonnier sa faute et renforce sa difficulté initiale.

On lui refuse la vie normale d'un chez-soi; le problème en cause fait l'objet de toute sa concentration et tous les autres stimuli sont volontairement maintenus au minimum. À leur manière, les directeurs et les gardiens souscrivent aux mêmes systèmes de croyances que les prisonniers; le rapport de force est accentué des deux côtés et chacun considère l'autre comme un ennemi.

Les gardiens sont certains que les détenus sont les ratés de la société et qu'ils doivent être surveillés de près. Les prisonniers ainsi que les gardiens acceptent le concept d'agressivité et de violence comme moyen de survie. L'énergie des prisonniers est perdue dans l'ennui et les besognes insignifiantes, même si bon nombre d'institutions ont fait un effort pour fournir une formation aux détenus.

Prisonniers et geôliers sont convaincus que la plupart des criminels retourneront en prison plusieurs fois au cours de leur vie. Les détenus projettent leurs problèmes personnels sur la société. La société leur rend la pareille. De la même manière, les gens considèrent souvent certains de leurs traits personnels comme mauvais et essaient de les garder à distance. Cela concerne souvent le pouvoir, ou le manque de pouvoir, et les attitudes prises à son égard.

Souvenez-vous d'Auguste, dont nous avons parlé (*voir le chapitre 6 et la session 633, chapitre 8, tome I*). Auguste se sentait **impuissant** et, pour lui, pouvoir signifiait agressivité et violence; il se dissocia donc de cette partie de lui et la projeta dans un «second moi». Et ce n'est que par ce «second moi» qu'il pouvait se montrer fort. Liant dans son esprit «agressivité» et «pouvoir», la force d'agir se traduisait automatiquement par la capacité à être agressif. Et agressivité voulait dire violence.

(*21 h 24*) C'était alors la transposition du problème mais d'une manière bien particulière. Le besoin d'agir et de dominer la situation est primordial chez les êtres conscients. Auguste se créa donc un lieu de pouvoir d'où il **pourrait dominer**, au moins pour un certain temps. Il devait se prétendre amnésique pour se cacher à lui-même ce mécanisme. Tant que pouvoir et violence sont liés, vous sentez le besoin de maîtriser votre agressivité naturelle; et, en considérant le pouvoir comme violent, vous aurez une certaine peur d'agir. Pour vous, bonté et faiblesse deviendront synonymes et vous confondrez le pouvoir et le mal. Ne voulant pas faire face à ce «mal» en vous-même, vous l'expulserez en le transférant dans une autre sphère.

Comme société, vous le projetterez sur les criminels; comme nation, sur un pays voisin. L'individu pourra attribuer ce pouvoir à un employeur, à un syndicat ou à n'importe quel segment de la société. Quel que soit votre choix, vous vous sentirez relativement impuissant en comparaison de la force que vous avez projetée à l'extérieur. Vous voyez, chaque fois que vous êtes en position de faiblesse vis-à-vis d'une personne ou d'une condition qui vous effraie, vous vous retrouvez face au pouvoir que vous vous êtes refusé.

(21 h 33. De nouveau, Seth développait la matière écrite par Jane aux petites heures du matin du 3 mai; matière qu'elle avait reçue dans son sommeil. Voir les notes de Jane à la fin de la session 660 du présent chapitre.)

Fondamentalement, pouvoir ne veut pas dire supériorité **sur** quelqu'un ou quelque chose. Par exemple, on peut parler de la **force de l'amour** et de la **capacité à aimer.** Les deux comportent une grande vitalité et une poussée agressive qui n'a rien à voir avec la violence. De nombreuses personnes ressentent des malaises physiques ou traversent des situations désagréables parce qu'elles ont peur d'utiliser leur propre **pouvoir d'action.** Elles associent pouvoir et agressivité à violence. *(Voir la session 634, chapitre 8, tome I.)*

Ces sentiments entraînent de fausses culpabilités. *(Avec force et gestes)* Celui qui parle le plus fort en faveur de la peine de mort croit **devoir lui-même** être condamné, afin de payer pour la grande agressivité (violence) qu'il ressent, mais qu'il n'ose exprimer.

Le criminel ou l'assassin est exécuté pour le «mal» en chacun des membres de son milieu; il se produit alors un transfert «magique».

(Pause) L'amour possède tous les éléments de l'agressivité naturelle et il **est puissant;** cependant, vous avez créé une telle opposition entre le bien et le mal que l'amour vous semble une faiblesse et la violence une force. Cela se reflète à plusieurs niveaux de votre activité. Par exemple, le «démon» représente l'esprit du mal. *(Avec intensité)* La haine est perçue comme beaucoup plus **efficace** que l'amour. Dans votre société, le mâle personnifie l'agressivité avec toutes les attitudes antisociales que cela peut représenter, mais sans pouvoir généralement l'exprimer. L'esprit criminel joue ce rôle pour lui, d'où cette ambiguïté d'une société où les brigands font souvent figure de héros.

Le détective et le criminel sont des versions d'un même masque. Avec cette mentalité, la ségrégation s'ensuit: les malades impuissants sont isolés; les criminels regroupés; les personnes âgées tenues à l'écart dans des institutions ou dans des ghettos. Tout cela est lié au transfert de problèmes personnels et au renforcement de vos croyances.

(*Une longue pause à 21 h 46*) L'élément criminel représente justement cette agressivité individuelle crainte et non assumée. Ces peurs sont taboues sur le plan individuel et ceux qui les expriment socialement sont emprisonnés. La détention des hommes violents amène souvent la révolte; par ailleurs, la rétention de l'agressivité individuelle entraîne une effervescence psychologique et des malaises physiques.

Dans tous les cas, peu d'efforts sont faits pour comprendre la nature des problèmes. La ségrégation sociale ne fait qu'augmenter la pression et maintenir la situation de ceux qui partagent les mêmes croyances.

Sans le savoir, les malades abandonnent aux médecins leur pouvoir de guérison. Les médecins acceptent ce mandat puisqu'ils partagent le même système de croyances; le corps médical a donc autant besoin des patients que les malades des hôpitaux. Votre société ne comprenant pas la nature de la véritable agressivité la considère comme violente. Les prisons et les agents de l'ordre ont besoin des criminels autant que les criminels ont besoin d'eux, puisqu'ils sont solidaires d'un même système. Chacun accepte la violence comme mode de comportement et de survie. (*Pause*) Si vous ne comprenez pas que vous créez votre propre réalité, vous attribuerez tous les bons résultats à une divinité et vous devrez recourir au démon pour expliquer tout ce que vous rejetez. Les églises de la société occidentale ont autant besoin d'un démon que d'un dieu. L'agressivité naturelle n'est que le pouvoir d'agir.

Vous pouvez faire une pause.

(*De 22 h à 22 h 21*) Votre attitude face à ces questions vous en dira beaucoup sur vous-même et influencera votre réalité personnelle.

Si pour vous «capacité» signifie «jeunesse», vous isolerez les gens âgés, transférant sur eux votre propre sentiment désavoué d'**impuissance**; ils sembleront une menace à votre bien-être. Si vous associez le pouvoir à la violence, vous punirez les criminels avec rancœur, puisque pour vous la vie est **une lutte de pouvoir**. Vous vous concentrerez sur les actes de violence de votre entourage, ce qui peut engendrer des situations où vous aurez vous-même à affronter la violence; renforçant ainsi vos propres convictions.

(*Pause*) Si vous acceptez à la base que le mal est plus puissant que le bien, en raison même de cette idée, vos actes de bonté ne rapporteront que des fruits médiocres, car vous **leur accordez** peu de pouvoir.

Un grand nombre de croyances secondaires viennent s'accrocher à une telle conviction. Elles vous portent toutes à nier vos propres capacités et, par conséquent, à les attribuer à d'autres.

Par exemple, si pour vous la connaissance est «mauvaise», alors, conformément à cette croyance, tous vos efforts pour apprendre seront futiles ou vous laisseront très mal à l'aise. Vous ne vous fierez à aucune connaissance apprise facilement, car vous penserez devoir peiner et **payer** pour accéder à la sagesse. Les interprétations fondamentalistes[1] de la *Bible* entraînent souvent de telles conclusions. La recherche de la connaissance elle-même, une fonction pourtant bien naturelle, devient ainsi une activité taboue.

Vous devez alors accorder la sagesse à d'autres et la nier pour vous-même, pour ne pas être confondu dans vos propres valeurs.

(*Une longue pause à 22 h 36*) À travers les âges, les moines, les prêtres et les institutions religieuses ont été isolés du reste de l'humanité. Ils ont été tour à tour honorés et craints, aimés et haïs. Leur connaissance a été enviée mais entourée d'une superstition respectueuse mêlée de crainte.

Les vaudous, les guérisseurs, les sorciers et les prêtres sont tous honorés mais engendrent aussi une certaine terreur en raison de leur pouvoir et de leurs connaissances. Beaucoup de personnes pensent que celui qui guérit ou celui qui jette des sorts a le pouvoir de la connaissance. Pour ceux qui adhèrent avec ferveur aux idées fondamentalistes, le pouvoir religieux est une chose effrayante. L'agressivité normale est perçue comme malfaisante et réprimée profondément en «soi»; par ailleurs, on la voit partout à l'extérieur.

(*Pause*) Certains individus compartimentent leur vie, ils se sentent libres d'agir dans certains domaines mais menacés dans d'autres. Par exemple, si vous croyez que c'est mal d'être riche vous vous refuserez automatiquement toutes les capacités susceptibles de vous enrichir. Des talents jugés bons en eux-mêmes peuvent être inhibés simplement parce que leur exercice pourrait amener un succès financier.

(*22 h 46*) Vos croyances sont donc de la plus haute importance lorsque vous utilisez votre pouvoir d'action.

---

1. Interprétations strictes et littérales (*Note du traducteur*)

Le fait d'utiliser votre propre énergie vous rapproche de la source de votre pouvoir. La guérison comporte une poussée agressive de croissance et une grande concentration de la vitalité. Plus vous vous sentez impuissant, moins vous êtes **capable** d'utiliser vos propres facultés de guérison. Vous êtes alors forcé de les projeter hors de vous, sur un médecin, un guérisseur ou n'importe quel organisme. Si votre **croyance** concernant le médecin se «confirme», que vos malaises disparaissent et que vous êtes physiquement soulagé, votre croyance en vous-même peut par contre s'en trouver diminuée. Si vous ne faites pas suffisamment d'efforts pour faire face à vos problèmes, les symptômes réapparaîtront sous une nouvelle forme et vous aurez recours aux mêmes procédés. Peut-être perdrez-vous confiance en votre médecin tout en restant confiant dans le corps médical et courrez-vous d'un médecin à l'autre. Cependant, votre corps possède sa propre intégrité et la maladie n'est souvent qu'un signe naturel de déséquilibre, un message physique auquel vous devez être attentif afin de faire les modifications nécessaires.

Quand ses interventions viennent toujours de l'extérieur, la cohérence naturelle du corps est menacée et sa relation intime avec l'esprit est brouillée. Bien plus, ses pouvoirs de guérison s'**émoussent**. Les réactions, engendrées normalement par des stimuli intérieurs, sont activées artificiellement de l'«extérieur».

La confiance de l'individu se transfère graduellement sur quelqu'un d'autre; c'est signe que l'on n'accorde pas le temps voulu au dialogue intérieur et au questionnement de soi. La guérison qui aurait alors pu se produire naturellement est amenée par la croyance en autrui. Toutefois, cela ne fait qu'un temps.

(22 h 59) Je parle ici essentiellement de la culture occidentale. Dans certaines autres civilisations passées, selon votre point de vue, les sorciers œuvraient dans un cadre naturel accepté de tous. Le sorcier, même s'il utilisait les forces de la nature **pour** son patient apparemment impuissant, retournait celui-ci à sa source et ravivait en lui le sentiment enseveli de son propre pouvoir. Le sens du pouvoir et la capacité d'action, **voilà** la source de la vie physique. Dès qu'un homme se sent dépourvu de toute capacité, c'est la mort.

Encore une fois, votre point de pouvoir est dans le présent, lorsque votre «moi» non physique se joint à la réalité corporelle. Seule l'acceptation de ce fait peut redonner de la vigueur à votre vie.

Vous pouvez faire une pause ou achever la session, que préférez-vous?

(*«Nous allons plutôt faire une pause.»*)

(*De 23 h 05 à 23 h 19*) Selon votre perspective, votre espèce est en évolution. Dans cette expérience, vous êtes naturellement fasciné par les événements extérieurs. Vous êtes en train de développer des propriétés de la conscience qui vous sont vraiment uniques, comme l'est votre environnement. Cet exercice exige une grande concentration de votre part, puisque vous êtes engagé dans un processus d'apprentissage où tous les aspects d'une situation doivent être explorés.

Toutefois, tout au long de cette entreprise, dans vos états de rêve, vous êtes relié à ces réalités d'où émerge votre expérience physique. Avec le temps, vous arriverez à faire concorder votre «moi» physique avec votre compréhension intérieure et à former votre monde d'une manière consciente. Les écrits tels que les miens ont précisément pour but de vous aider dans ce sens.

Plus vous poussez la complexité physique, plus vous y projetez d'énergie et plus vous êtes envoûté par les manifestations «extérieures». En soi, c'était et cela demeure un moyen naturel d'apprentissage. Votre vie intérieure se trouve transposée dans la réalité corporelle. Quand vous saisissez cela et que **vous y souscrivez**, vous cherchez d'abord la provenance de ces manifestations, puis leur signification.

(*Pause*) Cela vous amène à vous recentrer sur vous-même et à reconnaître vos capacités. Ce que vous créez maintenant inconsciemment, votre espèce le **créera** consciemment. Les capacités infinies de la conscience s'individualisent et se concentrent dans une réalité particulière où elle s'épanouit. Vos créations temporelles enrichissent les **talents déployés** à leur réalisation. Vous apprenez tout en créant. L'esprit physiquement orienté utilise les plus grandes sources du pouvoir et de l'énergie, sans limite à sa créativité; ainsi chaque journée **est absolument unique**. Vous ne pouvez prétendre stopper l'évolution de la moindre parcelle de votre environnement et votre condition physique est constamment en état de fluctuation et de changement.

(*23 h 35*) Votre société, de la plus grande métropole à la plus petite ferme, du quartier le plus riche au ghetto le plus pauvre, du monastère à la prison, reflète la situation intérieure du «soi» individuel et les croyances de chacun.

Si vous faites l'exercice du «point de pouvoir» (*tel que nous l'avons décrit à la session 657, chapitre 15 du présent ouvrage*), vous sentirez l'énergie non physique agir avec puissance en son point de rencontre avec votre réalité personnelle. Vous pourrez alors utiliser consciemment ce pouvoir pour modifier votre expérience personnelle et aussi, du moins partiellement, le cadre social dans lequel vous vivez. Ces exercices favorisent l'évolution de votre conscience et vous serviront aussi selon des modes que vous ne soupçonnez même pas. En reconnaissant votre propre pouvoir, toute votre expérience en bénéficiera; vos rêves en seront stimulés et vos états de veille en tireront un élan supplémentaire. Vous n'aurez désormais plus besoin de renoncer à votre pouvoir pour autrui. Tous les exercices proposés jusqu'ici sont des préalables; ils sont indispensables pour que vous **compreniez bien** comment utiliser votre point de pouvoir. Reconnaître vos sentiments intimes et analyser vos croyances élargiront votre compréhension personnelle.

(*23 h 44*) Si vous haïssez un parent, par exemple, vous ne pouvez pas utiliser le point de pouvoir pour vous faire croire que vous l'aimez. Les exercices antérieurs vous aideront par ailleurs à comprendre les raisons de votre haine. Vous ne pouvez pas vous servir du point de pouvoir pour étendre votre emprise sur quelqu'un d'autre, car vos propres croyances vous piégeront *ipso facto*. De toute façon, vous devez être **conscient** de votre propre pouvoir et croire en être digne.

Plusieurs chapitres de ce livre ont été précisément écrits pour vous convaincre de votre valeur. On vous exhorte à vivre vos sentiments et non à les renier; vous n'allez donc pas utiliser le point de pouvoir pour tenter de refuser à certains moments la réalité de vos émotions.

Dès que vous comprendrez ce qu'est l'hypnose naturelle, vous ne sentirez plus le besoin d'**entretenir** des sentiments négatifs. Toutes vos inhibitions disparaîtront. Plus vous aurez confiance en vous, plus vous exprimerez vos sentiments avec aisance. Leur refoulement n'entraînera plus de réactions explosives. Ils viendront et disparaîtront. Le canal du pouvoir sera ouvert avec plus de netteté. L'attention que vous portez à votre propre trait de conscience est de la plus haute importance. **Cette application à elle seule** vous aidera à voir dans quels domaines vous niez vos impulsions et où vous prenez des directions qui vous mènent à l'impuissance.

L'exercice du point de pouvoir a pour but de vous familiariser avec votre énergie et avec votre capacité à la manier. Les exercices d'hypnose naturelle (*voir le chapitre précédent*) vous permettent de mieux diriger et concentrer ce pouvoir.

Vous devez partir du point de votre propre réalité. Il n'y a pas d'autre voie. Si vous êtes en colère, ne vous dites pas «je suis parfaitement en paix», en espérant des résultats. Vous ne feriez qu'étouffer vos sentiments et **inhiber** votre énergie et votre pouvoir. Si vous êtes furieux, frappez un oreiller et vivez votre colère, mais sans violence sur quelqu'un d'autre. Faites-le et refaites-le jusqu'à ce que vous soyez à bout de force. Si vous le faites honnêtement, les raisons de votre colère vous apparaîtront et deviendront souvent très claires. Vous ne vouliez tout simplement pas les voir.

Dans presque tous les cas où vous attribuez de la force à une situation ou à une autre personne et où, par contraste, vos efforts vous semblent vains, vos émotions vous révéleront un sentiment d'impuissance. **Faites alors l'exercice** du «point de pouvoir» et ressentez l'énergie de votre être pénétrer votre vie. La connaissance de votre propre pouvoir vous libère de toute peur et donc de toute animosité.

(*Plus fort*) Fin de la session.

(*«D'accord.»*)

(*Avec chaleur*) Une très bonne nuit à vous deux, dans votre point de pouvoir et dans le nôtre.

(*«Merci, Seth. Bonne nuit.»*)

(*23 h 59. La transe de Jane fut profonde pendant toute la session, son débit puissant, stable et concentré.*)

(*Elle m'a annoncé que Seth en arriverait bientôt aux effets de nos croyances sur l'environnement; qu'il expliquerait comment notre climat social[1] est responsable du «temps extérieur». Il pense prendre comme exemple la grande inondation de juin 1972, puisque nous avons été personnellement touchés dans ce désastre, ici, à Elmira. [Voir les notes de la session 613, chapitre 1, tome I.] Seth soulignerait qu'en tant qu'espèce on nous apprend à vivre en marge de la nature, au point d'oublier que nous en faisons partie.*)

Session 664 – Le lundi 21 mai 1973, à 21 h 30

(*Nous n'avons pas tenu de session mercredi dernier, car Jane voulait se reposer. Ce soir, Seth consacra son premier message à Jane, puis revint au livre après la pause à 22 h 07.*)

Il y a un échange constant entre chaque individu et sa société; les classes et les caractéristiques d'une civilisation donnée sont une représentation exacte des particularités des individus, tels qu'ils se voient et tels qu'ils réagissent les uns envers les autres.

---

1. «Climat mental de race» (en anglais). (*Note du traducteur*)

Les dimensions sociales sont les répliques des dimensions intérieures de chacun. Les réalisations, les guerres, les difficultés et les institutions arrivent toutes «après l'événement»; je veux simplement dire qu'elles sont des actions extérieures déjà existantes intérieurement. Sous certaines conditions, l'eau devient glace. De la même manière, les événements intérieurs peuvent apparaître dans la réalité physique sous des **apparences** fort différentes.

En tant que créature, vous faites partie de la nature. La transformation des pensées, des sentiments et des croyances en phénomènes physiques observables est aussi naturelle que l'eau se changeant en glace, ou la chenille en papillon. Non seulement vous formez la structure de vos civilisations et de vos institutions sociales par le transfert de croyances, de pensées et de sentiments, mais dans cet échange naturel, vous participez étroitement à la «fabrication psychique» de l'environnement physique lui-même, dans son mouvement continu et dans l'équilibre des saisons.

Les sorciers peuvent faire la danse de la pluie. Ils comprennent la relation étroite entre tous les éléments de la nature. On vous a enseigné que la foi déplaçait les montagnes et pourtant nombre d'entre vous voient difficilement leur lien avec la nature. Vos croyances (si souvent contraires à vos désirs) causent des guerres. Vos sentiments représentent la réalité intérieure qui est là derrière ce que vous considérez comme des phénomènes purement naturels, tel le temps qu'il fait.

(22 h 25. Jane traite de cette matière dans ses notes du 3 mai, rapportées à la session 660; elle en fait mention également à la fin de la précédente session.)

Les inondations ou les tremblements de terre ne sont pas **causés** par certains éléments de la nature en lutte **contre** d'autres. Vos sentiments sont aussi naturels que les marées, ils ont leur propre forme d'attraction; l'esprit **agit** sur la matière. Pendant une séance de spiritisme sous contrôle, un anneau déplacé n'est que la démonstration la plus simple de la grande capacité qu'a l'esprit d'agir sur la matière. Chacun de vous participe à la création d'un orage, d'un nouveau printemps, d'une inondation ou d'un tremblement de terre et à l'arrivée d'une averse de pluie en été. La guerre est une sorte d'événement naturel causé par l'interaction de sentiments et de croyances à un certain niveau. Une catastrophe naturelle représente le même genre de phénomène, mais à un niveau différent. Votre association à ces sentiments et croyances vous placeront dans votre propre position «naturelle» lors de tels événements.

Fin du chapitre.

Chapitre 18

LES TEMPÊTES INTÉRIEURES ET EXTÉRIEURES
LA «DESTRUCTION» CRÉATRICE
LA DURÉE DU JOUR ET LA PORTÉE NATURELLE
D'UNE CONSCIENCE LIÉE À LA MATIÈRE

Session 664 (suite)

(Pause à 22 h 32) Chapitre suivant [*18*]: «Les tempêtes intérieures et extérieures. La "destruction" créatrice. La durée du jour et de la portée naturelle d'une conscience liée à la matière.»

(«Tout cela pour le titre je suppose...»)

Première phrase. Votre réalité existe au-delà de votre conscience physique, mais comme créature votre compréhension doit passer par votre système nerveux et votre vie corporelle. Il existe plusieurs types de mémoire, ce qui vous permet de tirer le bon renseignement au moment voulu. Certaines données ne seront que rarement requises au niveau conscient, mais elles doivent toujours être à la disposition des parties inconscientes du «soi». La portée et les capacités de votre conscience tournée vers la réalité physique sont liées directement à la durée du jour et de la nuit et, bien entendu, aux saisons. Matériellement parlant, une pensée engendre des interactions chimiques et les souvenirs sont **portés** par ce flux chimique régulier. Votre planète, avec la cadence précise de ses jours et de ses nuits, ne pouvait qu'accueillir une conscience appropriée. En d'autres termes, le phénomène naturel du jour et de la nuit correspond au rythme inné de votre conscience matérialisée qui n'est pas encore adaptée à des journées d'une durée supérieure. Par exemple, votre système nerveux aurait de la difficulté à tenir un rythme où la journée serait, disons, trois ou quatre fois plus longue.

(22 h 44) Les rythmes de votre corps et de votre conscience sont calqués sur ceux de votre planète. Chaque atome et chaque molécule qui compose cette planète possède sa **propre forme** de conscience et

la structure de la planète est formée de leur association consciente et coopérante.

Pendant sa formation, selon votre perspective, il y eut un échange constant entre les réalités intérieures et extérieures. Le développement de l'émotion, de la sensibilité, de la conscience de soi, des concepts et des croyances s'est fait avec l'apparition des animaux, des végétaux et des minéraux; et dans un même souffle se déployèrent les structures neurologiques complémentaires ainsi que des formations physiques bien·définies, telles les montagnes, les vallées, les mers et tout ce qui servait à les maintenir.

D'un point de vue plus global, tous ces événements se produisirent en même temps; mais pour que vous compreniez mieux, je me réfère à votre notion du temps.

Vos sentiments font autant partie de l'environnement que les arbres. Ils agissent directement sur le temps. On peut même faire un lien, par exemple, entre l'épilepsie et les tremblements de terre. Une grande énergie et un état d'**instabilité** se conjuguent alors, perturbant les propriétés physiques de la terre.

Faites une pause.

(*22 h 55. Déjà à la session 613, chapitre 1, tome I, Seth avait mentionné: «Vos sentiments ont des propriétés électromagnétiques qui perturbent l'atmosphère elle-même», mais à cette époque nous n'avions pas prêté attention à cette idée et à ses conséquences. Reprise à 22 h 06.*)

Les croyances sont des créations du «soi» conscient, comme le sont les **édifices**, à un autre niveau.

Les croyances génèrent, concentrent et dirigent les sentiments. Dans ce contexte, les émotions peuvent être comparées aux montagnes, aux lacs et aux rivières. Ce sont les idées et les croyances qui font naître les structures faites de main d'homme; ces dernières sont le résultat de la pensée consciente et d'une marée d'événements sociaux en interrelation.

(*Lentement*) Vos sentiments dépendent aussi de votre système nerveux et de sa relation avec la réalité physique. Un animal **ressent** mais **ne croit pas**. À part leur réalité subjective, vos émotions comme vos pensées possèdent des propriétés chimiques et électromagnétiques. Votre corps doit se débarrasser des excédents chimiques tout comme la terre du surplus d'eau. Il existe ce que j'appelle des éléments chimiques «fantômes», des facettes de composants chimiques normaux que vous ne percevez pas encore. Ce phénomène se produit à l'approche d'un certain seuil où ces éléments chimiques se transforment en propriétés électromagnétiques. Les énergies qui s'en dégagent à ce moment modifient l'atmosphère.

(*23 h 20*) Comme votre corps est le siège d'interactions chimiques constantes, ainsi en est-il de l'atmosphère qui, à un autre niveau, reflète toutes les propriétés psychiques, chimiques et électromagnétiques que possède le corps.

Il y a bien peu de différence entre la circulation du sang dans vos veines et les courants atmosphériques; la première semble se passer à l'intérieur et les autres pas. Ce sont des manifestations interdépendantes d'un même mouvement. Comme vous, votre planète a un corps. Votre sang, tout comme le vent, suit certaines directions. Vous êtes à ce point de vue à l'**intérieur** du corps de la terre. Comme les cellules à l'intérieur de votre corps influencent ce dernier, ainsi **votre corps** agit-il sur le plus grand corps de la planète. Le temps reflète fidèlement les sentiments de chacun des individus, partout dans le monde. Les conditions atmosphériques dans leur ensemble suivent les rythmes intérieurs profonds de l'émotion.

(*23 h 28*) Ceux qui vivent dans des régions susceptibles de causer des tremblements de terre **sont attirés** en ces endroits justement en raison de leur compréhension innée de cette étonnante relation qui existe entre les circonstances extérieures et leur propre état mental et émotionnel.

Vous pouvez trouver dans ces lieux des gens d'une grande énergie; instables et d'un tempérament «excessif», ils sont créateurs et innovateurs. Toutefois, ils ont besoin d'un puissant stimulus ou d'un choc avec laquelle ils vont se mesurer. On y remarque souvent beaucoup d'impatience face aux situations sociales et une vitalité extraordinaire. Ces individus agissent toujours sous pression et, collectivement, ils dégagent d'incroyables surplus de ces éléments chimiques «fantômes» dont il a été question.

De tels éléments non physiques et de nature émotionnelle sont instables et modifient l'intégrité électromagnétique profonde de la structure terrestre. Bien sûr, il y a des tremblements de terre dans les régions non peuplées, **mais dans tous les cas** ils sont davantage causés par des activités mentales que par des conditions extérieures. (*Pause*) Les tremblements de terre coïncident souvent avec des périodes de bouleversement social, et de ces centres d'agitation **prennent naissance** des fissures qui se propagent vers l'extérieur. Elles peuvent alors atteindre une région déserte sur un autre continent, ou une île, ou causer un raz-de-marée à l'autre bout du monde, comme un coup qui blesse une partie du corps éloignée du point d'impact.

(*Pause à 23 h 38*) Point n'est besoin d'une conscience développée pour ressentir certaines choses ou certains événements dans le «passé». D'ailleurs, les tremblements de terre correspondaient aussi aux fluctuations émotionnelles de la race, c'est-à-dire que des conditions instables de la conscience engendraient les phénomènes naturels qui à leur tour entraînaient des changements de l'état de conscience, de même que des conditions de l'espèce.

En ce qui vous concerne, la conscience est liée à la matière et toutes ses expériences passent par ce canal. Ainsi, il y a une grande concordance entre les orages physiques et les tempêtes psychiques. Il y a une interdépendance entre les propriétés électromagnétiques instables des émotions et celles de la pensée; il y a un rapport évident entre la capacité du cerveau à maîtriser ces dernières et son besoin de se débarrasser des excédents. Vous ne réagissez pas seulement aux conditions atmosphériques. **Vous y participez**, même quand vous inspirez et expirez. Le cerveau est un foyer de relations électromagnétiques que vous ne comprenez pas. D'une certaine façon, c'est un orage maîtrisé.

(*23 h 45*) Du cerveau surgissent des idées qui sont aussi naturelles que l'éclair. Quand la foudre frappe la terre, elle la change. Il y a aussi des transformations qui proviennent de l'influence de votre pensée sur l'atmosphère. Votre grande **confiance** initiale à la naissance constitue le fondement de la **fiabilité** globale de la terre. Votre corps habite la terre comme vous habitez votre corps. Vous êtes né avec une foi en l'existence qui dirige automatiquement le bon fonctionnement de votre moi incarné. Votre conscience peut ainsi s'appuyer **sur** des propriétés indispensables et stables pour agir avec efficacité et créativité. La plus petite particule possède sa propre intégrité, fondement de son organisation et de toutes ses transformations; dans le corps même de la terre, il y a donc généralement une sorte de continuité associative[1].

(*Une longue pause à 23 h 54*) Malgré cela, le changement existe toujours, car avec votre expérience du temps linéaire tout nouvel évé-

---

1. «Gestalt» en anglais.

nement doit en «déloger» un autre. Selon votre **point de vue**, une circonstance donnée «prend du temps». Il existe nombre d'événements dont vous n'êtes pas conscient mais dont vous êtes informé. Pour vous donc le changement est apparent. Ainsi votre corps se transforme-t-il.

Je vous avais dit qu'un «mal-aise» (avec un trait d'union) peut être source de créativité (*voir la session 620, chapitre 4, tome I*). Il en est de même dans le cas d'un tremblement de terre ou d'une catastrophe naturelle.

À présent, vous pouvez faire une pause ou terminez la session, comme vous le préférez.

(«*Nous allons faire une pause.*»)

(*00 h 01. Pendant la pause, nous nous imaginions ce que nous pourrions tirer d'une étude globale à l'aide d'un ordinateur – une étude qui remonterait au début de l'histoire écrite de l'humanité – pour découvrir le degré de corrélation entre les tremblements de terre et les grandes perturbations émotives et sociales à diverses époques... Reprise à 00 h 10.*)

À des niveaux autres que conscients, comme simples créatures, vous sentez l'approche des tempêtes, des inondations, des tornades, des tremblements de terre et autres.

Le corps capte de nombreux indices: les variations de pression, les fluctuations magnétiques ou encore des différences de potentiel électrique qui agissent même sur la peau. À ce niveau, le corps est souvent préparé aux catastrophes naturelles avant même qu'elles n'arrivent. Il est en alerte.

Cependant, plusieurs autres facteurs sont à considérer en ce qui concerne la réaction personnelle de chacun. Des conditions d'ordre psychologique entrent en jeu. Certains vivent dans des régions menacées par les tremblements de terre et en sont parfaitement conscients. Sans égard à ce qu'ils peuvent dire, ils ont besoin de stimuli constants et ils y prennent plaisir; l'imprévisibilité elle-même des événements **les** pousse à l'action. Il est difficile de généraliser, puisque les attitudes et le caractère de chacun diffèrent, mais il y a toujours des raisons pour qu'un **individu** prenne part à une catastrophe naturelle.

(*Pause*) Dans certains cas, l'individu a une quasi-conscience des événements à venir. Dans d'autres, la connaissance anticipée du corps se reflète dans ses rêves, ce qui peut influencer sa vie quotidienne et favoriser la fuite devant le danger. Certaines personnes changent leurs plans et quittent la ville la veille d'un désastre. D'autres restent.

Il n'y a rien d'accidentel. L'information inconsciente agit sur le conscient selon les impressions que chacun a de lui-même, de sa réalité et de la place qu'il croit occuper. Personne ne **meurt** dans une catastrophe sans l'avoir choisi. Bien qu'un individu puisse se le cacher et nier son existence, il y a toujours un indice conscient, **quel qu'il soit**. Les animaux sentent venir leur mort, l'homme n'est pas différent.

(*00 h 23*) Ceux qui veulent profiter d'une telle «prescience» pourront le faire; souvent, ils choisissent de ne pas vivre l'événement pressenti. S'ils ne se fient pas à ces avertissements et se refusent la connaissance consciente, mais continuent de croire en leur entière sécurité, ils agiront **sans trop savoir** pourquoi et s'en tireront. D'autres, pour des raisons personnelles, prendront part au désastre.

«Psychiquement», mentalement et physiquement, ils feront autant partie d'un tel événement que, disons, l'eau qui envahit une ville lors d'une inondation. Ils se serviront de cette catastrophe au même titre qu'un individu utiliserait un malaise corporel pour comprendre et évoluer, mais **ils choisiront** leur fléau comme ils choisissent leurs maux physiques. Ils seront donc conscients de ce qui les attend. Ils ne seront pas sous le coup du sort.

Peut-être n'acceptent-ils pas une telle affirmation, mais s'ils savaient s'examiner, ils découvriraient que leurs croyances les amènent précisément à ce genre de situation. (*Pause*) Quelqu'un peut utiliser une maladie très grave pour entrer en contact intime avec les forces de la vie et de la mort. Il peut créer une crise pour raviver ses instincts de survie enfouis, pour mettre en évidence ses nombreuses contradictions et mobiliser toutes ses forces.

Chacun tire donc profit, consciemment ou non, d'une catastrophe.

(*Avec beaucoup de chaleur*) Fin de la session.

(*«Merci.»*)

Je suis avec vous de tout cœur; nous allons en venir à «votre» inondation.

(*«D'accord. Bonne nuit, Seth.»*)

(*00 h 36. Ce soir, les transes de Jane ont été profondes et son débit régulier. «Seth s'est arrêté pour nous, dit-elle en mettant ses lunettes. Je sens que la matière est disponible. Je parie que je pourrais dormir une heure ou deux et reprendre la session, et je sais que nous ne nous ennuierions pas». Elle a ri quand je lui ai proposé d'essayer. «Quand je sens la matière disponible, je déteste arrêter...»)*

(En ce qui concerne l'allusion de Seth à «notre» inondation, voir les commentaires de Jane à la fin de la session précédente.)

Session 665 – Le mercredi 23 mai 1973, à 21 h 41
Bonsoir.

(«Bonsoir, Seth.»)

Voici la dictée. Encore une fois, il n'y a pas de hasard. En aucun cas, une personne qui n'est pas prête à mourir ne meurt. Ceci s'applique à la mort par la catastrophe naturelle ainsi qu'à n'importe quelle autre situation.

Votre **choix** personnel déterminera quand et comment vous allez mourir. Nous traitons ici de vos croyances telles qu'elles se présentent en cette vie, en laissant pour un chapitre à venir les croyances qui viennent d'autres vies. Quelles que soient les croyances que vous acceptiez et peu importe la raison, votre point de pouvoir est dans le présent.

Il est plus important de comprendre ceci que de vous attarder avec anxiété dans le labyrinthe des «causes du passé», car vous pouvez vous perdre avec une telle approche et oublier que ces croyances peuvent être changées dans le présent. Pour toutes sortes de raisons, vous avez des croyances que vous pouvez changer à volonté. Beaucoup de personnes meurent jeunes parce qu'elles croient fermement que la vieillesse amène une dégradation de l'esprit et brime le corps. Elles **ne veulent pas** vivre dans les conditions qu'elles croient être le lot des personnes âgées. Certains même préfèrent mourir dans des circonstances que d'autres considèrent comme des plus sinistres: balayés par les vagues dans une tempête en pleine mer, ensevelis par un tremblement de terre ou emportés par les vents lors d'un ouragan.

Une mort lente dans un hôpital, ou l'expérience de la maladie, serait impensable pour eux. C'est en partie une question de tempérament, chacun ayant ses préférences et c'est bien normal. Il y a beaucoup plus de gens que vous ne le pensez qui sont conscients de leur mort imminente. Ils le savent mais font semblant de l'ignorer. Ceux qui meurent dans des catastrophes choisissent l'expérience, telle une situation dramatique, terrorisante même, si l'occasion leur en est donnée. Ils préfèrent quitter la vie physique avec éclat, en affrontant un défi, ou au «combat», plutôt que dans une attente béate.

(*21 h 54*) Les désastres naturels offrent le spectacle envoûtant des forces non maîtrisées. Leurs caractéristiques rappellent à l'Homme l'essence même de sa psyché; à leur manière, de tels événements primaires attisent la créativité qui surgit des entrailles mêmes de la terre, remaniant ainsi le paysage et la vie des humains.

La réaction des individus démontrent ce savoir inné. Alors que l'humain craint la puissance déchaînée de la nature, il s'en **réjouit** et s'y identifie en même temps. (*Pause*) Plus l'humain devient «civilisé», plus ses structures et ses pratiques sociales le coupent de sa relation intime avec la Nature, et plus il y aura de catastrophes naturelles, parce qu'il sent, dans son for intérieur, un grand besoin d'identification avec la Nature; il va alors **lui-même provoquer** tremblements de terre, ouragans et inondations, pour pouvoir sentir à nouveau non seulement l'énergie de la nature mais aussi la sienne propre.

(*Pause*) Plus que toute autre chose, une extraordinaire rencontre avec la formidable énergie des éléments place l'humain devant la puissance incroyable d'où il émerge.

Pour beaucoup de gens, un désastre naturel sera leur première expérience personnelle de leur lien avec la planète. Dans de telles conditions, ceux qui ne se sentent d'appartenance à aucune structure, famille, ou patrie, peuvent alors comprendre dans un seul instant leur connexion avec la terre et son énergie, puis la place qu'ils y occupent; par la reconnaissance soudaine de cette relation, ils ressentent leur propre pouvoir d'action.

(*22 h 09*) À un tout autre niveau, les émeutes peuvent remplir la même fonction. Un éclatement d'énergie, peu importe la cause, amène un groupe d'individus à reconnaître intimement l'existence d'une vitalité extrêmement concentrée. Ils ne l'ont peut-être jusque-là jamais découvert dans leur vie.

Cette découverte peut les amener – et cela se produit souvent – à saisir leur propre énergie et à l'utiliser avec puissance et créativité. Une catastrophe naturelle et une émeute sont toutes deux «canalisatrices» de puissantes énergies; elles sont très positives à leur manière, **malgré** leurs connotations évidentes. Dans **vos** termes, cependant, ceux qui provoquent des émeutes ne sont pas excusables, car ils œuvrent dans un système où la violence engendre la violence. Mais, les différences individuelles jouent encore ici. Les instigateurs d'émeutes sont souvent à la recherche d'une manifestation d'énergie qu'ils ne croient pas posséder eux-mêmes. Ils allument des feux psychologiques et sont alors éblouis par les résultats, comme tout pyromane. S'ils pouvaient comprendre et ressentir leur pouvoir et leur énergie personnelle, ils n'auraient pas besoin de telles tactiques.

(*Pause à 22 h 19*) Les problèmes raciaux peuvent donc être résolus de plusieurs façons; par une émeute ou un désastre naturel, ou une combinaison des deux, selon l'intensité psychologique de la situation. Comme les malaises physiques peuvent être des appels à l'aide et à la reconnaissance, ainsi les calamités naturelles peuvent être exploitées par une fraction de la population d'un pays ou du globe pour obtenir de l'aide extérieure.

Bien entendu, certaines émeutes sont provoquées de façon très consciente. Évidemment, ce n'est pas de cette manière que des milliers ou même des millions d'individus décident de provoquer un ouragan, une inondation ou un tremblement de terre. D'abord, ils ne croient pas, à ce niveau, qu'un tel phénomène soit possible. Alors que les croyances conscientes ont un rôle à jouer dans de tels cas, il se fait au niveau inconscient un «travail intérieur» individuel comme lorsque le corps développe des symptômes physiques. Les troubles fonctionnels semblent souvent être infligés au corps, tout comme un désastre naturel semble frapper le corps de la Terre. Les maladies soudaines sont vues comme effrayantes et imprévisibles, et le malade est considéré comme victime d'un virus peut-être. Ainsi, les tornades soudaines ou les tremblements de terre sont considérés comme les effets de courants d'air, de variations de température ou de dépression atmosphérique, plutôt que provoqués par un virus. Cependant, la cause primordiale des deux phénomènes est la même.

(*22 h 27*) Les causes des «maladies de la Terre» sont aussi variées que celles des maladies corporelles. Jusqu'à un certain point, on peut dire qu'une guerre locale est une petite infection; une guerre mondiale serait alors une infection généralisée. La guerre vous apprendra enfin à vénérer la vie. Les désastres naturels vous rappelleront que vous ne pouvez pas ignorer votre planète ou votre humanité. Simultanément, de telles expériences vous mettent en contact avec les forces les plus profondes de votre être, même quand elles sont orientées vers la «destruction».

Faites une pause.

(22 h 31. Jane est sortie facilement d'une transe excellente. Son débit avait été rapide. La maison était exceptionnellement tranquille ce soir; nous pouvions entendre une pluie légère. Reprise avec un débit un peu plus lent à 22 h 56.)

Maintenant voici, les désastres naturels proviennent davantage des émotions que des croyances, même si les croyances y jouent un rôle important, puisque, de toute manière, elles engendrent les émotions. La teinte émotionnelle générale, ou le niveau de sensibilité de la masse des gens, à travers les liens qui unissent leur corps à l'environnement, prépare les conditions physiques extérieures qui libèrent une telle énergie naturelle. *(Seth décrit les «tonalités sensibles» à la session 613, chapitre 1, tome I)* Selon l'état émotionnel des masses, les différents excès s'accumulent au niveau physique, puis ils sont projetés dans l'atmosphère sous diverses formes. Les éléments chimiques fantômes *(mentionnés à la session précédente)*, de même que les propriétés électromagnétiques des émotions jouent ici un rôle. Un rocher dans un ruisseau divise le courant et l'eau circule autour de l'obstacle. Vos émotions sont tout aussi réelles que les pierres. Vos émotions collectives perturbent la circulation de l'énergie et leur force – si l'on pense aux phénomènes naturels – peut être perçue clairement lors d'un orage, qui est la **matérialisation** locale de l'état émotionnel des gens qui subissent la tempête.

Tout comme la condition physique de votre corps est maintenue, à un niveau inconscient, en concordance avec vos croyances, ainsi les catastrophes naturelles proviennent-elles des croyances; ces dernières créant des états émotionnels qui se transforment automatiquement en conditions atmosphériques extérieures.

(23 h 09) Alors, selon vos souhaits, vous devez affronter les problèmes physiques comme ils se présentent. Vous réagirez individuellement en fonction de vos objectifs personnels. Vos croyances les plus intimes contribuent à l'état émotionnel général. Le bassin d'énergie alimenté par vos émotions comporte, il va sans dire, des charges diverses mais, en général, les contributions individuelles se combineront en un motif cohérent qui imprimera sa direction à l'orage, compte tenu de la tension à l'origine.

(Pause) Comme je l'ai déjà mentionné, Ruburt et Joseph ont subi une inondation (en juin, 1972), alors je vais prendre leur région comme exemple, malgré la portée plus globale de cette inondation.

Dans ce milieu, on pouvait relever certaines croyances générales; la région d'Elmira, en dépression économique, était en retard dans l'État de New York, mais sa situation n'était pas considérée comme assez grave pour mériter assistance. Les industries avaient fui. Les gens étaient en chômage; les moyens habituels de survie avaient disparu. Aux yeux de la population, aucun dirigeant n'inspirait assez confiance, et de nombreux individus se sentaient mal à l'aise, déprimés et acculés au pied du mur.

Selon les projets de réaménagement urbains, on démolissait les demeures des pauvres et les vieux quartiers bien établis étaient rasés. Cette situation occasionnait souvent des divisions, car les Noirs et les Blancs de classe ouvrière s'en retrouvaient davantage appauvris. Les mieux nantis siégeaient au conseil de ville, alors que les pauvres, déplacés, n'avaient pas les moyens de se payer les nouvelles habitations. Par toutes sortes de manigances, ils furent exclus des quartiers «chics». Les riches se sentaient donc menacés. Ils avaient changé le *statu quo* en prônant le modernisme et le progrès, libérant ainsi l'énergie des démunis. La classe moyenne s'est déplacée de la ville à la banlieue, créant un déséquilibre fiscal. Les marchands de la ville en ont souffert. Les gens de la localité n'avaient plus le sentiment d'appartenance régionale, ni la fierté de leur identité culturelle ou géographique.

(*23 h 29*) Il y avait des tensions raciales et des risques sérieux d'émeutes. Le maire, un homme très compétent, qui dirigeait la ville depuis longtemps déjà, fut délogé puis, pour des raisons qui ne sont pas utiles à notre discussion, la politique se mit de la partie. Les dirigeants perdaient leur emprise et ne pouvaient plus compter sur une communication **efficace** avec le gouvernement central. Un sentiment grandissant d'impuissance se répandait dans cette région.

La région n'avait pas sa propre identité culturelle, mais on y a toujours travaillé très fort pour trouver une forme d'expression particulière. Les fonds du gouvernement passaient tout droit pour aller vers d'autres secteurs économiquement plus faibles. Les individus avaient des rêves et des espoirs qui, collectivement, demandaient des améliorations communautaires. En même temps, le sentiment de découragement s'amplifiait. Les jeunes et les vieux, les conservateurs et les contestataires en venaient aux prises; certains des dirigeants de la ville s'opposaient à la présence de jeunes aux cheveux longs dans le parc public; des incidents insignifiants mais symptomatiques du conflit de valeurs et des malentendus entre les générations se manifestaient.

Vous pouvez faire une pause.

(*De 23 h 40 à 23 h 47*) Dans une certaine mesure, ces mêmes problèmes existaient dans toutes les régions (de la côte est) qui ont subi cette même inondation.

En résumé, sur le plan local, c'était une région défavorisée, mais trop peu cependant pour attirer les fonds fédéraux, avec des conditions sociales et économiques très instables et une population désespérée.

(*Pause*) À la place d'une inondation, il aurait pu y avoir de dramatiques soulèvements sociaux. À cause de leur teinte émotionnelle particulière, les tensions psychiques ont été automatiquement transformées et relâchées dans l'atmosphère. La catastrophe naturelle a fourni plusieurs solutions. La rivière [Chemung] se trouvait au cœur du quartier des affaires [de Elmira], par exemple.

Encore une fois, d'autres régions étaient touchées par l'inondation. Comme certains primitifs font des danses pour provoquer les pluies, dirigeant délibérément les forces invisibles, les gens de ces endroits ont attiré le fléau **très naturellement**, mais sans la moindre idée d'y avoir été pour quelque chose. Ils ont donc inconsciemment ensemencé les nuages par le relâchement spontané de tensions émotionnelles agissant au niveau biologique; c'est ainsi que des surplus hormonaux et chimiques modifièrent l'atmosphère.

Antérieurement, des groupes religieux locaux avaient préparé un rassemblement populaire pour le renouveau de la foi. Les disciples d'un mouvement religieux populaire s'étaient inscrits à la suite d'une campagne publicitaire considérable. Encore une fois, ce n'était pas un hasard. C'était une tentative de la part de groupements fondamentalistes pour résoudre le problème à un autre niveau, par un regain de ferveur religieuse.

Cependant, leurs mobiles d'action ne rejoignaient pas les croyances de la masse, et c'est pourquoi leurs efforts ont échoué. Le programme était **bel et bien fondé** sur la précognition d'un événement tragique; mais la croisade n'eut jamais lieu, car ce groupe du renouveau religieux fut repoussé par la crainte de l'inondation elle-même.

(*00 h 02*) Un bon nombre de membres de la communauté religieuse disaient que l'inondation était voulue par Dieu et que les gens étaient punis pour leurs péchés. À sa manière, l'inondation était un **événement religieux**, car elle contribua à unifier diverses factions de la population qui n'avaient pas toujours les intentions les plus pures. Curieusement, elle isola certaines parties de la population et exposa leur situation précaire, mieux que ne l'aurait fait n'importe quelle émeute.

L'inondation invita également à la modestie certaines personnes qu'elle privait, pour un temps du moins, du confort de leur position sociale et de leurs possessions, et les fit rencontrer d'autres classes de gens qu'elles n'auraient jamais connues autrement.

De telles crises mettent en lumière certaines réalités; ce qui était demeuré caché n'en devient que plus évident. Dans nombre de cas, les pauvres ont été sauvés, puisque la plupart des anciennes maisons et des immeubles à logements multiples sont restés sur pied, tandis que les nouvelles constructions de type «bungalow» n'ont pas résisté à l'attaque de l'eau. Le collège d'Elmira dut quand même accueillir de nombreuses personnes dépossédées de tous leurs biens. Des dames aisées, qui passaient leur temps à jouer au bridge, ont dû lutter pour leur survie côte à côte avec d'autres femmes parmi les plus démunies. Certains pauvres se sont découvert des qualités de chef, à leur grand étonnement.

(*00 h 11*) La piètre situation du centre-ville, généralement ignorée, fut dévoilée au grand jour; c'était un quartier pratiquement en ruine qui avait grandement besoin d'aide. L'administration de la ville faisait soudainement face à une réalité qui n'avait rien à voir avec les salles de conférence. La crise a créé des liens entre les gens. Le sentiment de désespoir se montrait au grand jour; on put donc le reconnaître et agir en conséquence.

Des personnes âgées, courbées sous le poids de croyances négatives face à leur âge, se sont découvert une vitalité fantastique et une raison de vivre grâce à la lutte pour leur survie. Certaines gens, n'ayant d'autres valeurs que celles des biens matériels, s'en sont retrouvé dépourvus. Elles ont compris l'importance relative des possessions et elles ont senti dans leur être intime un vent de liberté qu'elles n'avaient pas connu depuis leur jeunesse.

Voulez-vous prendre une pause?

(*00 h 17. «Non.» Le rythme était bon, cependant.*)

(*Pause*) La «maladie» cachée de la région était alors exposée. L'aide est venue de tous les coins du pays. Pour une fois, grâce à la solidarité, on ignorait les structures sociales. Les modes d'existence avaient été radicalement bouleversés en l'espace d'une journée. Dans une certaine mesure, chaque personne a pu clairement percevoir sa relation avec l'essence même de sa vie et a reconnu son lien avec sa communauté. Ce qui est plus important encore, chaque être humain a senti l'énergie sous-jacente de la Nature et s'est rappelé, malgré l'inondation apparemment imprévisible, la grande stabilité qui supporte la vie normale.

Par la puissance de l'eau, chaque individu a dû reconnaître sa dépendance de la nature et remettre en question des valeurs acquises depuis trop longtemps. Une telle crise force automatiquement chaque personne à examiner sa conduite et à faire des choix qui lui permettront de s'ouvrir à des aspects qui ne l'avaient pas touchée jusque-là.

Prenez votre pause.

(De 00 h 26 à 00 h 40) L'inondation a ainsi matérialisé physiquement les problèmes intérieurs de la région et libéré par la même occasion des énergies qui étaient emprisonnées dans le désespoir.

La région est devenue une cible psychique et physique, s'attirant ainsi d'autres énergies. Chaque individu, qui avait ses propres raisons de participer au drame a ainsi pu, dans un cadre collectif, travailler à ses objectifs et résoudre ses propres dilemmes.

De nombreuses croyances du passé furent ainsi balayées dans la réalité du moment. Des initiatives et des capacités, longtemps refoulées, ont été libérées chez d'innombrables personnes. Des fonds fédéraux ont été débloqués pour la région et tous les yeux étaient tournés vers elle. (Pause) Beaucoup de gens solitaires ont été placés, ou se sont mis eux-mêmes, dans une situation où il était impérieux de se rapprocher des autres. Puisque ce n'est pas le thème principal de ce livre, je ne m'attarderai pas ici sur tous les mécanismes en cause.

À l'occasion, cependant, nous nous reporterons à l'expérience qu'ont vécue Ruburt et Joseph dans cette inondation, car leur participation pourra s'appliquer à d'autres situations.

Maintenant (plus fort et en souriant), fin de la session. Mes meilleures salutations à vous deux et bonne nuit.

(«Merci, Seth. Très bien, nous attendons avec impatience ces commentaires.» Fin à 00 h 48.)

(Avant de dactylographier mes notes, nous nous sommes demandé s'il était opportun de compléter les données plutôt générales de Seth en précisant les noms, les dates et les événements dans l'histoire des comtés de Elmira et de Chemung; ces renseignements couvriraient une période de plusieurs mois avant et après l'inondation du 23 juin 1972.

Nous avons décidé que ce n'était pas nécessaire. Seth a donné l'essentiel en ce qui concerne ce livre.)

(Cependant, nous pensons qu'une recherche fouillée sur la relation entre les états émotionnels et la météo dans le pays serait très pertinente. Les questions de limites géographiques, de temps et d'argent devraient sans doute être considérées. Une telle étude serait plus révélatrice si elle était élargie pour inclure la totalité de l'État de New York et de la Pennsylvanie, par exemple, voire même toute la Côte Est des États-unis. La tornade tropicale Agnès, qui a causé l'inondation, était en effet gigantesque.)

(L'inondation dont il est question ici et à la prochaine session est décrite au début de la session 613, chapitre 1, tome I.)

Session 666 – Le lundi 28 mai 1973, à 21 h 31

Bonsoir.

(«Bonsoir, Seth.»)

(En souriant) Voulez-vous savoir maintenant pourquoi vous êtes restés *(dans notre demeure)* pendant l'inondation?

(«Oui, nous aimerions beaucoup le savoir.»)

Cela ne devrait pas être mystérieux pour vous. Les raisons et les comportements étaient tous assez conscients.

Ruburt et Joseph *(comme Seth nous appelle Jane et moi)* se sont toujours sentis en étroite communication avec la nature et l'univers. Leur quête est personnelle et dans ce sens ce sont des solitaires. Ils ne se mêlent pas aux diverses associations.

Néanmoins, cela en a surpris plusieurs qu'ils n'aient pas bougé pendant l'inondation. Certaines personnes les ont même taxés d'imprudence. Pourtant, Ruburt et Joseph étaient bien préparés. Depuis la Baie des Cochons, ils avaient gardé une petite réserve de nourriture, de l'eau potable dans de vieux pichets de vin, des bougies et une radio à transistors. Mais ils ne «souhaitaient» pas un désastre[1].

---

1. Seth ne mentionne pas que nous avions aussi en réserve une carabine de petit calibre (qui n'a encore jamais servi) et quelques médicaments... En avril 1961, un groupe d'exilés avaient débarqué à Cuba à la Bahia des Cochinos (Baie des Cochons) dans une tentative désastreuse de fuir le régime de Fidel Castro. Une confrontation entre les États-Unis et la Russie au sujet des missiles à Cuba s'ensuivit en octobre 1962; nous avions donc pensé que ce serait bon d'avoir des réserves.

Avant d'être engagé dans le domaine psychique, Ruburt avait écrit une nouvelle, *Le Bundu*[1] dont l'action se déroulait après une destruction nucléaire. Il s'était documenté sur le nécessaire de survie. Plus tard, à l'époque de la Baie des Cochons, nos amis ont fait leurs provisions. Cela entrait tellement dans leurs habitudes que les réserves se renouvelaient au fur et à mesure. Ils avaient toujours un surplus de bougies, de nourriture et d'eau. Aucune inquiétude n'était reliée à ce moyen préventif. Quand l'inondation se produisit, Ruburt et Joseph pouvaient tenir le coup, à ce niveau tout au moins, sans aide extérieure.

Tout ceci était donc rattaché à des décisions conscientes passées, en réponse à des situations qui n'existaient plus à l'époque de l'inondation. Mais l'intention était claire. Ils étaient prêts à affronter n'importe quelle crise ensemble et chez eux.

(*Pause à 21 h 43*) Les croyances qui les avaient conduits à la décision de rester n'avaient pas changé. Le sentiment d'une relation intime avec la nature était ici très fort; ils allaient individuellement se prendre en main. Ils étaient aussi habitués à travailler seuls, même quand ils étaient ensemble. Ils se faisaient mutuellement confiance, aussi bien dans leur art que dans leur recherche spirituelle. Ils avaient campé ensemble, et même à une occasion dans un environnement très sauvage (*à Baja, Californie.*)

Cette expérience avait fortifié leur lien avec la nature et les avait encouragés à s'y ajuster et à vivre avec ce qu'elle offrait plutôt que de la combattre. Compte tenu de leurs croyances, de leurs attitudes et de leurs antécédents, leur décision de rester était prévisible.

Ils savaient pouvoir compter, au besoin, sur le troisième étage de la maison. Ils avaient prévu y monter nos manuscrits, les écrits de Ruburt et les tableaux de Joseph. Il y avait aussi d'autres éléments qui rentraient en ligne de compte. Entre autres, évidemment, ils vivaient (*et encore maintenant*) au deuxième étage. Cette crise leur fit porter un jugement critique sur certaines de leurs attitudes. La situation devint si sérieuse que pendant un certain temps ils **craignirent** pour leur vie.

(*23 h 51*) Pendant cette courte période, ils virent clairement le symbolisme de leur situation; ils se sentirent isolés, avec déjà plus de trois mètres d'eau qui ne cessait de monter, transportant avec elle des vapeurs qui pouvaient s'enflammer. Ils n'avaient pas fait part aux auto-

---

1. Publié dans *The Magazine of Fantasy and Science Fiction* en mars 1958.

rités de leur décision de rester, mais avaient plutôt fermé tous les rideaux pour que personne ne soit au courant de leur présence. Quand ils eurent peur, toute aide extérieure était impossible.

Les hélicoptères ne pouvaient plus se poser. Ils se retrouvèrent seuls avec le matériel de Seth, leurs tableaux et les manuscrits de Ruburt. Ils eurent recours à une douce autohypnose pour trouver le calme et atténuer la panique. Mais c'est Joseph qui suggéra à Ruburt «de se concentrer», pour découvrir ce qu'ils pourraient tirer personnellement de cette situation. Leur tempérament aidant et fort de leurs connaissances, ils s'étaient déjà mis à jouer aux cartes pour se distraire et à boire du vin, ce qui aidait à diminuer la tension. Ruburt entra alors dans un état modifié de conscience et présagea assez bien leur situation. Le pont à quelques dizaines de mètres de chez eux allait s'effondrer, mais ils seraient en sécurité tant qu'ils ne seraient pas pris de panique et n'essaieraient pas de partir.

Vers cinq heures, la crise serait passée, même si les médias ne l'avaient pas encore constaté. Dès l'annonce officielle, Ruburt et Joseph furent soulagés et la panique qui les avait saisis s'estompa.

(22 h) Il ne leur restait plus qu'à observer le phénomène. L'eau continuait à monter mais ils avaient la conviction d'être en sécurité. Ruburt avait besoin de cette expérience pour croire davantage en ses propres capacités. Tous deux devaient se convaincre que ces facultés étaient bel et bien naturelles et pouvaient être utilisées dans un contact personnel avec la nature. Ruburt découvrit aussi qu'il s'était lui-même placé dans une position où il avait sous-estimé l'importance de la manipulation physique. Comme Ruburt et Joseph sont très conceptuels, ils ont recherché cette confrontation avec un phénomène physique et trouvé là une solution au problème selon leurs croyances.

Par contre, ceux qui misaient sur le groupe, ceux qui travaillaient essentiellement avec les autres, quittèrent immédiatement leur maison pour trouver un réconfort dans la compagnie de leurs voisins. Ruburt et Joseph découvrirent que leur comportement dans cette situation de crise décrivait bien leur état d'esprit. Ils eurent à se demander pourquoi ils avaient choisi d'affronter seuls l'inondation.

En d'autres termes, la crue des eaux devint le symbole du passage du temps et du monde physique.

En dépit de tous les problèmes, ils avaient pris position. Puis le niveau de l'eau baissa comme Ruburt l'avait prédit. Ils durent cependant faire face aux conséquences. Joseph aida personnellement les autres locataires à se réinstaller. Il participa aux travaux exigés par les circonstances. Ruburt et Joseph offrirent l'hospitalité de leurs deux appartements. Un couple se réfugia dans l'un, alors que Ruburt et Joseph se confinèrent dans l'autre. Ils se retrouvèrent quotidiennement en contact étroit avec d'autres personnes, ce qui leur était inhabituel. Cette situation les éclaira beaucoup. Ils purent saisir aussi qu'à travers leur propre relation ils demeuraient en contact avec les autres. Point, et faites une pause.

(22 h 17. «Il me venait beaucoup d'autres renseignements, mais ils ne se rapportaient pas au livre; Seth n'en fit donc pas mention, me dit Jane. Cela concernait les différentes personnes que nous avons rencontrées pendant l'inondation», poursuivit-elle. Comme son débit avait été régulier pendant toute la durée de la transmission, je me posais certaines questions. Pouvait-elle se brancher sur deux canaux de Seth «en même temps»? Si oui, par quels mécanismes? Ou, même si elle en avait conscience par intermittence, pourquoi cela n'interférait-il pas avec la matière transmise?)

(«Je ne sais pas comment je capte l'information, dit-elle; en parallèle, je suppose, mais cela n'explique pas grand-chose.» En fait, combien de canaux y avait-il? Car Jane ajoutait avoir aussi de l'information disponible pour elle-même, et encore, «en parallèle...» Elle ne pouvait préciser. Reprise à 22 h 40.)

Pendant les quelques jours qui suivirent l'inondation, la radio passait des messages alarmistes: des cliniques étaient ouvertes et l'on enjoignait la population à se faire vacciner contre le tétanos.

Encore une fois, Ruburt changea son «registre» de conscience et reçut le message de ne pas suivre la consigne. Joseph non plus ne devait pas se faire vacciner. Ils furent instruits (pause) de la condition physique de chacun. Ils étaient tous deux en sécurité **dans la mesure** où ils ne recevraient pas de vaccin. Ruburt et Joseph s'inscrivirent donc en faux contre ces déclarations d'autorité; ils restèrent sur leur position en dépit du fait que tout le voisinage se précipitait dans les centres médicaux. Ils jouaient leur vie. Une heure plus tard, la radio annonçait l'inverse! On disait aux gens de ne pas se faire vacciner, les injections pouvant causer de sérieuses réactions.

Ruburt et Joseph, encore une fois, prirent davantage confiance en eux-mêmes, pour leur plus grand bénéfice. Ils virent avec évidence les raisons de leur présence lors d'une telle expérience. Elles seraient trop nombreuses et trop personnelles pour être énumérées ici. Ils n'étaient pas heureux de vivre dans un environnement froid et humide pendant ces quelques semaines. Ils n'avaient pas recherché ces inconvénients, mais pour des motifs personnels, ils avaient choisi d'être là pendant l'inondation.

Quelques jours seulement avant cet événement, Ruburt s'était fait proposer une émission de télévision à Baltimore, et il avait refusé[1]. Leur voiture fut inondée. Ruburt perdit le salaire qu'il recevait pour ses classes; toutefois ces effets secondaires trouvaient leur résonance dans les croyances conscientes et les habitudes de Ruburt et Joseph.

(22 h 50) Il en va de même pour toutes les personnes qui ont vécu cet événement. L'inondation symbolise un nettoyage du passé; elle représente l'énergie impétueuse des forces inconscientes qui préparent une nouvelle naissance. Votre société vous entraîne souvent dans une foule de tracas et de problèmes qui ne font pas appel à tout votre potentiel. Les désastres, par contre, vous permettent de prendre conscience des forces de la nature et de sentir votre propre pouvoir, ainsi que l'étendue de vos capacités dans une situation extrême.

Dans une société essentiellement matérialiste, la perte d'une maison coûteuse et d'autres biens revêt une grande importance pratique et symbolique. Pourtant, de nombreux individus ont recherché cette expérience. (Une longue pause) Certaines personnes ont réagi avec un héroïsme qu'elles ne soupçonnaient pas. Un véritable sens de la communauté s'ensuivit et un sentiment profond de camaraderie jamais vu auparavant se manifesta.

Une guerre apporte souvent ce genre de stimulation émotionnelle, comme lors d'une escapade dramatique; elle éveille un sentiment de solidarité chez ceux qui ont été laissés seuls et **impuissants** dans leur isolement.

Pour d'autres, un incendie de quartier servira les mêmes fins, et il en est ainsi d'un désastre local ou régional. De par sa nature, votre conscience a besoin de changements, d'une action significative, d'une passion inspiratrice pour s'engager dans sa propre direction. Une société «parfaite», idéalement parlant, offrirait cette possibilité en encou-

---

1. Jane a répondu au producteur de l'émission: «Je suis désolée, mais je ne peux pas aller à votre émission. Je sens profondément que ces jours-ci je dois rester à Elmira.» Et quand elle s'est entendue donner cette réponse, elle était très perplexe...

rageant chacun à se servir de son plein potentiel, à savourer ses défis et à se laisser guider par son **ardeur naturelle** dans ses essais d'affirmation de ses capacités créatrices uniques.

(*Lentement à 23 h 06*) Les révoltes, les guerres et les catastrophes naturelles surviennent toujours lorsqu'on refuse à la conscience le pouvoir d'exercer ses possibilités. Chacun a droit à l'expression de son pouvoir. Je parle ici encore du pouvoir comme capacité d'agir avec créativité et efficacité. Un chien enchaîné trop longtemps devient méchant. Celui qui ne croit pas à la valeur de ses actions recherchera des situations où exercer son pouvoir, et bien souvent sans se préoccuper des effets positifs ou négatifs de son intervention.

Vous ne pouvez pas être constructif si on vous empêche **d'agir**.

(*Pause*) Vous ne comprenez pas alors la nature de votre propre énergie ni ne savez comment la diriger. Les tempêtes et les tornades, ainsi que les guerres, sont engendrées par la colère des hommes. Ce ne sont que des versions différentes d'un même phénomène.

L'inondation était la projection physique d'un mal psychique collectif. Naturellement, tous les acteurs choisirent à la fois la situation et leur contribution au processus de «guérison» qui se poursuit (*onze mois plus tard*). Vous ne pouvez pas plus vous séparer du corps de la terre et de son état que de **votre propre corps**.

Même si cela **ne vous semble pas** évident, ces moyens sont à la fois créatifs et **correctifs**. (*Une longue pause*) Vous sentez intuitivement que vos humeurs sont liées au temps; mais vous attribuez votre état **à des événements** physiques extérieurs qui seraient indépendants de vous-même. Mais ce n'est guère le cas.

Si vous partez d'une région pour aller dans une autre, c'est que **vous** avez changé; vous êtes attiré par ceux qui ont les mêmes croyances et les mêmes besoins que vous, mais aussi par des conditions naturelles totalement différentes. Vous contribuez alors à maintenir le climat «particulier» du lieu où vous allez.

(*Vigoureusement et avec un sourire*) Point, et faites une pause. (*23 h 23*)

Chapitre 19

LA CONCENTRATION DE L'ÉNERGIE,
LES CROYANCES ET
LE POINT DE POUVOIR ACTUEL

Session 666 (suite)

(23 h 36) Chapitre suivant [*19*]: «La concentration de l'énergie, les croyances et le point de pouvoir actuel.»

La concentration de l'énergie suit vos croyances. De nombreuses croyances, positives en soi, mais auxquelles on accorde trop d'importance, entraînent des résultats qui peuvent **paraître** défavorables.

Cette matière est de la plus haute importance pour ceux qui se trouvent dans des situations qui ne les satisfont pas. Pour plusieurs raisons, je prends Ruburt en exemple. Vous avez tendance à croire que quiconque a des capacités comme celles de Ruburt n'a aucun problème ou défi. Ruburt a dit avec raison: «Certains de mes correspondants s'attendent à ce que je sois en parfaite santé, riche et sage, et vraiment au-dessus de tous les sentiments humains.»

Certaines personnes recherchent un état de «paix», une sorte de béatitude sans problèmes, où les réponses à toutes les questions leur seraient données. D'autres pensent même que cela s'accomplira miraculeusement **pour eux**. Si vous reconnaissez le pouvoir de votre être, vous saurez qu'il recherche toujours de **plus grands domaines** de créativité et d'expérience où trouver de nouveaux défis, et tous les problèmes sont des défis.

Quand à Ruburt, il débuta avec des idées et des croyances qui devinrent restrictives parce que portées à l'extrême. (*Voir la session 645, chapitre 11 du présent ouvrage.*) Ainsi, plusieurs parmi vous se concentrent sur certains champs d'activité avec une telle énergie qu'ils en ignorent d'autres, ce qui est regrettable.

(*Lentement à 23 h 46*) L'orientation de Ruburt exigeait une situation particulière dans cette vie. Certains peuvent faire porter leurs efforts sur les aspects physiques de l'existence, ce qui est légitime en soi, mais à l'exclusion d'autres facteurs importants. Une telle application dans un champ particulier peut être l'affaire de toute une vie, d'une réincarnation; dans ce scénario vous aurez prévu, pour ainsi dire, de concentrer votre attention sur certains domaines plutôt que d'autres. Ainsi vous pouvez choisir un corps défaillant ou encore une intelligence en dessous de la moyenne.

Votre état à la naissance n'est donc pas quelque chose que vous pouvez manipuler à votre guise, peu importe l'orientation choisie. Si vous avez opté pour un état comportant le manque ou la malformation d'un organe vital, et que vous êtes né avec une maladie grave, par exemple, ce sera votre cadre d'expérience dans cette réalité. Il y a une raison à cela; tout dépend des capacités que vous aurez décidé d'explorer et de développer.

Toutes les existences sont simultanées. Dans les limites de la créature physique, certaines choses sont possibles et d'autres ne le sont pas. Vous ne pouvez régénérer un membre ou en faire pousser un nouveau. Vous **pouvez** cependant vous guérir d'une maladie «incurable», si vous prenez conscience que votre point de pouvoir est dans le présent.

(*Pause*) Quelle que soit votre situation, vous l'avez choisie pour une bonne raison. S'il s'agit de particularités qui ne peuvent être modifiées physiquement, vous les aurez choisies comme cadre pour mieux vous concentrer sur certaines facultés. L'important n'est pas de vous attarder aux handicaps, mais d'exploiter les talents que vous possédez, car les multiples ressources de votre personnalité vous porteront dans cette direction.

C'est la fin de la dictée. Une note personnelle...

(*Seth ajouta quelques lignes pour Jane, puis me suggéra un moyen pour l'aider à travailler sur ses croyances.*)

M'avez-vous bien compris?

(*«Oui, si je puis le faire.»*)

(*Plus fort et avec humour*) **Tu le peux.** Mes meilleurs souhaits à vous deux, et bonne nuit.

(*«Bonne nuit, Seth.» Fin à 00 h 05.*)

Session 667 – Le mercredi 30 mai 1973, à 21 h 26

(*Le 29 mai, aux petites heures du matin, après la dernière session, Jane a vécu pendant son sommeil une expérience des plus frappantes concernant le livre. Malgré sa similitude avec les manifestations décrites antérieurement, de nouveaux éléments se sont ajoutés. [Voir les notes de la session 619, chapitre 4, tome I, ou encore de la session 660, qui chevauche les chapitres 15 et 16 du présent ouvrage.]*)

(*«Déjà cela commence à m'échapper, écrivit Jane le lendemain. Je transmettais en tant que Seth une introduction ou un premier chapitre de livre. C'était si réel, comme à l'état de veille, que j'étais extrêmement surprise quand je me suis rendue compte que "je" dormais. C'était incroyable! Mon sommeil mouvementé a réveillé Rob.*)

(*»Puis je me suis dit: Je ne peux pas faire de vraies sessions de livre durant mon sommeil; qui les transcrirait? À moins que Rob s'en charge pendant son propre sommeil! Je savais que nous étions au chapitre 19 du présent livre, j'étais alors en pleine confusion. Comment se faisait-il que j'en sois au premier chapitre; à moins que ce travail ne soit pour un autre livre.»*)

(*En se réveillant, Jane me demanda plusieurs fois si elle avait vraiment dormi. Je pouvais facilement lui dire oui puisque je m'étais réveillé avant elle. Avant la session de ce soir, Jane me dit qu'elle espérait une explication de Seth de ce phénomène étonnant. Mais malgré la grande quantité de renseignements personnels transmis, ce sujet n'a pas été abordé.*)

(*J'ai lu pour Jane la dernière page de mes notes de la session 666, puisque je n'avais pas encore fini de les dactylographier.*)

Bonsoir.

(*«Bonsoir, Seth.»*)

Ruburt faisait des expériences de modification de la conscience cet après-midi. La radio jouait à bas volume. L'émission de musique rock fut interrompue pour donner un bulletin sur la course d'Indiannapolis (*la 57e course automobile «500» [environ 800 Km] à Indiannapolis*). Un des pilotes avait déjà été grièvement blessé (*le lundi*), ce qui avait retardé la course. Elle fut à nouveau retardée (*le lendemain*) par le mauvais temps; elle put enfin commencer aujourd'hui.

Les bulletins de nouvelles se succédaient pendant la course. Ruburt eut ainsi connaissance d'un autre accident très grave. Un autre homme

– pas un pilote – a été tué par l'ambulance qui filait vers le lieu de l'accident. La victime faisait cependant partie de l'équipe.

(*Une note ajoutée plus tard: l'accidenté est mort un peu plus d'un mois après la course.*)

(*21 h 32*) Alors qu'il reprenait sa conscience «normale», Ruburt réfléchissait sur toute la violence en jeu ici et aux dangers auxquels ces gens-là s'exposent. (*Ruburt ouvre souvent la radio quand il travaille en état modifié de conscience; elle lui sert de point de référence.*)

Le matière du dernier chapitre devrait vous aider à comprendre la raison d'être de ces environnements «violents par essence». Ils permettent de voir la réalité dans un contexte à risques. La situation est dangereuse, mais ceux qui s'y engagent la choisissent, elle ne leur est pas imposée. De la même façon, certains choix de vie peuvent paraître incompréhensibles, téméraires, voire carrément insensés aux yeux de l'observateur.

(*21 h 38*) Certaines situations de toute une vie sont parfois provoquées par d'importantes malformations congénitales. Il vous semblera sans doute impossible qu'une personne puisse **choisir** un tel cadre de vie, une situation aussi contraignante et aussi douloureuse à vivre. D'un point de vue extérieur, les malformations de naissance ou les maladies chroniques de toutes sortes n'ont aucun sens.

Vous pouvez dire que personne ne s'inscrit dans une course avec un handicap au départ, mais ce n'est pas le cas. Les individus choisissent souvent de telles situations pour le défi et plusieurs grands hommes l'ont fait. Cela ne veut pas dire que de tels handicaps soient nécessaires. Lorsque l'individu prend conscience que son «point de pouvoir» est dans le présent, il n'a pas besoin d'obstacles contre lesquels se mesurer, ou pour faire son chemin dans la direction qu'il juge appropriée.

Vous vivez plusieurs vies simultanément. Vous les voyez souvent comme des réincarnations successives. Si vous avez une grave maladie et que vous en voyez la cause dans une vie antérieure, vous penserez devoir l'«encaisser», sans tenir compte du fait que votre point de pouvoir est dans le présent; alors vous ne croirez pas en la possibilité de guérison.

Encore une fois, même les maladies soi-disant incurables peuvent être guéries, en autant qu'il ne s'agisse pas de régénérations **impossibles** dans votre contexte de créature humaine.

De votre point de vue, les malformations congénitales de tous genres ont été choisies avant cette vie. Ces choix sont faits pour des raisons très variées (*tout comme certaines personnes choisissent la maladie en cours de vie, quelle qu'en soit la durée*). En d'autres termes, à partir d'un certain cadre psychique, un individu décide «à l'avance» d'expérimenter une situation de toute une vie. J'ai donné des renseignements sur ce sujet dans d'autres de mes écrits[1].

Une personne dont les existences antérieures misaient sur l'accomplissement intellectuel pourrait délibérément choisir une vie où les aptitudes mentales sont réduites et où l'expression des émotions, «antérieurement» refoulées, est maintenant pleinement permise.

(*21 h 54*) Puisque toutes ses existences sont simultanées, on pourrait tout simplement dire que la personne met en évidence certains aspects de sa vie – au détriment d'autres, **direz-vous** – et se place dans un décor qui **semble** limitatif. Par contre, cette personnalité peut y trouver un épanouissement inestimable, laissant libre cours à des effusions émotionnelles qui débordent les limites généralement admises. Selon leurs tendances profondes, certaines personnalités préfèrent des expériences de vie où les réalisations et le développement se font sans heurt. D'autres cherchent les grands contrastes. Ainsi sera-t-on pauvre et misérable dans une vie et richissime dans une autre; brillant intellectuel par la suite, puis grand athlète, et après, totalement invalide. Les différences individuelles jouent donc pour beaucoup dans le choix des situations de vie. Bien souvent, c'est la famille plutôt que la personne handicapée qui s'interroge et qui ne comprend pas, comme dans les cas de déficience mentale, par exemple. Cependant, dans chaque circonstance, les enfants choisissent d'avance leurs parents et, bien sûr, les parents choisissent aussi leurs enfants.

De telles situations permettent aux parents de se développer. Ce sont des occasions de croissance et de créativité exceptionnelle pour les personnes en cause. C'est ce qui explique le **choix** de ce cadre de vie. Le même principe s'applique aux apparentes tragédies, tels les accidents ou les maladies graves, subites.

(*Avec beaucoup d'emphase à 22 h 03*) Dans la cas d'une grave maladie, par exemple, la personne mobilisera ses énergies en se privant

---

1. Voir *Le livre de Seth* et *L'enseignement de Seth*. Nous avons aussi accumulé beaucoup de matière inédite sur le sujet.

délibérément d'un aspect particulier de son existence normale; d'autres qualités de la vie elle-même seront alors mises en valeur. Cela s'applique aussi à ceux qui sont nés dans la pauvreté extrême ou dans des situations familiales très malheureuses en apparence. Le défi de toute une vie est **inhérent** au problème à résoudre et en découle. Bien souvent, le développement personnel vient précisément d'une difficulté rencontrée (*énergiquement*).

Cette réalisation n'a pas forcément le retentissement d'un chef-d'œuvre artistique ou d'une grande invention, ni l'éclat d'une carrière politique, par exemple. Souvent l'activité réussie viendra tout simplement accroître la créativité psychologique de la personne et enrichir son expérience globale. Les personnes concernées (la famille, par exemple) auront accepté «d'avance» la situation. Souvent, notamment dans le cas de déficiences mentales ou physiques, la personne handicapée aura non seulement accepté ce rôle pour des raisons personnelles mais elle l'aura **choisi** également pour la famille entière.

Des parents extrêmement intelligents peuvent donc se retrouver avec un enfant retardé. S'ils attachent une grande valeur à l'intellect au détriment des émotions, alors l'enfant pourra exprimer la spontanéité émotive dont ils ont si peur.

Vous pouvez faire votre pause.

(*22 h 15. Étrangement, malgré sa transe profonde et la quantité de matière livrée, Jane s'est souvenue d'une phrase: la remarque de Seth sur son utilisation de la radio comme point de référence pendant ses expériences d'états modifiés de conscience. Voir ci-dessus à 21 h 32. Ce genre de rappel n'avait jamais été aussi évident.*)

(*Jane ouvre souvent la radio quand elle écrit aussi. Elle blaguait en disant qu'elle devait s'en servir comme «un fil conducteur entre les réalités». Reprise avec la même intensité à 22 h 47.*)

Une déficience à la naissance ne laisse pas de doute; elle établit certaines conditions qui ne peuvent pas être ignorées.

Maintes maladies banales concernent la famille jusqu'à un certain point. Les croyances prédominantes du malade primeront toujours, cependant. Les autres membres de la famille souscrivent à la situation dans son ensemble.

Maintenant, il faut comprendre que le même principe s'applique dans le cas d'exploits individuels. Dans ces circonstances, les croyances de celui qui réussit prédominent et pourtant il peut être en train de réaliser les aspirations des membres de sa famille ou d'un groupe auquel il appartient. Il y aura toujours des raisons pour de telles inter-relations.

(*Pause*) De nombreux grands contrastes sociaux ont une significa-tion intérieure de même nature. Ainsi des groupes entiers d'individus choisissent des environnements où la pauvreté et la maladie prédo-minent, alors que d'autres parties du monde (ou d'un pays donné) jouissent du progrès technologique, de la richesse et de la prospérité. Chaque individu a ses raisons **propres** pour une telle affiliation. Mais à d'autres niveaux, les contrastes se manifestent clairement dans des oppositions de richesse et de pauvreté ou encore d'avancement et de retard scientifique. Le progrès technologique comme unique objectif d'une société offre à la fois ses avantages et ses inconvénients.

Une nation qui poursuit cette avenue ressemble à un individu qui s'engage dans la voie strictement «objective», «mâle» et tout extérieure selon votre compréhension occidentale. On a mis l'accent sur certaines valeurs dans votre pays, surtout depuis quelques années. Ces qualités ont été recherchées au détriment d'autres pour des raisons individuelles et collectives. Le reste du monde a accepté de telles actions, mais d'autres collectivités ont pris des chemins totalement différents pour que, au niveau planétaire, la société puisse jouir d'une variété «kaléi-doscopique» d'expériences et des résultats qui s'ensuivent.

(*Pause à 23 h 05*) Sur une échelle beaucoup plus restreinte et à des degrés divers, une tribu, un village, une famille ou un groupe montrera les mêmes tendances et, grâce à l'expérience partagée, chaque individu apprendra et grandira.

Une personne peut par ailleurs choisir d'exploiter à fond un talent exceptionnel à travers lequel elle percevra toute sa réalité. Cela lui permettra une concentration extraordinaire, mais de par la nature même de cette expérience, elle se fermera à **certaines** activités que d'autres trouvent normales. Des artistes d'une habileté extraordinaire peuvent arrêter leur développement intellectuel; ils déploieront leur grande sen-sibilité au détriment des facultés de raisonnement qu'ils mettent en grande partie de côté. (*Pause*) Sans l'éclairage rationnel, les éléments émotionnels peuvent être si complexes que l'artiste, pour toute sponta-née que soit son expression, ne parviendra pas à maintenir des relations permanentes. La raison et les émotions sont des compléments naturels.

Une autre personne peut miser sur le développement intellectuel à un tel point qu'elle repousse tout rapprochement véritable, et même si elle peut accepter une relation permanente, elle n'en tirera pas la riche expérience émotive que d'autres peuvent avoir dans une relation beaucoup plus brève. Donc, chacun de vous choisit – d'avance, à votre point de vue – le cadre dans lequel il aura à composer en cette vie. Ceci s'applique au niveau individuel et collectif.

Celui qui croit en la réincarnation demandera: «Qu'en est-il des croyances de vies passées? Et même si j'écarte la notion de culpabilité, suis-je lié par les lois du karma?» (*Voir la session 614, chapitre 2, tome I.*)

Puisque tout est simultané, vos croyances actuelles peuvent changer vos croyances antérieures, à partir de cette vie ou d'une vie passée. Les existences sont ouvertes. Mais avec votre conception d'un temps progressif et votre croyance en la cause et son effet qui en découle, je comprends que ce soit difficile à comprendre. Néanmoins, selon les capacités de votre nature, par vos croyances actuelles, vous pouvez changer votre expérience; vous **pouvez restructurer** votre «passé réincarnationnel» de la même façon que vous pouvez restructurer le passé de cette vie. (*Tel que je l'ai expliqué dans les sessions 657 et 658, chapitre 15 du présent ouvrage.*)

(*Avec gestes*) Au centre de la page:

Le point de pouvoir est dans le présent.

Votre présent constitue la pierre de touche de vos autres existences. Vous êtes **sensible** à beaucoup plus d'événements que ce qui parvient à votre conscience et graduellement vous apprenez à les saisir.

Il en est de même pour tous vos autres «moi réincarnationnels». Ils sont **inconsciemment** sensibles à votre expérience consciente, comme vous vous êtes inconsciemment sensible aux leurs.

Il existe une interaction créative constante entre **tous** vos «présents». Vous puisez dans leur savoir comme ils puisent dans le vôtre, et ceci inclut les personnalités que vous pourriez **considérer** comme futures. Vous avez accès à une gigantesque banque de données et d'expériences, mais elle sera utilisée selon vos croyances conscientes actuelles. Si vous comprenez que votre point de pouvoir est dans le présent, alors vous avez à votre disposition un fonds inépuisable de capacités et d'énergies.

Vous pouvez prendre une pause.

(23 h 27. Seth reprit contact à 23 h 41 pour livrer plusieurs pages de renseignements à notre intention et pour d'autres personnes. Notre soirée de travail s'est terminée à 00 h 17.)

(Je me permets d'ajouter que Seth a discuté brièvement de réincarnation dans la session 631, chapitre 7 et dans ses observations sur le «moment de réflexion» au chapitre 9, tome I, puis dans sa discussion au sujet des croyances actuelles à la session 657, chapitre 15 du présent ouvrage.)

Session 668 – Le mercredi 6 juin 1973, à 21 h 12

(Il n'y a pas eu de matière pour le livre lors de la session du lundi 4 juin. Elle fut tenue pour un visiteur, un scientifique de la Côte Ouest. Certaines de ses questions touchaient la prévision des tremblements de terre qu'il étudie par ordinateur. Il est intéressant de noter que Seth complétait le chapitre 18 sur notre création psychique de l'environnement [y compris les tremblements de terre] une semaine avant l'arrivée de notre invité. Toutefois, cette visite était prévue depuis le 9 mai.)

Bonsoir.

(«Bonsoir, Seth.»)

(Lentement) Vous devez vous souvenir que l'expérience du «commencement» et de la «fin» des choses est propre à votre système tridimensionnel.

L'énergie de votre être existe **en dehors** de votre système, mais l'imprègne de façon telle que pour vous elle devient «vivante» dans le temps et l'espace. Votre plus grande énergie plonge et ressort par alternance de ce continuum spatio-temporel. Par cette action, son expérience devient physique. Elle laisse donc une trace de vie dans ce système. Quand vous pensez à la réincarnation, il vous semble qu'une trace succède à une autre, mais la «courbe» est là toute entière avec toutes les traces de vies individuelles.

(Une longue pause) Puisque ces rejetons ou traces de vie viennent tous de votre entité, ils sont reliés entre eux, psychologiquement et selon des motifs électromagnétiques. Faisons une analogie. Tenons pour acquis que vous êtes des êtres multidimensionnels. Vous ne pouvez percevoir qu'un fragment de votre expérience **à la fois**, en raison de vos caractéristiques physiques; le système tridimensionnel se distinguant par ses effets successifs.

Vous existez, disons, en sept siècles en même temps. Mais les particularités de votre être temporel vous empêchent d'avoir une vue d'ensemble de toutes ces vies **en tant que créature**.

(*21 h 26*) Ce qui se passe en fait c'est que l'énergie de votre être formerait dans ce cas sept «points de jonction[1]» du système tridimensionnel. En chacun de ces points, une vie, qui semble être la seule, est expérimentée. Toutefois, par-delà ces intersections, il existe une forme de reconnaissance globale et un fil conducteur qui les «unit». Cela correspond à l'entité multidimensionnelle qui est à la fois séparée et partie de ces diverses **traces** de vies. Par exemple, vous pouvez avoir une existence dans le XVIIe siècle. Pour vous, cette vie vous semblera passée, finie. Peut-être croyez-vous que votre vie actuelle, avec tous ses défis et ses capacités est le résultat de cette vie antérieure, mais elles existent toutes deux en même temps. Le XVIIe siècle n'est pas mort. Vous voyez l'histoire dans une perspective linéaire, prenant certaines actions pour la réalité et vous identifiant si totalement à elles qu'en fin de compte vous ne voyez qu'elles. D'autres actions probables interviennent toujours et sont tout aussi valables que celles que vous choisissez et expérimentez.

Vos «moi réincarnationels» comptent autant de vies probables que vous pourriez en admettre pour vous-même. Vos croyances et actions actuelles modifient «leurs» expériences, comme chacune d'elles dans leur présent change la vôtre. Si, à vos yeux, ces «moi réincarnationels» constituent une entité, cela devient alors naturel. Le moi global est transformé par toutes ses perceptions.

À présent, faites une pause.

(*De 21 h 49 à 21 h 55*) Chaque fragment de l'entité est **unique** et indépendant; par ses propres croyances, il détermine ce qui influencera sa vie immédiate. En fait, le grand miracle est que chaque conscience demeure **elle-même**, peu importe son niveau de développement, comme une ville dans un pays ou une personne dans une famille.

---

1. Seth parla de sa théorie des «points de jonction» (*«moment points» en anglais*) à quatre reprises, d'avril à mai 1965, en relation avec la réincarnation et l'univers de rêve. Il déclara dans la session 152: «Le soi global dont Ruburt fait partie est en lui-même très souple. Les différents fragments de ce soi global se portent vers l'extérieur et vers l'intérieur avec plus de flexibilité que la plupart. Il cerne simultanément beaucoup plus de **points de jonction**...» Seth ajouta, en une explication très simplifiée, qu'en passant par un de ses fragments le soi global pouvait pénétrer aux confins de la «compréhension métapsychique» de Jane.

La personnalité telle que vous la comprenez choisit ses outils et les défis qu'elle aura à affronter. Dans le présent, alors, chaque individu peut sans cesse utiliser l'énergie et la connaissance de l'entité ainsi que les capacités de toutes ses parties. (*Longue pause*) Il va de soi que chaque être humain possède à l'état latent les qualités de l'artiste, de l'athlète, de l'homme d'État ou du philosophe. En tant que créatures, vous avez un large éventail de capacités; certaines sont peu utilisées, mais elles sont là comme des **idéaux** tout à fait **réalisables** dans le cadre même de ce système. De la même manière, chacun possède, en puissance, les talents de son entité. Ceux-ci également servent d'idéaux, mais dans un contexte différent, puisque vous avez d'autres siècles pour vous exercer et plusieurs existences au lieu d'une seule.

Souvent, vous excellez dans des niveaux qui échappent complètement à votre réalité physique. Ces réalisations se font néanmoins grâce à votre concentration dans le présent, mais vous n'êtes physiquement conscient que d'une seule trame d'événements probables; c'est ainsi que la signification de certains événements de rêve vous échappe. Pourtant, dans les rêves, votre travail est aussi valable que celui de la journée, car vous y rencontrez vos «moi réincarnationels» et vous dialoguez avec eux.

(*22 h 11*) À vrai dire, je préfère que vous les voyiez comme des moi simultanés. Dans les rêves, il y a un grand échange de renseignements avec les autres «moi-fragments». Votre cerveau convertit automatiquement ces données en termes temporels afin que vos expériences importantes, en rêve, soient déjà traduites au moment où vous vous en rappelez. Sinon vous ne les comprendriez pas.

En plusieurs occasions, quand vous rêvez, vous voyagez hors de la réalité tridimensionnelle, mais vos expériences doivent alors être interprétées physiquement, car vous ne vous en souviendriez pas. Même vos rêves, voyez-vous, doivent passer par ce point d'intersection temporelle où chair et esprit se rencontrent. L'état de rêve **est vraiment** un canal ouvert grâce auquel l'environnement est transcendé. Des transformations étranges, que vous n'avez pas encore découvertes, surviennent dans le cerveau durant **certains états de rêve**; il se produit une accélération qui propulse littéralement la conscience hors de son continuum espace-temps vers ces autres réalités d'où elle vient elle-même.

Ces états servent de points de convergence où tous les différents moi simultanés se rencontrent; et ici, physiquement, certains rythmes saisonniers entrent en jeu.

(22 h 20) Voulez-vous faire une pause.

(«Non, merci.» Mais je n'étais pas très en forme ce soir-là.)

Comme vos fusées pour aller sur la lune doivent attendre les meilleures conditions avant de décoller, ainsi il existe des rythmes reliés à l'énergie. En pratique, cela veut dire qu'en état de rêve certains moments sont plus propices que d'autres pour ces communications. Pour l'individu, elles apportent des éclairages nouveaux et entraînent de soudaines décisions salutaires. Collectivement, elles créent les grands bouleversements historiques.

Faites une pause.

(De 22 h 24 à 22 h 35) Ces échanges représentent des périodes où l'esprit et la chair se joignent dans des conditions optimales. Le «moi» personnalisé tire continuellement l'énergie de l'entité. Il n'y a donc pas une seule rencontre, une fois pour toutes, entre l'esprit et la chair, mais de continuelles impulsions vous arrivent. En raison des caractéristiques de l'énergie qui imprègne le système tridimensionnel, il existe des **fluctuations**, et cela perturbe toujours votre présent. Ces cycles se rejoignent en différents points, ce qui provoque chez vous, tous les deux mille ans, des changements majeurs dans tous les domaines. Pour d'autres raisons et dans un contexte plus restreint, le mois d'août prend un sens particulier tous les vingt-cinq ans. À l'intérieur de ce cycle, chaque sept ans marque une phase importante pour l'individu. Ce sont les moments de la plus grande influence du croisement de l'esprit et de la chair dans le temps.

Physiquement, les marées et la réalité géographique sont touchées, mais ces «effets» suivent les courbes d'énergie de la conscience. Ces rythmes, aussi minimes soient-ils, sont parfaitement reflétés d'une autre façon. Le septième rêve de la nuit est le plus important, *(plus fort en souriant)* ne vous sentez pas obligé de les compter; et mentionne que je vous dis ceci avec humour.

L'expression des plus grandes capacités d'une personnalité est souvent déclenchée par certains rythmes qui ne sont pas encore compris. Vous pouvez dire, d'une certaine façon, que l'énergie de l'entité se propage, frappe le continuum espace-temps sous certains angles et rebondit. Mais l'énergie reste toujours en contact avec soi même quand elle pénètre la réalité physique.

(22 h 47) En ce qui vous **concerne**, l'énergie rejaillit en rêve, mais elle doit passer par ce qui vous semble être l'ouverture du présent.

(*Pause*) C'est ce rebondissement de l'énergie vers soi qui donne tout son sens à l'état de rêve, où toute expérience vécue est fondamentalement non physique; elle est ensuite interprétée comme un rêve par le cerveau. Vos rêves les plus profonds cependant traitent de choses immatérielles. Le rêve dont vous vous souvenez parfaitement est déjà traduit par le cerveau. L'information entre alors dans votre présent pour colorer matériellement et mentalement votre vie.

Cette information également est automatiquement transformée selon vos croyances, afin de prendre un sens pour vous. En termes énergétiques, imaginez vos «petits moi» comme des particules, et votre expérience comme une onde qui les traverse et qui donne à chacune d'elles ses sensations. Lorsque vous faites partie du monde physique, vous êtes une particule. Au fur et à mesure que les ondes pénètrent le cœur de la particule, votre expérience se dessine; mais votre plus grande réalité ne peut être exprimée dans des termes si restreints.

Faites une pause.

(*22 h 55. Encore une fois le message de Jane-Seth fut régulier et puissant. «Je ne me souviens pas très bien de ce que j'ai dit, me mentionna-t-elle, mais je sens que dans cette matière nous sommes allés plus loin qu'avant. Cela révolutionnerait la science si les physiciens pouvaient la comprendre. Même si nous sommes limités en tant qu'êtres humains, je pense que nous avons saisi quelques idées, grâce à Seth, qui sont d'une importance primordiale...»*)

(*La pluie venait de cesser et c'était très humide. Pour se détendre, Jane sortit de la maison et marcha un peu pendant la pause. Reprise à 23 h 24.*)

À présent... S'il y a des temps plus propices que d'autres pour envoyer des fusées et d'autres engins sur la Lune, il est aussi des moments de concordance entre le soi et l'âme (ou entité), où la communication est optimale.

Tout cela passe par la fenêtre de votre présent. Encore une fois si on parle d'énergie, la vitalité de votre entité, en pénétrant la réalité tridimensionnelle, forme une particule qui est votre être actuel. Mais cette particule est aussi **détournée** de la terre de façon rythmique. Il en va de même pour les autres fragments de «soi» en d'autres points du continuum espace-temps, mais on peut dire d'une certaine manière que vous vous rencontrez par intervalles. Chacun de vos «présents» est chargé, rempli de potentiel; et votre entité, elle-même énergie consciente, s'enrichit de nouvelles expériences par le pouvoir combiné et amplifié de son propre «passé».

Chaque soi atteint donc des sommets. Ces crêtes servent de **points d'entrée** par lesquels l'énergie amplifiée de l'entité peut circuler. Cependant, cette énergie peut paraître instable; on pourrait faire ici une analogie avec les taches solaires. Ce sont des moments de grande agitation psychologique, et souvent les personnalités concernées prennent de nouvelles directions.

Chez l'individu, cela se produit dans un moment de grande illumination; il prend alors de soudaines décisions et se découvre de nouvelles forces. Socialement, un tel moment se dessine pour vous. On le pressent dans les périodes d'effervescence qui donnent lieu à une créativité nouvelle. Vous connaîtrez alors, du point de vue de l'organisation, de grands changements planétaires, mais ils seront toujours le reflet d'illuminations **intérieures** individuelles. (*Avec beaucoup de force*) Vous ne vous fiez pas assez à **votre moi intérieur**, vous ne sentez pas fermenter le levain créateur.

Si vous le saisissiez, vous éviteriez bien des problèmes.

Ce qui suit est autant pour vous deux que pour le livre. Tout point de votre présent vous offre de grandes possibilités de changement, mais en raison des rythmes dont j'ai parlé, les transformations surviennent plus facilement lors de certains cycles.

(*Brusquement*) Fin de la dictée et de la session. Toute mon affection à vous deux.

(*«Bonne nuit, Seth. Merci beaucoup.» 23 h 40*)

Session 669 – Le lundi 11 juin 1973, à 21 h 40

(*La nuit était très chaude et l'humidité accablante, mais Jane ne voulait pas remettre la session. Pour changer d'air, nous nous sommes installés dans son bureau, portes et fenêtres ouvertes.*)

(*Avant la session, nous exprimions à nouveau notre souhait de voir Seth commenter la dernière expérience de Jane concernant le livre. Cette expérience très intense s'était déroulée aux petites heures le matin du 29 mai; voir les notes au début de la session 667 du présent chapitre. Seth passa outre encore une fois. Je ne le lui avais d'ailleurs pas rappelé. On oublie facilement de poser des questions précises au cours d'une session, même avec une liste en main.*)

(*Alors, comme s'il voulait nous brouiller davantage, Seth parla de la matière que Jane reçut en rêve la nuit dernière. En fin de compte cela devait se relier au chapitre 20...*)

(*Ce soir, Jane parla lentement, d'une voix posée.*)

Bonsoir.

(*«Bonsoir, Seth.»*)

Puisque votre point de pouvoir et d'action **se rattache** à votre présent, vous pouvez considérer chaque jour comme une fenêtre qui vous offre différentes perspectives à travers ses multiples carreaux.

Ouverte ou fermée, la fenêtre de votre journée est encadrée par votre expérience psychologique du moment. Même fermée, elle permet l'entrée de la lumière qui illumine votre quotidien. En miniature, chaque jour contient à sa manière des indices de toutes vos existences simultanées. Votre «moi» présent n'est jamais isolé.

Dans chaque vingt-quatre heures, des traces et des aspects de vos autres expériences transparaissent. Chacun de vous contient des aspects de ses autres identités; certains sont très évidents, d'autres, à peine perceptibles. Ainsi, vous pouvez reconnaître comme vôtres des capacités qui furent l'apanage d'une vie antérieure, mais sans vraiment vous y attarder maintenant.

De vagues tendances vers certaines réalisations peuvent indiquer que vous en avez les capacités mais elles ne sont pas exercées dans le moi qui vous est familier. À leur manière, vingt-quatre heures représentent aussi bien une vie entière que plusieurs vies en une. Symboliquement, dans ce laps de temps, vous connaissez la «mort» lorsque votre conscience physiquement orientée ne peut plus traiter sans repos d'autres stimuli. Ainsi, à votre mort physique, vous en arrivez au point où votre conscience terrestre ne pourra plus absorber de données ni les organiser en un tout cohérent, sans prendre un «repos prolongé», selon **vos termes**, cela va de soi.

(*21 h 56*) Chaque jour est une incarnation, et je ne parle pas symboliquement, car grâce à la rencontre de l'âme et de la chair, chaque «soi» reflète quotidiennement ses soi «réincarnationnels» ou simultanés.

À un niveau plus concret pour vous, chaque journée tient la clé de vos problèmes courants. Si un problème (ou défi) se présente, vous pouvez être sûr que la solution est en **vous**, autant que le problème peut l'être. (*Avec force*) La solution n'est que le revers du problème, mais vous ne vous y êtes peut-être pas attardé. Vous aurez des indices très clairs de la direction à prendre; ils sont déjà dans votre expérience, mais **vous ne les voyez pas**, puisque vous vous concentrez sur le problème.

Il en est de même pour chaque dilemme.

(*Pause*) Malgré votre autonomie **individuelle,** vous faites aussi partie **d'un autre soi.** Vous ne vous identifiez tout simplement pas actuellement à votre «plus grand soi». Chacun de vous est unique. Votre être supérieur a aussi son originalité propre; vous trouverez cependant des ressemblances de famille. Ainsi, vous et vos autres «moi» choisirez bien souvent des défis identiques, mais sous des angles différents.

À leur manière, d'autres fragments de votre être multidimensionnel ont donc des expériences semblables à la vôtre, bien que vue **de l'extérieur** la situation puisse être complètement différente. Leur évolution est latente dans la fenêtre du «point de jonction»; ce point étant simplement le lieu de votre rencontre avec la réalité que vous connaissez.

Les aventures de vos «moi» simultanés se révèlent à votre conscience; ainsi vous vient-il des idées, des songes ou des images décousues ou même à l'occasion des intuitions soudaines. Vous pouvez y faire appel, **les faire parler,** pour vous aider à comprendre vos problèmes.

Vous pouvez faire une pause.

(*22 h 10. «Ce fut une des rares sessions où, même en transe, j'étais accablée par la chaleur», dit Jane. Elle se tortillait constamment sur sa chaise, mais son débit restait normal et régulier. Pour plus de renseignements sur la notion des «points de jonction», voir la matière donnée à 21 h 26 lors de la session précédente. Reprise à 22 h 28.*)

À présent, cela ne veut pas dire que vous serez inondé de renseignements réincarnationnels, que vous reconnaîtrez instantanément vos vies «passées» ou que vous serez **importuné** par de telles données. Ces renseignements n'entrent cependant pas moins spontanément dans votre vie, mais passent par votre propre cadre de référence, traversant même discrètement vos pensées conscientes.

De nombreux artistes peignent sans le savoir des portraits de leurs moi simultanés[1]. Certaines mères se sentent par moments plus jeunes

---

1. Je sens que je suis ce genre d'artiste. Au sujet de cette matière, voir mes notes de la session 582, chapitre 20, de *L'enseignement de Seth*. Ce n'est qu'après le début de ces sessions, en 1963, que je constatai que mes représentations intérieures étaient aussi valables que les modèles qui posaient devant moi. Vraiment, j'ai souvent senti qu'elles étaient encore plus significatives, mais mon apprentissage et mon travail d'artiste commercial, depuis mes débuts à New York en 1939, m'avaient conditionné à croire que l'artiste ne devait créer qu'avec ce qu'il «voyait» objectivement.
Pendant plusieurs années, j'ai oublié qu'à l'école primaire j'avais joyeusement et librement couvert mes cahiers en dessinant des gens et des endroits «imaginaires». (*Note de Robert Butts*)

que leur progéniture et éprouvent même le besoin de donner d'autres noms à certains de leurs enfants. Les impulsions qui vous poussent à faire des choses que vous n'avez pas tenté jusqu'ici peuvent réellement être des messages en provenance d'autres fragments de votre être.

Le temps tel que vous le pensez n'existe pas, il n'y a qu'un présent dans lequel tout arrive. Il y a de merveilleux renseignements condensés à l'intérieur même des cellules que les scientifiques ne peuvent pas saisir, car elles échappent à la portée de leurs instruments. L'intelligence cellulaire **reconnaît une vaste étendue** de probabilités qu'elle scrute à la vitesse de l'éclair, qu'elle traite et auxquelles elle répond, ces dernières s'en trouvent donc transformées.

(*22 h 42*) Votre esprit **rivé sur votre présent** ne saurait considérer une variété aussi vertigineuse de probabilités sans en perdre son identité; cependant vos pensées journalières **portent** des traces conscientes d'une telle connaissance. Bien souvent, vous ne vous fiez pas à votre imagination car elle jongle, direz-vous, avec l'irréel. Vous créez donc artificiellement une situation où l'ensemble des éléments doivent être inventés de toute pièce. Vous croyez qu'avec trop d'imagination, vous aurez de la difficulté à transiger avec la réalité physique. Cela ne s'applique cependant qu'à votre culture actuelle. À l'origine, c'était précisément l'imagination qui vous distinguait des autres créatures; elle vous permettait de créer mentalement des réalités que vous pouviez extérioriser «plus tard».

Par votre propre **méfiance**, vous vous privez d'indices précieux que vous fournirait votre imagination, tant pour la solution de problèmes que pour votre expression créatrice. Dans ce même esprit, vous traitez de chimères de nombreux souvenirs «d'autres vies» qui sont tout à fait valables. Bon nombre de problèmes peuvent être résolus grâce à votre imagination.

(*Pause à 22 h 50*) Vous l'utilisez souvent sans vous en rendre compte pour entretenir des effets «négatifs», en pensant à tout ce qui pourrait aller mal. Mais vous pouvez employer votre imagination à bon escient pour modifier le passé, le présent et le futur. Ainsi pour votre présent, imaginez librement une situation dans laquelle vous êtes heureux. Au départ, vos rêveries pourront vous paraître insensées. Si vous êtes vieux, pauvre et seul, cela peut vous sembler totalement ridicule de vous voir à vingt ans, riche et entouré d'amis et d'admirateurs.

Bien sûr, si après un exercice si plaisant vous vous regardez et comparez ce que **vous avez**, vous pourrez vous sentir encore plus mal.

Vous devez comprendre que ce monde imaginaire **existe**, mais pas sous la forme de réalité que vous connaissez. Pourtant, **dans une certaine mesure**, et compte tenu de votre marge de manœuvre, cet exercice rajeunira automatiquement votre corps, votre intelligence et votre esprit et commencera à vous attirer ce qui est **possible** pour vous dans votre réalité (*avec force*).

Prenons l'âge comme exemple. Vous vous voyez à **tel âge**; puis vous pensez que dans votre réalité subjective c'est l'âge qui compte avant tout et que, peu importe où vous en êtes, l'expérience d'un autre âge ne vous est pas accessible. Toutefois, dans certaines de vos existences simultanées, vous êtes soit très jeune, soit très vieux. Certaines de vos cellules sont toutes nouvelles, pour ainsi dire, vous **portez en vous** le germe de la vie; et ceci est vrai non seulement jusqu'à votre mort mais aussi après; ainsi vos cheveux et vos ongles continuent-ils à pousser après la mort clinique. Identifiez-vous alors avec l'énergie toujours renouvelée qui nourrit votre être **actuel** (*avec beaucoup d'intensité*) et comprenez que, à **tous les niveaux**, vous êtes organiquement et psychologiquement relié à la plus grande identité qui est vôtre.

Vous pouvez faire une pause.

(*De 23 h 04 à 23 h 24*) Peu importe votre situation, les réponses reposent à l'intérieur même de vos aspirations et de vos capacités. Souvent, vous retiendrez ou étoufferez certains talents pour en exercer d'autres; pourtant, en exploitant **ceux que vous avez déjà, vous vous dégagerez automatiquement** de blocages en d'autres domaines.

Certaines malformations congénitales sont irrémédiables; l'individu devra alors chercher des voies inhabituelles de réalisations. Mais même ici les talents et les caractéristiques dont vous **disposez** vous ouvriront de nouvelles possibilités de réussite.

Considérez les exercices d'imagination que je vous ai suggérés comme un jeu, sachant bien que, d'un point de vue «réaliste», il peut y avoir de grandes divergences entre l'imagination et la réalité. Prenez-en votre parti. Cependant, si vous laissez folâtrer votre imagination, dans l'irréel semble-t-il, vous trouverez des solutions judicieuses à vos problèmes, car si vous faites bien l'exercice, vous vous libérerez automatiquement des restrictions que vous teniez pour acquises.

Même si une solution n'apparaît pas directement, ce seul rafraîchissement viendra de lui-même vous mettre sur la bonne piste. Par exemple, si vous êtes une femme et que vous soyez malheureuse dans votre mariage, imaginez-vous avec un compagnon agréable. Le chevalier servant n'apparaîtra peut-être pas miraculeusement, mais si vous poursuivez **correctement** cet exercice vous vous sentirez soudain aimée, et donc digne d'amour et aimable, alors qu'auparavant vous vous sentiez rejetée, inutile et inférieure. Ce sentiment d'être aimée **transformera** votre réalité et vous attirera l'amour. Vous jouerez à être aimée. Peut-être alors votre époux trouvera-t-il vos manières des plus agréables et changera-t-il lui-même.

Par ailleurs, vous pouvez attirer un autre homme et mettre un terme à ce mariage qui à toutes fins utiles a rempli sa fonction; vous trouverez alors la force et les raisons pour changer. Puisque votre imagination transcende le temps, elle est l'une des meilleures marques de votre propre identité.

Évidemment, vous devez être capable de distinguer le monde imaginaire du monde réel pour pouvoir bien manœuvrer. Mais la réalité physique jaillit de l'imagination qui, de son côté, emprunte l'avenue de vos croyances.

Dans cet exercice, vous **utilisez** une croyance en voie de changement, dans un domaine ou l'autre, et vous donnez alors pleine liberté à votre imagination dans cette nouvelle direction. Un tel exercice fait plus encore, il ouvre la fenêtre de la perception et laisse entrer la connaissance et l'expérience des autres portions du «soi». Lorsque cette lumière-énergie vous pénètre, elle est colorée par votre propre réalité psychologique, comme le sont les rayons du soleil à travers des verres fumés. Cela veut dire que l'information d'une autre dimension apparaîtra dans le contexte qui vous est familier; peut-être comme une intuition ou une idée soudaine de revenir à une solution qui vous avait déjà traversé l'esprit mais qui n'avait pas été mise en pratique.

Voulez-vous faire une pause?

(23 h 45. «Non.» Toutefois, je suis allé lui chercher à boire quand, toujours en transe, Jane leva son verre vide.)

La connaissance multidimensionnelle de vos cellules n'est habituellement pas disponible consciemment, elle ne peut pas non plus être traduite en vos termes. Un tel travail d'imagination agit comme un déclencheur; il tire des autres niveaux de votre plus grande réalité l'information dont vous avez besoin et permet de l'appliquer au problème de l'heure. Cette information prendra alors tout son sens.

Par lui-même, cet exercice change habilement le cours des probabilités puisque dorénavant vous ne voyez plus le problème comme une réalité figée. Il intervient comme une force psychique et psychologique qui transforme les messages qu'habituellement vous envoyez à votre corps et à son organisation cellulaire. Vous agissez alors astucieusement à plusieurs niveaux de votre expérience.

Prenons par exemple les deux cas dont je viens de vous parler. La personne âgée s'imaginant jeune provoquera certains changements chimiques et hormonaux et **reprendra** de la vigueur; et cette femme qui se sent rejetée agira de la même façon en s'imaginant aimée.

Cet exercice ravive à l'intérieur du «soi» toutes ses expériences inconscientes mais pourtant valables; il profitera alors d'épisodes semblables vécus en d'autres vies simultanées. Dans une autre vie, le vieillard **est jeune**. La femme rejetée **est vraiment aimée**. Ces réalités inconscientes sont éveillées par l'imagination. Chaque jour est une ouverture sur chaque vie.

Vous pouvez faire une pause ou, si vous le préférez, terminer la session.

(*«Nous allons plutôt faire une pause.»*)

(*23 h 59. La soirée était devenue un peu plus fraîche et Jane se sentait mieux. Le bruit dans la maison l'avait cependant dérangée. Cela arrive rarement.*)

(*Pendant la pause, je rappelai à Jane que nous attendions des commentaires de Seth sur son expérience de dictée de livre, dans la nuit du 29 mai; mais elle se mit à gloser sur ses rêves de la nuit dernière. Je n'y pensais plus à ceux-là!*)

(*La nuit dernière aussi avait été chaude, et Jane avait peu dormi. Elle se réveillait à tout bout de champ, revoyant ses paysages de rêve comme s'ils étaient là, «tout juste» devant elle. Elle avait l'impression qu'elle pourrait s'y aventurer tout simplement, «comme en sautant une clôture». Elle savait aussi que tous ces lieux faisaient partie d'un paysage collectif de rêve. Jane précisa que, à sa connaissance, ce matériel ne venait pas de Seth, mais qu'avec le recul cela servait sans doute de préparation au prochain chapitre.*)

(*«Seth est prêt!», s'exclama Jane, alors que nous parlions de rêve. La session reprit donc à 00 h 03.*)

Chapitre 20

LE PAYSAGE DE RÊVE, LE MONDE PHYSIQUE, LES PROBABILITÉS ET VOTRE EXPÉRIENCE QUOTIDIENNE

Session 669 (suite)

Maintenant accordons-nous un moment...

(*En chuchotant*) Chapitre 20: «Le paysage de rêve, le monde physique, les probabilités et votre expérience quotidienne.»

(*Une longue pause à 00 h 06*) Puisque vous êtes des créatures physiques, même vos rêves pour être compris doivent passer par votre réalité charnelle. Collectivement et selon les méthodes que je vous ai décrites, vous participez à la création de votre réalité physique; chaque expérience y est cependant unique, (point).

De la même manière, chacun de vous contribue à la formation d'un monde du rêve où il existe un **minimum d'ententes** communes, (virgule), mais où chaque expérience est originale. Le monde du rêve a son champ d'action, tout comme le monde physique. À l'état de veille, il faut du temps aux croyances pour leur matérialisation. D'un nombre infini d'actes possibles, un seul généralement peut être expérimenté physiquement, (point).

Par contre, le monde du rêve est un lieu d'essai où des actes probables sont immédiatement représentés concrètement ou symboliquement. Vous choisissez alors parmi eux celui qui est le plus approprié à l'expression physique. Il y a d'autres raisons importantes de rêver, mais nous nous limiterons ici à cet effet précis et au paysage de rêve en lui-même.

(*Plus fort et avec humour*) J'espère que vous appréciez les ponctuations.

(*00 h 15. «C'est bien ainsi.»*)

Si vous trouvez vos rêves si incohérents, c'est tout simplement que vous attendez d'eux qu'ils ressemblent à votre expérience de vie quotidienne. Par exemple, un arbre ne se métamorphose pas en paon. Si vous vous souvenez d'un rêve de ce genre, (virgule), il vous paraîtra insensé au réveil.

C'est tout pour le moment, voici la fin de la session.

(«D'accord. Bonne nuit, Seth.» Fin à 00 h 23.)

(Depuis la pause, Seth a pris la peine de mentionner bon nombre de signes de ponctuation; j'ai donc laissé quelques exemples. C'est ce qu'il fait tout au long du livre, mais il insiste beaucoup plus sur les mots écrits en gras, les guillemets et les parenthèses. Voir les notes à la fin de la session 610, chapitre 1, tome I.)

(En ce qui concerne la matière de Seth sur les rêves, leur symbolique et leur pouvoir thérapeutique, voir les sessions 639 et 641, chapitre 10 du présent ouvrage.)

Session 670 – Le mercredi 13 juin 1973, à 21 h 25

(Nous avons tous les deux attendu avec impatience certains renseignements personnels que nous avions demandés plus tôt aujourd'hui; Jane «savait» déjà que Seth nous les donnerait ce soir, mais elle voulait poursuivre d'abord le chapitre 20. Son débit fut calme et régulier.)

Bonsoir.

(«Bonsoir, Seth.»)

Commençons par la dictée. Vos humeurs et émotions sont beaucoup plus mobiles en état de rêve. Vous pouvez vous sentir enraciné comme un arbre pour un instant et ensuite vous voir comme un paon majestueux, vous verrez alors l'arbre se transformer en oiseau.

Vos émotions, échappant à l'attraction des événements quotidiens, dresseront souvent leur propre paysage à l'aide du support créateur des rêves. J'ai déjà souligné la corrélation entre vos sentiments et vos croyances et les circonstances physiques, tel le climat (*voir le chapitre 18*). Semblabement, vous participez individuellement à la création de votre paysage commun de rêve. Il naît aussi de vos sentiments et de vos croyances, mais à un niveau différent; son existence est tout aussi valable, bien que vous ne puissiez pas l'observer avec vos instruments, comme vous examinez les montagnes et les continents de votre planète.

(Pause) Cela **ne veut pas dire** que les rêves peuvent être déchiffrés à l'aide de n'importe quel symbole [*générique*]. Vous créez et vivez

votre quotidien grâce à vos sentiments et croyances, c'est la même chose pour la réalité de rêve.

Ici, cependant, vos pensées et sentiments prennent vie «instantanément»; ils jaillissent tels quels les uns par-dessus les autres. Bien sûr le monde du rêve existe aussi en termes d'énergie, mais il est hors de portée physique. Une grande partie de votre travail créatif intérieur se réalise à ce niveau. Il doit y avoir une séparation entre le rêve et l'expérience éveillée, afin que vous puissiez mieux vous concentrer sur votre quotidien.

(*21 h 35*) Il n'y a cependant pas de raison majeure à cette profonde césure chez vous entre l'éveil et le sommeil. Comme je l'ai mentionné précédemment (*voir la session 652, chapitre 13 du présent ouvrage*), cette division provient en grande partie de vos croyances personnelles et collectives concernant la réalité, et de cette manie qu'a votre race de séparer les données dites «objectives» des données subjectives.

Quand vous avez décidé d'**exploiter** votre environnement, vous vous en êtes dissocié. Mais comme vous en faites partie, cela vous conduit aussi à vous couper de votre propre réalité subjective. Il vous est possible et bénéfique de faire suivre votre «je» conscient dans vos rêves. Si vous le faites, vous verrez que le «je» rêvant et le «je» éveillé ne font qu'un, mais que le champ d'exploration est totalement différent. Vous acquérez ainsi une profondeur d'expérience et de connaissance jusque-là inconnues. Vous retrouvez la véritable souplesse de votre être et vous ouvrez des canaux de communication entre vos réalités de veille et de rêve. En d'autres termes, vous pouvez beaucoup mieux utiliser la connaissance inconsciente, mais aussi renseigner l'inconscient sur votre situation physique actuelle.

Cet exercice peut vous apporter une sagesse que vous vous refusiez, unifier toute votre situation et libérer votre énergie pour les choses du quotidien. Le seul fait de décider de **tenter** l'expérience est bénéfique puisque cela présuppose une ouverture de la part du soi conscient.

Si vous avez peur de vos rêves, vous avez peur de vous-même.

Chacune de vos journées contient de façon concentrée tous vos défis, toutes vos joies et tous vos problèmes; ainsi en est-il de votre vie. Les rêves de chaque nuit vous fournissent donc un fonds précieux de créativité. Là, tout étalés, vous trouverez non seulement les problèmes mais leurs solutions.

Cependant, physiquement, il vous faudra peut-être un certain temps avant que votre conscience reconnaisse et accepte un diagnostic donné en rêve. Il peut vous venir plus tard sous forme d'un pressentiment, d'une intuition ou d'un vif besoin d'action. Si vous n'avez pas **confiance** en vous, peut-être ignorerez-vous ces impulsions et ne profiterez-vous pas des réponses offertes.

L'esprit éveillé est toujours à l'affût de ces messages. Vous pouvez également franchir un pas de plus en rêve, en appelant certains rêves et certaines solutions, épargnant du temps pour ainsi dire, que vous pouvez utiliser à autre chose.

Faites une pause.

(21 h 53. Le reste de la session fut consacré à la matière que Jane et moi avions demandée, elle prit fin à 23 h 35.)

Session 671 – Le jeudi 21 juin 1973, à 20 h 58

(Puisque nous avions manqué deux sessions régulières cette semaine, Jane décida d'en rattraper une ce soir; elle voulait maintenir le plus possible le rythme habituel de production du livre. C'était encore une soirée chaude et son débit était lent.)

Bonsoir.

(«Bonsoir, Seth.»)

Une note: je peux finir le livre en un nombre indéfini de sessions consécutives, si vous le désirez.

(«Oui.» Seth voulait dire que nous pouvions tenir des sessions tous les jours. Jane et moi en avions parlé plus tôt, sans trop de sérieux. Mais, en fin de compte, nous ne disposons pas d'assez de temps; le manuscrit devrait être livré à Prentice-Hall en octobre, mais il reste beaucoup trop de travail pour qu'il soit terminé à cette date.)

Dictée. En général, si vous ne croyez pas pouvoir être conscient en état de rêve, alors cela vous sera pratiquement impossible. Cela ira à l'encontre de votre idée de la réalité, empêchant ainsi l'ouverture et l'acceptation nécessaires.

(Nouveau paragraphe) Vos croyances structurent une grande partie de votre activité de rêve, mais d'autres éléments entrent en ligne de compte, car votre conscience n'est à ce moment qu'**indirectement** concernée par la réalité physique.

(21 h 04) Encore une fois, les pensées et les idées ont aussi leur propre valeur électromagnétique. Durant votre vie éveillée, vous testez

vos idées dans le monde des faits. Bien sûr, les faits ne sont que des fictions qui ont été acceptées, mais les idées doivent avoir un sens et bien cadrer avec l'«histoire».

(«*Fiction*» *est bien le mot choisi par Seth; il me l'a confirmé.*)

En rêve, vous vous accordez une liberté plus grande, vous expérimentez certaines idées et croyances dans ce cadre plus souple. Vous pouvez donc accepter de nouvelles croyances d'abord en rêve, puis y adhérer intellectuellement et de manière sensible «plus tard». En rêve, l'esprit est beaucoup plus flexible et enjoué. Il a cette liberté, car il sait très bien ne pas avoir à expérimenter immédiatement la théorie dans le contexte quotidien. Il scrute volontiers la vie intime du «soi», pour voir ce qu'il peut y trouver d'utile, un peu comme un explorateur qui cherche des ressources naturelles dans un territoire vierge.

(*21 h 15*) La conscience terrestre doit fonctionner dans la dimension espace-temps, car c'est là seulement qu'elle peut percevoir clairement les événements. En rêve, la conscience ne tient pas vraiment compte de la relation temps-espace, mais elle reste liée aux mécanismes corporels. Les rêves sont alors physiquement expérimentés. Vous vous sentez courir, parler, manger et faire des activités physiques, sauf qu'elles ne sont pas exécutées par le corps physique qui repose sur le lit.

L'expérience est vraiment orientée vers le monde sensible, mais **indirectement**. En d'autres termes, dans la plupart des rêves, les données sont captées et interprétées à la lumière de la vie corporelle. Ce sont les rêves dont on se souvient le mieux.

Par ailleurs, vous faites d'autres expériences dont vous ne vous souvenez que rarement et où votre conscience ne s'identifie plus à la vie physique. (*Pause*) Vos images dépendent de votre structure neurologique et de votre **interprétation**. Quand vous pensez à la vie après la mort, par exemple, vous imaginez vos sens fonctionner normalement, mais dans un corps immatériel. La perception sans image semble impossible dans ce contexte. Cependant, dans certaines situations de rêve, vous accédez à un état de conscience fort éloigné de ce «modèle» sensoriel. Il ne s'agit pas d'images, mais vous pouvez par la suite en fabriquer inconsciemment pour une meilleure compréhension. Il vous est alors possible de vous faire une meilleure idée de ce qu'est votre conscience, lorsqu'elle est complètement libérée de votre condition physique.

(*21 h 27*) Dans votre quotidien, vous pouvez avoir une soudaine illumination sans savoir comment elle est venue, sans image ni impression sensorielle. La connaissance est simplement «là». Cette lucidité n'a **aucun lien** avec le monde ordinaire des sens. La conscience sait, tout simplement. Alors, dans certains de ces états de rêves, vous **connaissez** de la même manière. Vous sentez votre être **détaché** de la chair.

Cette connaissance de rêve peut littéralement régénérer votre vie, mais vous en oublierez l'origine, car l'événement entier sera généralement traduit en images avant le réveil. De tels événements de rêve sont des expériences de l'être dans ce qu'il a d'essentiel. Pendant ces rêves, le soi ou la conscience va littéralement à la source de sa propre énergie. À un autre niveau, les atomes possèdent ce genre de connaissance.

(*Lentement*) Il peut sembler qu'une telle intelligence n'ait rien à voir avec la vie quotidienne; on a si peu de souvenirs, et encore ce sont des traductions. Pourtant, vous en tirerez un surplus d'énergie, et cela quand vous en aurez **le plus** besoin.

Dans les périodes de stress, la conscience branchée sur la réalité physique se dégagera momentanément de sa voie habituelle et s'appuiera sur les fondements de son être, où elle sait pouvoir être régénérée et renaître.

Vous pouvez prendre votre pause.

(*21 h 40. Jane me dit qu'elle venait tout juste d'utiliser la phrase que Seth a donnée à 21 h 04, soit «Les faits ne sont que des fictions acceptées...», dans son propre ouvrage théorique,* Aspect Psychology. *Ses propos ressemblaient beaucoup à ceux que Seth a présentés à 21 h 15.*)

(*Reprise à 21 h 56*)

Comme vous êtes lié au monde de la matière, vous devez interpréter l'expérience par l'intermédiaire de vos sens, même celle des rêves. Parfois, votre conscience peut s'aventurer dans d'autres sphères, mais alors les événements doivent être réinterprétés physiquement.

Dans votre vie éveillée, vous ne percevez que la partie des événements qui coïncide avec votre espace-temps. En rêve, vous pouvez avoir une vision plus compréhensive. Ainsi vous pouvez voir en un même lieu des objets du passé, du présent et du futur. Souvent, un tel rêve semblera dépourvu de sens, puisque «concrètement» il est impossible que les objets passés, présents et futurs apparaissent en même temps, à la même place.

(*Très intensément*) **Ce n'est pas le même espace de toute façon. Il paraît l'être seulement pour vous.**

L'espace lui-même s'accélère d'une manière que vous ne pouvez comprendre. Vous n'êtes pas branché sur ces fréquences. Tout point dans l'espace est aussi un point dans ce que vous appelez le temps, un seuil que vous n'avez pas appris à franchir[1]. D'une manière un peu semblable, votre cerveau est une porte d'entrée à la pensée. Vos croyances sont donc responsables en grande partie de l'activation des zones du cerveau et de l'action non physique qui en résulte dans votre esprit.

La concentration physique vous fournit une réalité magnifique, intense et spécialisée. Mais s'il n'y avait pas l'activité onirique, vous y seriez enfermés (il s'agit là d'une image), car vous auriez peur d'explorer de nouveaux concepts et de matérialiser vos intuitions dans une réalité qui semble figée dans le roc.

(*22 h 10*) L'état de rêve vous offre un banc d'essai où former et expérimenter des hypothèses de travail dans un contexte de jeu. Et encore, vos rêves, les souvenirs que vous en avez et les nombreuses solutions qui vous viennent, représentent seulement la couche superficielle de l'activité de rêve. Suivre votre propre cheminement en rêve est une entreprise fascinante; et dans le contexte du rêve, vous pouvez devenir conscient du fonctionnement de votre conscience. Pour cela, vous devez croire en l'intégrité de votre être. Si vous n'avez pas confiance en vous à l'état de veille, vous n'aurez pas confiance en vous en rêve et vos paysages de rêve vous paraîtront menaçants. À croire vos rêves désagréables, ainsi ils le seront, ou au mieux seuls les cauchemars reviendront à votre mémoire.

(*Longue pause à 22 h 20*) Si, toutefois, vous croyez que vous ne rêvez pas, vous allez inhiber le souvenir, mais vous rêvez quand même. Ces riches expériences ne feront pas partie de votre vie consciente à cause de votre croyance.

---

1. Seth tient des propos analogues dans la session 582, chapitre 20, de *L'enseignement de Seth*: «Ce que vous percevez du temps est une portion d'autres événements qui recoupent votre système; ce qui souvent est interprété comme un mouvement dans l'espace...» Dans cette session ainsi qu'à la session 581, Seth traite aussi des «unités d'énergie électromagnétique» (E.E.) dont il avait déjà parlé – leur vélocité variable, leur mouvement – dans le temps, et comment nous les traduisons en événements, en rêves. (*Note de Robert Butts*)

Vos rêves sont personnels, tout comme votre vie éveillée; mais il n'existe pas moins une expérience collective, tant de veille que de sommeil, où chaque individu trouve sa place et accepte, ou rejette, les événements. Selon votre point de vue, la race, à n'importe quel «moment», résout en rêve des problèmes communs, et les solutions sont alors extériorisées. Grâce à un dégagement de la contrainte spatio-temporelle, l'état de rêve offre une plus grande perspective; certaines solutions pourront sembler impropres lorsqu'elles sont mises en œuvre physiquement, mais elles s'avéreront géniales à long terme.

Individuellement et collectivement, alors, l'humain utilise le monde du rêve comme terrain d'essai initial. À partir de ces réalités «fantasmées» et de ces événements probables rêvés, découlent tous les «faits» physiques acceptés dans votre monde du vrai et du faux.

(*Pause à 22 h 29. Voir le chapitre 14 du présent ouvrage sur les probabilités.*)

Des événements probables vécus en rêve, et très valables dans d'autres sphères de réalité, sonneront faux dans votre monde, tandis qu'un événement du même genre, **réalisé physiquement**, devient vrai.

Vos guerres, perdues ou gagnées, sont d'abord livrées en rêve, et votre version physique de l'histoire suit le fil ténu d'une seule ligne de probabilités. Pour vous, une guerre est gagnée ou perdue par l'une ou l'autre armée. Dans votre (*chuchoté avec humour*) maigre compréhension des événements, une bataille par exemple ne peut avoir qu'une seule issue. Des faits viendront en montrer l'évidence: une bataille avec un nombre précis de combattants, qui a lieu telle date à tel endroit et qui mène à une victoire bien déterminée. Dans l'histoire, des traités seront signés, mais en réalité vous ne percevez qu'un aspect, qu'un coin, d'un événement beaucoup plus vaste qui déborde votre conception des époques et des lieux.

(*22 h 35*) La bataille initiale, pour ainsi dire, fut livrée en rêve, puis la race a décidé tant individuellement que collectivement du **scénario** physique. Même dans ces termes approuvés, par contre, il appert que souvent le gagnant soit le perdant.

L'événement **entier** transcende tout jugement de vrai ou de faux. Un événement complet, incluant toutes ses probabilités, ne peut évidemment pas entrer dans votre cadre de référence actuel.

Encore une fois, en rêve vous testez des probabilités et vous choisissez celles qui deviendront vos «faits réels». Ici, vous avez une grande latitude, comme individu et en tant que race. Ici, chaque humain crée son propre destin et, avec les données obtenues dans ses rêves, il choisit consciemment quels épisodes qu'il mettra en œuvre et vivra physiquement.

Vous acceptez de vos rêves les données qui concordent le plus avec vos croyances à l'état de veille. Dans cet échange, tel que je l'ai mentionné, les nouvelles croyances sont mises à l'épreuve, pour ainsi dire. Vous n'êtes donc en aucune façon à la merci de vos rêves.

Vous ne saisissez pas toute la richesse des transactions entre les expériences de veille et de rêve. Vous avez cru en l'existence d'une frontière artificielle entre les deux qui, en fait, n'existe pas. La suggestion avant le sommeil que des solutions à vos problèmes vous soient données vous fait automatiquement profiter de votre connaissance de rêve et libère votre propre capacité créatrice.

Vous pouvez prendre votre pause.

(*De 22 h 47 à 23 h 05*) Bon. J'ai une note pour vous ou je peux continuer la dictée.

(*«Allons-y pour la note...»*)

(*Seth m'a eu. Je voulais poursuivre la dictée, mais j'étais certain que sa digression inattendue serait très intéressante aussi. Elle l'était. Pendant plusieurs pages, il discuta de ma mère et de ses expériences récentes avec certaines probabilités dans son âge avancé. Nous n'entrerons pas ici dans toute la complexité de la situation familiale de maman Butts, mais Jane et moi avons décidé d'inclure les sections les plus générales de l'information de Seth. Ces explications aideront sans doute d'autres personnes dans leurs relations avec les gens âgés.*)

(*Voir la session 650, chapitre 13, pour des précisions sur l'accélération psychique abordée ci-dessous. Seth fait aussi des commentaires sur les hémisphères du cerveau dans cette même section.*)

Ta mère vit une accélération mentale et intuitive, un barrage de stimuli jusqu'ici retenus. Elle perçoit assez clairement les probabilités, mais elle les brouille avec les faits du monde physique. Elle se permet ce genre d'écarts seulement lorsque son travail habituel est terminé et non pas, par exemple, au moment où de tels déséquilibres viendraient interrompre l'une ou l'autre de ses activités **importantes**.

Il se produit des changements physiques bien définis. Des sections du cerveau, qui ne sont pas utilisées pendant certaines périodes de vie intense, sont activées, comme elles le sont à la petite enfance et dans certaines phases de l'adolescence. Ces changements sont déclenchés individuellement chez chaque personne.

J'ai dit que les probabilités se réalisaient (*voir la session 653, chapitre 14 du présent ouvrage*); et voilà que ta mère prend soudain ses imaginations pour la **réalité**. Puisque vous vivez dans un monde spatio-temporel, ses constructions mentales, considérées pour un moment comme la réalité physique, créent des fossés dans ce que vous croyez être l'expérience normale.

Elle doit vivre de tels événements dans une suite temporelle qui ne concorde pas avec la réalité de ses contemporains. Je vous transmets ce matériel non seulement pour vous personnellement mais aussi pour son intérêt général. La comparaison qu'elle fait entre les diverses probabilités permet à ta mère de juger des circonstances de sa vie physique, et ainsi de se programmer à l'avance pour sa prochaine aventure.

Ses actions servent de modèle d'apprentissage pour la famille entière. Malgré les apparences, ses impressions sensorielles ne s'estompent pas mais s'accélèrent. Il s'ensuit une difficulté apparente d'attention, **mais alors** elle est concentrée ailleurs.

(*Longue pause à 23 h 25*) Son sentiment d'indépendance est réactivé, ce qui lui fera finalement désirer quitter sa famille, arrêter de s'accrocher à ses «garçons» (*mes deux frères et moi*). Ces sentiments favoriseront une croissance personnelle qui ne lui était pas accessible.

Elle voudra enfin être indépendante de son corps, mais cela ne lui fait pas peur; elle lutte plutôt pour s'en libérer. Mais il y a plus... D'une certaine façon, elle accepte que la famille la traite comme une enfant; cela facilite son autonomie, tel un enfant qui veut grandir et quitter la maison familiale. Ainsi le désir d'indépendance de ta mère est-il réveillé. Dans un sens, elle veut se libérer de la «maison de la vie» qu'elle a littéralement bâtie, pour trouver une nouvelle œuvre... pour recommencer à neuf. Pour un adolescent, ses réflexions seraient tout à fait acceptables. Elle aussi veut commencer une nouvelle vie.

(*Rapidement*) Voilà pour la parenthèse. J'espère que votre esprit est rassuré. Vous pouvez mettre fin à la session ou prendre une pause, comme vous préférez.

(«*Je suppose que nous terminerons là-dessus...*»)

Mes salutations les plus chaleureuses à vous deux, et bonne nuit.

(«*Merci, Seth. Bonne nuit.*» 23 h 33.)

Session 672 – Le lundi 25 juin 1973, à 21 h 27

(Samedi 23 juin 1973 fut le premier anniversaire de l'inondation causée par l'ouragan tropical Agnès, où, comme le signalait notre journal local dans son supplément sur l'inondation: «Agnès un an après.»)

(Notre région s'en remet graduellement. Jane et moi sommes très conscients de l'impact de l'inondation sur la production de ce livre, interrompue au milieu du chapitre 1. Voir la session 613, tome I. [Dans mes notes, je mentionne la destruction du pont de la rue Walnut à Elmira; la vieille travée d'acier enjambait la rivière Chemung à un demi pâté de maisons de chez nous. Les travaux, très bruyants d'ailleurs, se poursuivront pendant une année encore.] Au chapitre 18, Seth explique le climat émotionnel général à l'origine d'Agnès et notre réaction personnelle.)

(Le débit de Jane fut plutôt lent, elle garda les yeux fermés pendant la majeure partie de la session.)

Bonsoir.

(«Bonsoir, Seth.»)

Actuellement, l'homme connaît peu le monde intérieur du rêve, sa place dans celui-ci et ses effets sur sa vie éveillée.

Les plus puissants dynamismes de la conscience sont précisément au travail lorsque vous êtes relativement **inconscient** et décroché de la réalité physique. Dans votre contexte temporel, il vous serait impossible d'assimiler la montagne de renseignements disponibles. Pour fonctionner dans ce champ précis qui est vôtre (*pause*), un nombre presque infini de données doivent être assimilées instantanément; les probabilités doivent être calculées et certains équilibres, dont vous n'êtes même pas conscient, doivent être maintenus.

De façon latente, votre conscience a la capacité d'accomplir ces prouesses; cependant, ce travail ne peut être exécuté par la partie qui est fortement liée avec l'espace-temps. La conscience éveillée a la tâche d'évaluer les «faits» quotidiens. Elle forme alors des croyances au sujet de la réalité et les utilise en rêve comme **critères d'admission** de certains événements probables.

(21 h 37) En rêve, vos croyances servent de projecteurs, cherchant d'autres événements qui s'accordent avec vos idées sur la réalité. Vos convictions vous aident à écarter les actions probables – et visualisées en rêve – qui ne vous concernent pas.

(*Lentement*) Mais puisque vous n'êtes pas seulement des créatures physiques, d'autres considérations entrent en ligne de compte. Vous possédez, en abrégé, la connaissance de tout votre être. Cette information ne peut pas passer **complètement** par la conscience reliée au cerveau. La réalité multidimensionnelle ne peut tout simplement pas y être exprimée totalement. À travers l'imagerie et les fantaisies de rêve, lorsque la conscience n'est pas préoccupée par la réalité physique, des aspects du soi multidimensionnel peuvent cependant se manifester. Ces traits exprimeront alors symboliquement votre plus grande existence.

Si vos croyances conscientes vous plongent dans le malheur, en contrepartie des croyances favorables peuvent émaner de cette source. Votre être, cette plus grande conscience qui est vôtre, traverse l'espace-temps; il s'incarne simultanément en plusieurs «points» [de jonction]. (*Voir la session 668, chapitre 19 du présent ouvrage.*) Vous considérez comme une vie, avec son individualité propre, chacune de ces immersions dans l'existence tridimensionnelle. Et **vous êtes** l'une de celles-ci.

(*Lentement à 21 h 53*) Chaque «moi» a son expérience temporelle à faire. Mais chacun est aussi une partie de son plus grand être, une partie de cette énergie d'où il émerge sans cesse. En rêve, votre énergie émet en retour des pulsations vers l'être que vous êtes.

(*21 h 56*) Si on peut le formuler ainsi, chaque nuit vous voyagez, aller et retour, à travers les sphères, par des points d'entrée dont vous n'êtes pas conscient. Encore une fois, dans votre sommeil vous traversez vraiment les vastes distances qui séparent la naissance de la mort. Votre conscience telle que vous la **concevez** transcende ces abîmes et assure sa pérennité. Tout cela est lié à la nature des pulsations énergétiques et à la conscience; **et dans un sens,** ce que vous considérez comme votre vie n'est que la «longueur» apparente d'un rayon de lumière vu sous un autre angle.

(*22 h*) Parmi vos souvenirs de rêve apparaissent parfois certaines expériences de la conscience, mais elles sont déformées. Elles sont l'expression non physique de votre relation avec votre propre être. C'est l'occasion pour vous d'un ressourcement, parfaitement dégagé de toutes croyances conscientes. C'est de ce niveau que naissent les **idéaux** tant individuels que collectifs.

(*22 h 05*) Cette activité est souvent sous-jacente au rêve ordinaire. En pratique, elle se poursuit toujours, mais atténuée, puisqu'elle est le support de votre conscience actuelle.

Vous pouvez faire une pause.

(*22 h 09. Reprise avec la même lenteur à 22 h 28.*)

Le berceau de votre réalité physique n'est pas aussi ferme, prédéterminé ou défini qu'il le semble. Cependant, c'est un champ riche d'interactions. Votre conscience doit se concentrer sur une bande précise de fréquence avant de **percevoir** la moindre matière solide. Dans le sommeil, votre conscience fluctue en intensité; elle entre et sort littéralement de la forme physique et crée, à partir des stades plus malléables de la «prématière», l'apparence que prendra la matière dans votre réalité. Il en est de même pour les événements. Certains se concrétiseront et d'autres non. Les portions profondes de votre être connaissent vos buts, ces intentions qui vous sont propres. Inconsciemment donc, vous gardez en vous le photocalque de la réalité que vous désirez matérialiser. Vous en êtes l'architecte.

Un mécanisme de vérification vous permet lors de certains rêves de prendre connaissance de ces schèmes ou photocalques. Ils peuvent revenir périodiquement tout au long de votre vie, sous forme d'inspiration onirique; et même si vous ne vous en souvenez pas, vous vous réveillez avec des intentions claires et précises.

(*Posément à 22 h 42*) Quand vous travaillez sur vos croyances, examinez sincèrement ce que vous pensez de l'état de rêve, parce que si vous vous fiez à vos rêves, ils peuvent devenir des alliés encore plus importants, en raison de votre coopération consciente.

Si vous voulez régler une dispute, dites-vous que vous y parviendrez en rêve. Vous pourrez ainsi communiquer avec ceux que vous auriez autrement évités. De nombreuses réconciliations se font à ce niveau. Demandez la solution de **n'importe quel problème** et elle vous sera donnée; mais vous devez avoir confiance en vous et apprendre à interpréter vos rêves. Il n'y a pas d'autre moyen que de commencer à travailler sur vos propres rêves. De cette façon, vous aviverez vos capacités intuitives et attirerez les connaissances dont vous avez besoin.

Votre croyance en l'**importance** des rêves peut donc accroître leur efficacité.

Fin du chapitre.

(*Note: Ceux qui sont intéressés par les fluctuations de la conscience peuvent se référer aux sessions suivantes de* L'enseignement de Seth: *la session 567, chapitre 16, sur la différence de phase des atomes à l'intérieur et à l'extérieur de notre système; la session 576, chapitre 19, sur la concentration alternée; et, dans l'appendice, à la séance de classe d'ESP du 23 juin 1970, sur l'organisation de votre vie. Seth y affirme entre autres: «Mais en fait la matière n'est pas solide, sauf si vous y croyez...»)*

Chapitre 21

L'AFFIRMATION DE SOI, L'AMOUR, L'ACCEPTATION ET LE REFUS

Session 672 (suite)

Accordons-nous un bon moment.

(*22 h 45. Jane, en tant que Seth, fit une petite pause. Elle alluma une cigarette et but quelques gorgées de bière. Les yeux fermés, elle se berçait, un pied appuyé sur le bord de la table à café qui nous séparait.*)

Chapitre 21: «L'affirmation de soi, l'amour, l'acceptation et le refus.» Voilà pour le titre.

À présent. S'affirmer c'est dire «oui» à ce que vous êtes, à la vie que vous menez; c'est l'acceptation de votre propre unicité.

L'affirmation signifie que vous affichez votre individualité. Elle signifie aussi que vous embrassez la vie qui est vôtre et qui vous inonde. L'affirmation de soi est l'une des plus grandes forces que vous ayez. À certains moments, vous pouvez à bon escient rejeter quelques expériences, tout en maintenant votre propre vitalité. Vous n'avez pas à dire «oui» aux gens ni à accepter les problèmes ou les événements qui vous gênent trop. L'affirmation n'est pas l'acceptation mielleuse et conciliante de tout ce que vous rencontrez, sans égard à vos propres sentiments. Biologiquement, l'affirmation signifie la santé. Vous avancez dans la vie en comprenant que vous **créez** votre expérience en exerçant vos capacités.

(*23 h*) S'affirmer, ce n'est pas s'asseoir et se dire: «Je ne peux rien faire, car tout est entre les mains du Destin; alors advienne que pourra.» L'affirmation repose sur le fait qu'aucune autre conscience n'est identique à la vôtre, que vos capacités sont uniques et bien distinctes. C'est l'acceptation de votre individualité dans la chair. Fondamentalement, l'affirmation est une nécessité spirituelle, psychique et biologique; elle est la reconnaissance de votre intégrité personnelle.

(*En riant*) Un atome peut prendre soin de lui-même, mais les atomes sont comme des animaux domestiques; unis dans la famille biologique du corps, ils sont un peu comme vos chats ou vos chiens.

Les animaux prennent le caractère de leurs maîtres. Les cellules sont fortement influencées par votre comportement et vos croyances. Si vous affirmez la vérité de votre être physique, vous **aidez** les cellules et les organes de votre corps; sans vous en rendre compte vous leur apportez un réconfort. Si vous n'avez pas confiance en votre nature physique vous les privez de ce support, peu importe les mesures de santé que vous preniez. Comme les animaux, les cellules et organes savent que vous ne leur faites pas confiance. D'une certaine manière, vous développez des anticorps contre vous-même, tout simplement parce que vous ne croyez pas en la droiture de votre être physique dans le contexte spatio-temporel.

Maintenant, nous pouvons faire une pause ou terminer la session si vous le préférez.

(«*Faisons plutôt une pause.*»)

(*De 23 h 10 à 23 h 29*) Par moments, vous pouvez très bien affirmer votre personnalité en disant «non».

L'individualité vous donne le droit de prendre des décisions. **En ce qui vous concerne,** cela signifie dire «oui» ou «non». Le fait de toujours acquiescer aux désirs des autres peut très bien signifier, implicitement, que vous reniez votre propre personnalité.

«Je hais.» Une personne qui dit «je hais» affirme **qu'elle a** au moins un «je» capable de haine. Celui qui dit «je n'ai pas le droit d'haïr» n'assume pas sa propre individualité.

Un homme ou une femme qui connaît la haine comprend la différence entre cette émotion et l'amour. L'affirmation de soi, les ambiguïtés, les contrastes, les similitudes permettent la libération des émotions. (*Pause*) De nombreuses personnes désavouent les sentiments qu'elles jugent négatifs. Elles essaient d'«affirmer» des émotions qu'elles pensent positives. Elles n'acceptent pas la totalité de leur être et, en prétendant **ne pas sentir** ce qu'elles ressentent, elles nient l'intégrité de leur propre expérience.

(*23 h 37*) Les émotions suivent les croyances. Ce sont des états naturellement changeants, l'un menant à un autre, dans un libre flot d'énergie et d'activité; leurs teintes riches et étincelantes favorisent le renouvellement de la conscience. Ces humeurs de la personnalité peuvent être comparées à des couleurs, claires ou foncées; ce sont de puissants motifs énergétiques qui constituent le mouvement, la variété et la vie.

Il est vain de les refuser. C'est l'un des moyens par lesquels la conscience branchée sur la réalité physique se connaît elle-même. Les émotions ne sont pas destructrices. Une émotion n'est ni bonne ni mauvaise.

Les émotions existent tout simplement. Elles sont des éléments du pouvoir de la conscience et sont remplies d'énergie. Laissées à elles-mêmes, elles se mêlent à la puissante marée de l'être. Vous ne pouvez pas libérer une émotion et en étouffer une autre sans dresser des barrières. Vous essayez de cacher dans les replis de votre conscience les sentiments que vous trouvez négatifs comme dans le passé une famille enfermait ses fous. Tout cela parce que vous n'avez pas confiance en votre nature physique.

Vous affirmer signifie accepter votre âme telle qu'elle apparaît dans votre humanité. Je l'ai dit précédemment (*aux chapitres 7 et 9 du tome I*), vous ne pouvez pas rejeter votre condition humaine sans renier votre âme et vous ne pouvez pas nier votre âme sans refuser votre condition humaine.

Voici la fin de la session.

(*23 h 43. «Merci beaucoup.» Seth ajouta une demie page de renseignements au sujet des croyances de Jane dont nous avions parlé l'après-midi même. Nous ne pensions pas lui demander d'explications. Fin à 23 h 56.*)

Session 673 – Le mercredi 27 juin 1973, à 21 h 38

À présent, la dictée. (*Lentement pour commencer*) Laissée à elle-même, la haine ne dure pas.

Elle ressemble souvent à l'amour puisque celui qui hait est retenu par l'objet de sa haine, par des attaches profondes. Elle peut être aussi un moyen de communication, mais ce ne sera jamais un état permanent, car si elle n'est pas alimentée, elle se transformera automatiquement en autre chose.

Si vous croyez que la haine est mauvaise et néfaste et que vous haïssez alors quelqu'un, vous essaierez peut-être d'inhiber cette émotion ou de la retourner contre vous, en vous fâchant contre vous-même. Vous pouvez aussi prétendre que ce sentiment n'existe pas et dans ce cas vous endiguez cette énergie débordante que vous ne pouvez plus utiliser à d'autres fins.

À l'état naturel, la haine est très stimulante et provoque le changement et l'action. En dépit de ce que l'on vous a appris, **la haine ne commande pas une grande violence.** Comme je l'ai mentionné, l'éruption de la violence provient souvent d'un profond sentiment **d'impuissance.** (*Voir les sessions 662 et 663, chapitre 17 du présent ouvrage.*)

Un grand nombre d'individus, des modèles de vertu, ont commis inopinément de grands crimes, des meurtres, ou même provoqué des morts massives. Ils avaient nié toute agressivité naturelle et tous les signes de haine passagère avaient été considérés comme néfastes et mauvais. Ces individus trouvent donc difficile à la fin d'exprimer un refus le plus légitime ou d'aller à l'encontre des convenances. Contrairement aux animaux, ils ne savent même pas communiquer leur désaccord à leur entourage.

(*21 h 50*) Psychologiquement, seule une explosion véhémente peut les libérer. Ils se sentent si **impuissants** que cela augmente leurs difficultés; ils essaient alors de s'en dégager par la violence et de montrer ainsi leur **pouvoir.** Certains de ces individus, des fils exemplaires par exemple, qui répondaient rarement à leurs parents, furent soudain envoyés à la guerre et eurent «carte blanche[1]» pour libérer leur frustration au combat; je me réfère surtout ici aux deux dernières guerres (*la guerre de Corée, 1950-1953 et celle du Viêt-Nam, 1964-73*) et non à la Deuxième Guerre mondiale.

Durant ces guerres, les agressions étaient permises, car cela faisait partie des règles. Les hommes furent toutefois horrifiés par la violence de leur agressivité et de leur haine refoulée. Devant les conséquences sanglantes, ils en furent encore plus effrayés; ils étaient terrifiés par la **découverte** de cette terrible énergie qui semblait les pousser à tuer.

De retour au pays, ils durent accepter le plus possible les règles de la vie civile. Nombre d'entre eux montrèrent un grand conformisme. On leur refusait soudain le «luxe», parfois poussé à l'extrême, d'exprimer leurs émotions. Leur sentiment d'impuissance, par contraste, n'en fut que plus grand.

---

1. En français dans le texte.

(*Pause à 21 h 59*) Ce chapitre n'est pas consacré à la guerre. Je veux cependant préciser quelques points. C'est aussi un sentiment d'**impuissance** qui conduit les nations à entrer en guerre. Cet acte n'a que peu de rapport avec leur position sur l'échiquier mondial ou avec la puissance que d'autres pays semblent leur accorder; il est plutôt lié à un sentiment général d'impuissance, souvent sans grand souci de domination.

Dans un sens, je suis désolé que ce ne soit pas le lieu pour parler de la Deuxième Guerre mondiale (1939-1945). Elle provenait aussi d'un sentiment d'impuissance qui fit alors éruption et provoqua une grande effusion de sang. C'est ce qui se produisit sur une base individuelle dans le cas des hommes dont je vous ai parlé.

Sans entrer dans les détails, je veux souligner qu'aux États-Unis, après la Deuxième Guerre mondiale, il y eut un grand effort pour canaliser, vers d'autres domaines, l'énergie des militaires rentrés chez eux. Beaucoup d'entre eux, qui étaient partis avec un sentiment d'impuissance, bénéficièrent de certains avantages une fois la guerre terminée: des primes, une éducation ou des privilèges qu'ils n'avaient jamais eus auparavant. Ils eurent les moyens de se prouver leur force à eux-mêmes. Ils furent aussi reçus comme des **héros** et dans l'ensemble, bien que certains désenchantèrent, les vétérans étaient les bienvenus.

(*Pause à 22 h 11*) Je vous donne là des généralités au sujet de cette guerre, car il y a certainement eu des exceptions, mais la plupart des hommes qui y ont participé tirèrent quelque chose de leur expérience. Ils ont rejeté l'idée de violence et chacun, à sa manière, a reconnu l'ambiguïté psychologique de ses **propres** sentiments durant le combat.

Les politiciens leur avaient dit que ce serait la dernière guerre, et ce qui est le plus étonnant c'est que la plupart de ceux qui portaient l'uniforme le croyaient. (*Moi, Robert Butts, j'étais un de ceux-là.*) La tromperie tint presque lieu de vérité; mais les anciens combattants n'inculquèrent pas moins à leurs enfants le désir de refuser la guerre et de remettre en question son principe.

Curieusement, cela augmenta la difficulté pour ceux qui, de fait, **participèrent** aux deux guerres suivantes, ces guerres de moins grande envergure que le peuple n'appuyait pas. Comme auparavant, les militaires purent individuellement se défouler, mais cette fois dans un bain de sang plus localisé. Cependant, les règles avaient changé. Les excès n'étaient plus acceptés, même parmi les troupes. Pendant la dernière guerre (*au Viêt-Nam*), le pays était autant en faveur de celle-ci que contre elle, et quand elle prit fin, le sentiment d'impuissance des hommes en fut renforcé. Voilà la raison des incidents de violence de la part des soldats rentrés au pays[1].

La haine en soi n'est pas violente. La haine procure un sentiment de force et engendre la communication et l'action. En ce qui vous concerne, c'est l'accumulation de la colère naturelle qui est néfaste; chez les animaux, elle provoquerait un face à face, une mise en position de combat où le langage corporel, le mouvement et le rituel des opposants serviraient à communiquer le danger. L'un des deux se retirerait tout simplement. Ils émettraient alors des grognements ou des rugissements.

(*22 h 25*) Ils feraient ainsi montre de leur force, mais symboliquement. Votre façon de réagir ne se rencontre que rarement chez les animaux, car il leur faudrait éviter ou court-circuiter plusieurs affrontements de moindre importance, des avertissements **préalables**, chacun devant justement clarifier les positions pour éviter la violence.

Un détail ici encore. La parole du Christ qui disait de tendre l'autre joue (*Matthieu 5: 39, par exemple*) était un moyen psychologique astucieux de **prévenir** la violence et non pas de l'accepter.

Pour l'animal, cela équivaudrait à offrir son poitrail à l'adversaire. (*Jane-Seth se toucha le ventre.*) Le message avait une signification symbolique. Dans un sens, c'était le geste de la défaite qui amenait triomphe et survie. Il ne se voulait pas le geste craintif du martyr disant «frappe-moi encore», mais plutôt une judicieuse affirmation biologique, une communication du langage corporel. Accordons-nous un moment...

(*Doucement*) Cela rappellerait merveilleusement à l'agresseur les «séculaires» et éloquentes postures d'animaux vigoureux.

---

1. Selon Seth, le sentiment d'impuissance chez les anciens prisonniers de guerre américains expliquerait le taux très élevé de violence, bien souvent mortelle. Une étude du gouvernement sur les anciens prisonniers en Asie durant la Deuxième Guerre mondiale et la guerre de Corée, par exemple, montre que 40 % des décès de ce groupe, entre 1945 et 1954, provenaient d'un meurtre, d'un suicide ou d'un accident.
   En ce qui concerne la guerre du Viêt-Nam, plus de 500 prisonniers américains furent relâchés par le Viêt-Nam du Nord après le cessez-le-feu de janvier 1973. Les autorités craignent qu'un bon nombre de ces hommes finissent par croire en l'inutilité de leur souffrance, à cause de l'impopularité même de cette guerre aux État-Unis. Il y a eu des suicides dans ce groupe (déjà en juillet de la même année) et plusieurs d'entre eux ont eu momentanément des réactions de stress depuis leur libération. (*Note de Robert Butts*)

Mais l'amour aussi incite vivement à l'action et utilise des tonnes d'énergie.

Vous pouvez faire une pause.

(22 h 35. Par une nuit très humide, la transe de Jane avait été profonde. Elle me dit que, lors du passage concernant la Deuxième Guerre mondiale, elle était consciente d'un autre canal en provenance de Seth.)

(Il concernait exclusivement la Deuxième Guerre mondiale, précisa Jane quelque peu surprise. Il contenait d'étonnants renseignements sur les origines de la guerre, sur les liens réincarnationnels et sur les caractéristiques tant individuelles que raciales chez les différentes nations, qu'elles aient été impliquées directement ou non dans ce conflit. Ces renseignements touchaient même les conséquences de l'utilisation intensive de la technologie par la société d'après-guerre.)

(«Tout cela venait de ce côté», dit Jane en pointant sa gauche. Elle prit environ dix minutes à préciser le contenu de cette matière et insista pour que nous la notions. Mais bien que les données fussent disponibles, nous ne voulions pas pour autant retarder le livre.)

(Son branchement sur cet autre canal «probable» me rappela un phénomène semblable survenu lors de la session 666, chapitre 18 du présent ouvrage. Mais alors comment pouvait-elle saisir ces renseignements subjectifs venant de Seth tout en dictant le livre? Elle n'en savait rien. Voir aussi la session 616, chapitre 2, tome I, quand elle découvrit pour la première fois ses multiples canaux.)

(Reprise à 23 h 11)

Dans votre société, l'amour et la haine reposent sur l'identification de «soi». Vous ne vous préoccupez pas d'aimer ou de haïr des personnes avec lesquelles vous n'avez aucune affinité. Elles vous laissent relativement indifférent. Elles ne provoquent pas d'émotions profondes.

La haine est toujours liée à un sentiment douloureux de séparation d'un amour idéalisé. Une personne qui n'est pas à la hauteur de vos attentes suscitera chez vous une forte opposition. Plus vos attentes sont grandes, plus l'écart vous semble profond. Si vous haïssez un parent, c'est précisément parce que vous souhaitez son **amour**. Une personne dont vous n'espérez rien n'attirera jamais votre rancœur.

Étrangement, la haine est donc un moyen de retrouver l'amour; si son cours n'est pas entravé, elle vous montre le fossé qui existe entre ce que vous avez et ce que vous attendez.

L'amour peut donc très bien contenir de la haine. Inversement, la haine peut renfermer de l'amour et être conditionnée par lui, et particulièrement par un amour idéalisé. (*Pause*) Vous «haïssez» ce qui vous sépare de l'objet ou de l'être aimé. C'est justement parce que l'objet est aimé que vous le détestez tant, s'il ne comble pas vos attentes. Vous pouvez aimer un parent, mais si ce parent ne semble pas répondre à l'amour et repousse vos attentes, alors vous le détesterez, car votre amour en demande davantage. La haine est là pour vous ramener votre amour. Elle vous porte à communiquer vos sentiments, à vous vider le cœur si l'on peut dire et à vous rapprocher de l'objet ou de l'être aimé. La haine n'est donc pas la négation de l'amour, mais une tentative de le reconquérir; c'est la douloureuse constatation des barrières qui vous en séparent.

Si vous compreniez l'essence de l'amour, vous pourriez accepter des sentiments de haine. L'affirmation englobe jusqu'à l'expression d'émotions aussi fortes. Accordons-nous un moment...

(*Pause. J'ai bâillé et Seth m'a pris sur le fait.*)

(*Amusé*) Je pensais que c'était plus intéressant que ça!

(*«Ça l'est. Vraiment.»*)

Les dogmes ou les systèmes de pensée qui vous incitent à vous élever au-dessus de vos émotions **peuvent** êtres trompeurs, voire dangereux pour vous d'une certaine façon. Ces théories reposent sur le concept que les émotions sont fausses, basses ou mauvaises au départ, alors que l'âme est toujours dépeinte comme calme, «parfaite», passive et imperturbable. On lui attribue une grande connaissance, une connaissance divine. Pourtant l'âme est d'abord une source d'énergie, de créativité et d'action qui se vit précisément à travers le miroitement perpétuel des émotions.

(*23 h 22*) Si vous vous fiez à vos émotions, elles vous apporteront la compréhension psychologique et spirituelle, le calme et une paix mystique. Vos sentiments vous mènent à de profondes connaissances. D'ailleurs, le «moi» physique ne peut plus se passer d'émotions, tout comme une journée doit avoir un beau ou un mauvais temps.

Dans une relation intime, vous pouvez éprouver un amour durable pour une personne et pourtant connaître des moments de haine, quand surgissent des divergences qui **entravent** justement cet amour.

(*À mon regard Seth anticipa ma question.*)

Tu peux toujours ajouter les mots «que vous portez» (*après «amour»*) si tu le désires. Mais c'est bien ainsi.

(*Lentement*) De la même manière, vous pouvez aimer l'ensemble de vos contemporains tout en les haïssant parfois précisément parce que si souvent ils ne vous semblent pas à la hauteur. Quand vous ragez contre l'humanité c'est parce que vous l'aimez. Nier l'existence de la haine, c'est rejeter l'amour. Ces émotions **ne sont pas opposées**. Ce sont différents aspects d'une même chose que vous vivez. Dans une certaine mesure, vous voulez vous identifier à ceux pour qui vous éprouvez des sentiments profonds. Vous pouvez ne pas aimer quelqu'un **simplement** parce que vous associez certaines parties moins estimables de vous-même à cette personne. À l'opposé, il vous arrive d'aimer l'autre personne parce qu'elle évoque votre propre «moi idéalisé».

(*Pause à 23 h 34*) L'être aimé tire le meilleur de vous-même. Dans son regard, vous voyez ce que **vous** pouvez être. Dans l'amour de l'autre, vous pressentez votre potentiel. Ceci ne signifie pas qu'à travers la personne aimée vous ne réagissiez qu'à votre «moi» idéalisé, car vous pouvez également voir dans l'autre son propre potentiel idéalisé. C'est une vision bien spéciale que partagent les personnes concernées, qu'il s'agisse d'une relation d'époux ou de parent et enfant. Ces personnes peuvent très bien saisir la différence entre le comportement et l'idéal, ainsi dans les temps forts de l'amour, les divergences d'attitudes, par exemple, sont considérées comme relativement peu importantes.

L'amour, bien sûr, est toujours en métamorphose. Il n'existe pas d'état de profonde attraction mutuelle qui engage deux personnes à jamais. Comme émotion, l'amour est mobile et peut assez facilement se transformer en colère et en haine, et inversement.

Mais dans la trame générale de votre expérience, l'amour peut prédominer même s'il n'est pas statique; et dans ce cas, l'écart qui se crée naturellement entre l'idéal et la réalité amène toujours un certain désagrément. Certains adultes se démoralisent quand un de leurs enfants leur dit: «Je te déteste.» Les enfants apprennent d'ailleurs rapidement à ne pas être aussi honnêtes. En fait, ce que dit vraiment l'enfant, c'est: «Je t'aime tant. Pourquoi es-tu si méchant avec moi?» ou «Qu'est-ce qui nous sépare malgré l'amour que j'ai pour toi?»

L'antagonisme de l'enfant repose sur la profonde compréhension de son amour. Les parents éduqués à croire que la haine est mauvaise ne savent que faire en une telle situation. La punition ne fait qu'accentuer le problème de l'enfant. Si le parent montre de la crainte, l'enfant apprend effectivement à avoir peur de cette colère et de cette haine devant lesquelles recule son puissant parent. Le jeune est alors conditionné à oublier cette connaissance instinctive du lien entre la haine et l'amour.

Vous pouvez faire une pause.

(*De 23 h 49 à 00 h 06*) Non seulement vous a-t-on enseigné à réprimer la haine, mais encore qu'une pensée haineuse était aussi mauvaise que l'action malveillante.

Vous êtes conditionné au point de vous sentir coupable lorsque vous vous surprenez à haïr quelqu'un. Vous essayez de vous cacher ces idées. Vous y êtes d'ailleurs si habile que vous ne savez littéralement plus ce que vous ressentez au niveau conscient. Les émotions sont là mais elles sont cachées par votre simple peur de les regarder. Dans cette mesure, vous êtes séparé de votre propre réalité et coupé de vos sentiments affectifs. Ces émotions refusées peuvent être projetées sur autrui: un ennemi de guerre, un voisin. Même si vous haïssez un ennemi symbolique, vous ressentirez également une profonde attraction envers lui.

Les liens de la haine vous uniront, mais au fond ce sont des liens d'amour. Dans ce cas, cependant, vous aggravez et exagérez tout ce qui vous sépare de votre idéal et vous vous y concentrez. Mais peu importe la circonstance, tout ceci vous est consciemment disponible. Toute tentative sincère et déterminée d'y voir clair vous rendra conscient de vos sentiments et de vos croyances. Même vos pensées de haine, laissées à elles-mêmes, vous conduiront à la réconciliation et libéreront l'amour.

Le désir de battre un parent ou un enfant, même à mort, s'il est entretenu appellera des larmes d'amour et de compréhension.

Je vais terminer ici notre session. Mes salutations les plus chaleureuses à vous deux et bonsoir.

(*«Merci, Seth. Bonsoir.» 00 h 17.*)

(Une note ajoutée par la suite. Commentant les messages de Seth, Jane déclara: «Dans ces paragraphes sur la haine, et ailleurs dans le livre, Seth approfondit davantage la nature de notre vie émotionnelle. Certaines autres affirmations sur la haine s'ajustaient aux capacités de compréhension de certains auditeurs. On trouve un tel exemple dans le Livre de Seth. En réponse à une déclaration d'un étudiant de ma classe d'ESP, Seth endossa l'idée conventionnelle qu'avait de la haine cet étudiant. En accord avec lui, il répondit: «La haine n'est pas justifiable... Lorsque vous maudissez quelqu'un, vous vous maudissez vous-même et la malédiction se retourne contre vous.» La réponse doit être vue à la lumière de la conversation dans laquelle l'étudiant appuyait la violence comme moyen de parvenir à la paix. La préoccupation majeure de Seth à ce moment était de réfuter ce concept.)

(«Dans ce livre, Seth amène le lecteur au-delà des idées conventionnelles du bien et du mal, vers un nouvel ordre de compréhension. Toutefois, même dans ce contexte, la haine ne se justifie pas, puisqu'une confrontation honnête avec elle ramènera forcément l'individu à l'amour sur lequel elle est réellement fondée.)

(«En utilisant le mot "maudit", Seth ne se réfère pas au juron mais à la haine dirigée contre l'autre. Jusqu'à ce que l'individu se connaisse lui-même et connaisse ses émotions, la haine ressurgira, car elle appartient à celui qui hait, non aux autres. Les conseils antérieurs sur la manipulation des émotions (voir le chapitre 11 du présent ouvrage), *fournissent un cadre pour affronter et comprendre la haine. Il ne faut pas oublier non plus le rappel fréquent de Seth que l'expression de l'agressivité naturelle empêche la colère de se changer en haine.»)*

Session 674 – Le lundi 2 juillet 1973, à 21 h 23

Bonsoir.

(«Bonsoir, Seth.»)

(Avec bonne humeur, les yeux ouverts et sombres) Votre ami et auteur cosmique va à présent commencer la dictée.

(«Très bien.»)

L'affirmation, c'est l'acceptation de votre miraculeuse complexité. C'est dire «oui» à votre être. C'est accepter votre réalité d'esprit dans la chair. Sous cette forme complexe, vous avez le droit de dire «non» à certaines situations et d'exprimer vos désirs et vos sentiments. Ce faisant, dans l'atmosphère enveloppante de votre réalité éternelle, vous serez porté par un grand courant d'amour et de créativité. L'affirmation, c'est l'acceptation de ce que vous êtes dans le présent. Cette reconnaissance peut mettre en évidence des défauts ou des habitudes qui vous dérangent. Vous ne devez pas vous attendre à être «parfait». Tel que je l'ai mentionné, pour vous l'idée de perfection représente un état d'épanouissement au-delà duquel aucune croissance n'est possible; mais un tel état n'existe pas. (*Voir la session 626, chapitre 5, tome I.*)

«Aime ton prochain comme toi-même.» Retournez cette phrase et dites plutôt: «Aime-toi comme tu aimes ton prochain», car souvent vous reconnaissez la bonté d'autrui mais vous ignorez la vôtre. Certaines personnes considèrent l'humilité, selon leur définition, comme très méritoire et vertueuse. Être fier de soi devient donc un péché. Dans ce contexte, l'affirmation de soi s'avère impossible. Pourtant, être vraiment content de soi est une reconnaissance amoureuse de son intégrité et de sa valeur. La véritable humilité pose un regard affectueux sur soi et reconnaît que dans cet univers tous les êtres ont leur valeur et leur indéniable individualité.

La fausse humilité vous dit que vous n'êtes rien. Elle est souvent imprégnée d'arrogance et signe d'un amour-propre réprimé, car ni homme ni femme ne peut foncièrement accepter une théorie qui ne reconnaisse pas sa valeur personnelle.

La fausse humilité vous porte à dévaloriser les autres, car si vous niez votre propre valeur, comment pouvez-vous l'admettre chez les autres. La véritable fierté personnelle vous permet de reconnaître l'intégrité de vos contemporains et de les encourager à utiliser leurs talents. Un grand nombre de personnes se targuent d'aider les autres en leur offrant de les prendre en charge, par exemple. C'est un geste sanctifiant et vertueux croient-elles. Mais en cela, elles empêchent les autres de reconnaître et d'utiliser leurs propres talents et capacités.

(*21 h 40*) En dépit de ce que l'on vous a appris, il n'y a aucun mérite dans le sacrifice tout simplement parce que cela est impossible. Le soi se développe et s'épanouit. Il ne peut pas être annihilé. Généralement, lorsque vous vous sacrifiez, vous rejetez votre «fardeau» sur l'autre en le rendant responsable de ce qui vous arrive.

Une mère qui dit à son enfant: «J'ai renoncé à ma vie pour toi» dit une absurdité. Fondamentalement, peu importe ce qu'elle affirme, cette mère croit ne pas avoir beaucoup à offrir, et ce «don» d'elle-même correspond à ce qu'elle cherchait dans la vie.

Un enfant qui affirme: «J'ai sacrifié ma vie pour mes parents et je me suis dévoué à leurs soins» veut dire: «J'avais peur de vivre ma vie et j'avais peur de les laisser vivre la leur. Ainsi, en "renonçant" à ma vie, j'obtenais la vie que je désirais.»

L'amour ne demande aucun sacrifice. Ceux qui craignent d'affirmer leur être craignent aussi de laisser les autres vivre par eux-mêmes. Vous n'aidez pas vos enfants en les gardant attachés à vous, mais vous n'aidez pas non plus vos parents âgés en encourageant leur sentiment d'impuissance. Vous résoudrez bon nombre de vos problèmes si vous suivez spontanément et honnêtement votre faculté naturelle de communiquer. Seule la communication refoulée conduit à la violence. La force intrinsèque de l'amour vous imprègne de toute part, et les modes usuels de communication sont toujours les plus appropriés pour vous rapprocher des autres.

(*Pause*) Aimez-vous vous-même, rendez-vous cet honneur et vous agirez honnêtement avec les autres. Quand vous dites «non» ou que vous renoncez à quelque chose, vous le faites toujours parce que vous sentez ou pensez que la situation présente ou à venir ne rencontre pas un certain idéal. Vous vous privez toujours en fonction de ce que vous croyez être un plus grand bien. Si votre conception de la perfection n'est pas trop rigide, un simple refus a son utilité pratique. Mais ne niez jamais votre réalité présente en la comparant à quelque idéal de perfection.

La perfection n'est pas une manière d'être, puisque toute existence est en évolution. Cela ne signifie pas que tout être devient graduellement **parfait**, mais plutôt qu'il tend à devenir davantage **lui-même**. Toutes les émotions se fondent sur l'amour; d'une manière ou d'une autre, elles s'y rattachent, et toutes sont des moyens d'y revenir et d'en accroître les capacités.

Jusqu'ici dans ce livre, j'avais délibérément **écarté** le mot «amour» à cause des différentes interprétations qu'on en fait et des fréquentes erreurs commises en son nom.

Voulez-vous faire une pause?

(*21 h 59. «Non, je ne pense pas.»*)

Vous devez d'abord vous aimer vous-même avant d'aimer les autres.

En vous acceptant joyeusement tel que vous êtes, vous développez vos propres talents, et votre simple présence réjouit votre entourage.

Vous ne pouvez pas vous haïr et aimer quelqu'un d'autre; c'est impossible. Vous complimenterez l'autre pour les qualités qu'il possède et dont vous vous sentez démuni, mais vous haïriez sa personne. Même si vous **déclarez** aimer l'autre, vous chercherez à miner les fondations mêmes de son être.

Lorsque vous aimez les autres, vous les laissez foncièrement libres et vous n'insistez pas pour qu'ils vous portent une attention constante. Il n'y a pas de division dans l'amour. Il n'y a pas de différence fondamentale entre l'amour d'un enfant pour ses parents, d'un parent pour son enfant, d'une épouse pour son mari ou d'un frère pour sa sœur. Seule son expression et les marques d'amour varient, et tout amour s'affirme. Il accepte les écarts par rapport à un idéal, sans condamner la personne. Il ne compare pas l'être aimé avec l'idéal pressenti.

Dans ce regard, le possible est perçu comme présent, et la distance entre la réalité et l'idéal ne crée pas de contradiction puisqu'ils **coexistent**.

Parfois, vous pouvez vous prendre à haïr la race humaine. Vous pouvez trouver insensés ces individus avec qui vous partagez votre planète. Vous pouvez médire de leur comportement stupide, leur reprocher leur soif de sang et les moyens inadéquats et à courte vue qu'ils prennent pour régler leurs problèmes. Tout ceci est fondé sur votre conception idéalisée de ce que doit être la race humaine; cela ne fait que mettre en évidence votre amour pour vos semblables. Mais votre amour peut se perdre en illusions si vous vous concentrez sur ces variantes bien peu idylliques.

Quand vous pensez haïr la race, vous êtes en fait pris dans un dilemme d'amour. Vous comparez la race à votre conception idéale de celle-ci. Dans ce cas, vous perdez de vue les gens qui la composent.

Vous placez l'amour si **haut** que vous vous coupez de votre propension naturelle, et vous ne reconnaissez plus les sentiments bienveillants qui sont à l'origine de votre mécontentement. Votre affection s'est dissipée parce que vous avez refusé de vous **abandonner**, par crainte que l'aimé – dans ce cas la race dans son ensemble – ne se montre pas à la hauteur. Par conséquent, vous vous êtes concentré sur ce qui divergeait de l'idéal. Si, au contraire, vous laissiez s'exprimer cet amour qui se cache derrière votre insatisfaction, ce sentiment à lui seul vous permettrait de découvrir les aspects attrayants de votre race, et qui vous échappent en grande partie.

Vous pouvez faire une pause.

(22 h 24. Pendant cette longue heure, le débit de Jane fut régulier et puissant; elle semblait immunisée contre la chaleur humide ambiante. Dès qu'elle sortit de transe, elle commença à se sentir mal à l'aise. Reprise à 22 h 39.)

À présent. Il n'y a rien de plus pompeux que la fausse humilité.

De nombreux **chercheurs de vérité** soi-disant «spirituels» en sont pleins. Pour s'exprimer, ils utilisent souvent des termes religieux. Ils diront: «Je ne suis rien, mais l'esprit de Dieu me traverse et tout ce que je fais de bien vient de Dieu et non de moi», ou «je n'ai en propre aucune capacité. Seul Dieu est capable de tout.»

(Intense) Et pourtant vous êtes la puissance de Dieu manifestée. Vous **n'êtes pas impuissants.** C'est tout le contraire. Grâce à votre être le pouvoir de Dieu est renforcé, puisque **vous êtes** une partie de ce qu'Il est. Vous n'êtes pas une simple motte d'argile insignifiante et inoffensive à travers laquelle Il a décidé de se manifester.

Vous êtes Lui se manifestant par votre individualité. Vous êtes aussi légitime que Lui.

Si vous êtes une partie de Dieu, Il est aussi une partie de vous et lorsque vous niez votre propre valeur vous finissez par nier **la Sienne.** *(Pause)* Je n'aime pas utiliser le masculin pour Dieu, puisque **Tout Ce Qui Est** est l'origine non seulement de tous les sexes mais aussi de toutes les réalités, y compris celles où le sexe, selon votre entendement, n'existe pas.

L'affirmation se retrouve dans le mouvement spontané du corps, comme dans la danse. Un grand nombre de pratiquants, qui se considèrent comme très religieux, ne comprennent pas plus l'amour ou l'affirmation de soi que certains habitués des bars qui célèbrent la nature de leur corps et jouissent d'une transcendance spontanée, en s'abandonnant au mouvement de leur être.

(22 h 48) La vraie religion n'est pas répressive, tout comme la vie. Quand le Christ parlait, il le faisait en fonction de son époque. Il se servait des symboles et du vocabulaire des gens à un moment précis de l'histoire.

(On estime que Jésus-Christ est né entre l'an 8 et 5 av. J.-C., et serait mort en l'an 29 ou 30 de notre ère.)

Il partit de **leurs croyances** et, se servant de leur système de référence, Il essaya d'élargir leur champ de vision.

À chaque traduction, la *Bible* a changé de sens, car elle fut interprétée selon le langage de l'époque. Le Christ parlait des bons et des mauvais esprits, car c'était là les croyances des gens. (*À ce sujet, voir la session 647, chapitre 12 du présent ouvrage.*) Dans leurs mots, Il leur montra que les «mauvais» esprits pouvaient être vaincus; mais ces symboles représentaient des choses bien réelles pour le peuple, comme les maladies ou les difficultés physiques «courantes».

(*Une longue pause, les yeux fermés, à 22 h 55*) La fameuse phrase: «Aime ton prochain comme toi-même» (*Matthieu 19 : 19, Marc 12 : 31*) était ironique, puisque dans cette société **personne n'aimait son prochain**, au contraire chacun était profondément méfiant. Mais cet humour du Christ a été perdu.

Dans le *Sermon sur la montagne*, le passage: «[...] les doux posséderont la terre [...]» (*Matthieu 5 : 5*) a été grossièrement interprété.

Le Christ voulait dire: «Vous créez votre propre réalité. Ceux qui ont des pensées de paix se trouveront à l'abri de la guerre et de la dissension. **Ils ne seront pas atteints.** Ils s'échapperont et hériteront vraiment de la terre.»

Des pensées de paix, particulièrement au milieu du chaos, dégagent une grande énergie. Ceux qui peuvent faire abstraction de la guerre et développer à dessein des pensées de paix triompheront, mais selon votre définition, le mot «doux» est devenu synonyme de mou, médiocre, sans énergie. À l'époque du Christ, la phrase: «[...] les doux posséderont la terre [...]» sous-entendait le recours à l'affirmation, à l'amour et à la paix énergisante.

(*Pause à 23 h 02. Toujours en transe, Jane prit une bonne cigarette. Comme elle n'avait plus d'allumettes, elle désigna la table du salon.*)

Pourrais-tu aller chercher le briquet de Ruburt?

(*«Oui.»*)

Comme je le mentionnais dans *L'enseignement de Seth*, l'entité du Christ était trop vaste pour être contenue dans un seul homme ou se confiner dans une seule époque; ainsi l'**homme** que vous croyez être le Christ n'a pas été crucifié. (*Voir les chapitres 21 et 22 de* L'enseignement de Seth.)

Il n'avait donc pas non plus l'idée de se sacrifier. Le mythe devint plus réel que l'événement, ce qui est bien sûr le cas de nombreux prétendus événements historiques importants. Mais même le mythe a été déformé. Dieu n'a pas sacrifié son fils bien-aimé en lui permettant de s'incarner. L'entité du Christ désirait naître en un temps et un lieu, pour endosser votre nature, afin de traduire certaines vérités en termes physiques et ainsi vous servir de guide.

Chacun de vous survit à la mort. L'homme qui fut crucifié **savait** cela sans aucun doute et il n'a rien sacrifié.

(«*Dans* L'enseignement de Seth, *tu dis que Judas trouva un substitut pour être crucifié à la place du Christ.*»)

Le «substitut» fut sans doute **victime** de ses illusions, mais dans son **aberration** il savait que chaque personne renaît. Il prit sur lui-même de devenir le symbole de cette connaissance.

L'homme **nommé** Christ ne fut pas crucifié. Dans l'ensemble du drame, il importe peu que **vous considériez** cela comme un fait ou non, puisque la plus grande réalité transcende et crée les faits. Vous avez votre libre arbitre. Vous pouvez interpréter ce drame comme vous le désirez. Cela vous appartient. Son immense pouvoir créateur existe toujours et vous l'utilisez à votre convenance, même en en transformant le symbolisme avec le changement de vos croyances. Mais l'idée maîtresse est l'affirmation que l'être physique, le «moi» que vous connaissez, n'est pas annihilé avec la mort. Cela reste évident malgré les modifications. Le concept de Dieu le Père, tel qu'il a été transmis par le Christ fut vraiment un «nouveau testament». L'image masculine de Dieu fut utilisée en raison de l'orientation des sexes à cette époque; mais par-dessus tout le Christ a déclaré: «[...] Le Royaume de Dieu est en (*parmi*)[1] vous.» (*Luc 17: 21*)

Dans un sens, la personnalité du Christ était une **manifestation de l'évolution de la conscience** devant conduire l'humanité au-delà des concepts de violence du temps et transformer le comportement qui prévalait à cette époque.

Faites une pause.

(*23 h 18. Le seul souvenir de Jane était que Seth avait parlé du Christ et donné quelques citations bibliques. Elle ne savait pas grand-*

---

1. Ajout de Robert Butts.

chose sur celles-ci ni sur la Bible. *Par exemple, elle ne croyait pas que la citation: «[...] le royaume de Dieu est en vous» venait de la* Bible, *mais plus tard j'ai trouvé assez facilement plusieurs versions de cette parole dite par Jésus: «Regardez, le Royaume [...]», «[...] En vérité [...]», «[...] Voici[...]».)*

(Plusieurs personnes nous ont écrit ou appelé pour demander à Seth des données inédites sur le Christ, sur les événements et l'époque biblique, mais en pratique de nombreux renseignements ont été publiés et nous en avons donné les références. Voir le chapitre 18 du Livre de Seth, *de même que* L'enseignement de Seth *ainsi que le présent volume.)*

(Une note ajoutée par la suite. Seth pourrait nous livrer d'autres renseignements; cela dépendra du temps dont nous disposerons. Seth termina sa dictée du livre à la mi-juillet. Peu après, j'ai mis la main sur un article illustré concernant Jérusalem dans un magazine de voyage. Nous l'avons gardé pour pouvoir le consulter. L'une des photographies couvrait deux pages, c'était une vue aérienne en couleurs de toute la ville entourée du désert; Jane et moi l'avons trouvée si évocatrice que je l'ai montée sur carton afin de pouvoir l'étudier plus facilement. L'environnement aride de Jérusalem, son histoire incroyablement complexe et agitée, nous fit nous interroger sur les forces mystérieuses de la créativité religieuse émanant depuis toujours de cet endroit.)

(Lors d'une session personnelle, le 3 septembre, Seth donna quelques raisons de l'irrésistible attrait de Jérusalem pour certains groupes. Il y était question de probabilités, de géographie et d'interactions inusitées entre le passé, le présent et le futur. Il expliqua aussi certains aspects du phénomène concernant le Christ. Alors au cours de la session suivante – qui couvrait d'autres sujets – Seth ajouta à brûle-pourpoint: «Vous pouvez avoir plus de matière sur Jérusalem ou sur le Christ, maintenant ou quand vous le voudrez. Vous pouvez avoir le Livre du Christ *si vous le voulez...» Mais, à ce moment-là, nous n'étions pas prêts pour une telle équipée.)*

(Reprise avec la même force à 23 h 33.)

Avec le temps – ou l'évolution selon votre point de vue – la conscience émergente en vint à se complaire dans les distinctions et les différenciations; si bien que même sur de petits territoires se retrouvèrent une multitude de groupes, de cultes et de nationalités, chacun proclamant avec fierté son individualité et sa supériorité sur les autres.

Au **commencement** donc, la conscience de l'homme devait pouvoir se disperser, se différencier et développer diverses caractéristiques, pour affirmer son individualité. À l'époque du Christ, cependant, il fallait un principe unificateur qui fasse le lien entre toutes ces tendances et qui redonne aux individus un sens de solidarité humaine.

Le Christ était le symbole de la conscience émergente de l'homme; Il détenait en lui la connaissance du potentiel humain. Son message devait franchir les âges, mais cette interprétation est rarement donnée.

Le Christ a utilisé des paraboles applicables à **cette époque** (*telles qu'elles ont été rapportées dans les quatre Évangiles*). Il prenait les prêtres comme symboles d'autorité (*Matthieu 21: 23-27*). Il changea l'eau en vin (*Jean 2: 1-11*), et pourtant de nombreux et soi-disant bons chrétiens ignorent l'intervention du Christ à Cana et jugent dégradante toute boisson alcoolisée.

Le Christ a «côtoyé» les prostituées (*Luc 7: 33-50*) et les pauvres, et ses disciples qui étaient des hommes de rien seront appelés les pères de l'Église. Pourtant, bien des personnes qui se considèrent comme pieuses lèvent la tête sur tout ce qui n'est pas «respectable». Le Christ a utilisé le langage du peuple et, à sa façon, Il s'opposa aux dogmes tout comme aux prêtres qui devaient préserver les temples, ces lieux de la connaissance sacrée, mais qui étaient plutôt voués au culte de l'argent et du prestige (*Marc 11: 15-18*). Et pourtant nombreux sont ceux qui prétendent suivre le Christ et qui oppriment les marginaux qu'Il appelait ses frères et sœurs.

Il **plaça** l'individu au-dessus de tout système, tout en admettant qu'il fallait un minimum d'organisation. Son message entier proclamait que la réalité physique était l'expression du monde intérieur, que le «Royaume de Dieu» s'était manifesté sous forme matérielle.

Des évangiles écrits dans d'autres pays par des hommes de cette époque ont disparu; ils relataient des épisodes méconnus de la vie du Christ, épisodes qui n'ont pas été consignés dans la *Bible*. Ils représentaient des enseignements tout à fait **différents** qui pouvaient être acceptés par ceux qui, à cette époque, avaient des croyances différentes de celles des Juifs. Les messages étaient formulés différemment, mais encore une fois, ils n'en soutenaient pas moins l'affirmation du «soi» et la continuité de son existence après la mort. Ils mettaient toujours l'accent sur l'amour.

(*23 h 52*) L'un des Évangiles est déformé, car il a été écrit après les autres, et les événements ont été faussés pour qu'ils apparaissent s'être déroulés dans un tout autre contexte. En dépit de cela, le message du Christ reflétait toujours l'affirmation personnelle.

(*Encore en transe, Jane s'arrêta lorsque je levai les yeux avec un air interrogateur. «J'allais demander lequel avait été falsifié, car nous recevrions certainement des lettres à ce sujet.»*)

Ce n'est pas celui de Marc ni de Jean. Pour certaines raisons, je ne veux pas le préciser tout de suite.

(*«D'accord», dis-je avec réticence.*)

(*Pause*) À ce moment, le Christ a consolidé la conscience humaine pour les siècles à venir. La vision du Christ n'était pas restrictive. À présent, je parle votre langage. Cependant, c'est cette même vision, ce même esprit qui a donné naissance à toutes vos religions; des cadres diversifiés à travers lesquels, selon l'époque, les peuples purent s'exprimer et se développer. Dans tous les cas, les religions ont débuté avec la pensée de l'époque, adoptant les croyances populaires pour s'étendre par la suite. Voilà l'aspect spirituel de l'évolution humaine. Les idées-cadres de la vie psychique et mentale prirent beaucoup plus d'importance que les aspects physiques, au fur et à mesure du changement et de la croissance de l'espèce.

(*Soudainement plus fort*) Voici la fin de la session.

Mes souhaits les plus sincères à vous deux et bonne nuit.

(*«Merci beaucoup, Seth. C'était vraiment très intéressant. Bonne nuit.» Fin à 00 h 02.*)

(*Après la session, Jane fit une brève expérience. Je lui ai expliqué le peu que je savais des Évangiles et je lui ai suggéré de trouver, en transe, lequel des Évangiles de Matthieu ou de Luc était déformé. En un instant, sans trop d'efforts, Jane dit que c'était celui de Matthieu. Elle ne savait pas comment cette réponse lui était venue et elle n'essaya pas d'en savoir davantage. Elle ne savait pas non plus si cette déclaration venait de Seth ou passait par lui. Le premier Évangile aurait été écrit par Marc.*)

(*Toutes les dates sont approximatives. De nombreux théologiens pensent que les Évangiles furent écrits entre les années 60 et 100 de notre ère, assez longtemps après la mort du Christ, située en l'an 29 ou 30. Diverses recherches récentes, et soutenues par toutes sortes de preuves, font remonter l'Évangile de Marc (dont Seth assure l'authenticité) à l'an 35, bien plus proche, évidemment, de l'époque où vivait le Christ.*)

Session 675 – Le mercredi 4 juillet 1973, à 22 h 20

(*Cet après-midi, Jane et moi avons fait une promenade à travers la campagne vallonnée et très luxuriante aux environs d'Elmira; la journée ensoleillée était merveilleuse. Il faisait très chaud dans le salon, à 21 h 25, nous nous sommes tout de même installés pour la session. Toutes les fenêtres étaient ouvertes. Nous pouvions entendre les pétarades évocatrices du feu d'artifice qui éclatait dans la nuit à un pâté de maisons de chez nous.*)

(*Pendant que nous attendions, Jane commença à entrer dans un état transcendant, une forme d'accélération de la conscience. J'ai noté ses expériences mais certains aspects m'ont échappé, car elle parlait trop vite. Ses mains prenaient une douceur «pénétrante», sensuelle et veloutée. Elle voyait alors ces «figures géantes» et familières scruter l'univers, et, quelque peu nostalgique, elle se mit à rire. [Voir les nombreuses notes de la session 653, chapitre 13 du présent ouvrage, décrivant ses divers états de perception modifiés du 2 avril. Lors d'une de ces scènes, elle avait senti des géants se tenant au bord de notre monde.] «En fait, dit Jane, de leur vaste perspective, ces observateurs pouvaient voir tout ce qui se passait en même temps dans notre monde, de la Californie à la Russie, comme des astronautes qui nous regarderaient d'en haut.*)

(»*Je ferais bien de revenir à la session; mais je sens quelque chose*» dit-elle, toute réjouie. *Elle se redressa dans son fauteuil, écoutant et essayant d'interpréter les messages. «Un frisson me traverse l'estomac lorsque j'entends les voitures qui tournent au coin de la rue. Et le bruit des feux d'artifice me semble comme des "plissements" dans l'air, de toutes parts... Oh! cette circulation est fascinante! Je sens ses effets dans ma tête et mes oreilles... Et quand je me suis versée de la bière, durant une seconde, j'ai eu le sentiment d'être moi-même un géant.*)

(»*Lorsque je capte Seth Deux[1], je deviens plus grande, mes capacités de perception s'accroissent pour saisir cette expérience... En ce moment, quand je ferme les yeux, je sens que la terre, le globe entier,*

---

1. Jane parle parfois en tant que Seth Deux; et ce concept est lié au phénomène des géants. Le chapitre 22 de *L'enseignement de Seth* contient des renseignements supplémentaires sur Seth Deux. À la session 589, Seth précise: «[...] c'est le même genre de lien qui existe entre cette personnalité et moi que ce qui m'unit à Ruburt. Mais pour votre compréhension, Seth Deux est beaucoup plus loin de ma réalité que je puis l'être de Ruburt. Vous pouvez imaginer Seth Deux comme un aspect futur de moi-même si vous le préférez, mais il y a plus encore.» (*Note de Robert Butts*).

est à l'intérieur de ma tête. Vous ne pouvez pas le comprendre tant que vous ne fermez pas les yeux. J'espère que je pourrai rendre cela en mots; mais vous devez saisir que les événements *extérieurs* sont semblables à ce qui se passe à l'intérieur du corps, soit le comportement des neurones et toute l'activité chimique... L'intérieur et l'extérieur sont si bien synchronisés que tout concorde parfaitement.)

(»*Oh! mais bien sûr! s'exclama-t-elle. Si quelque chose est en train de mourir dans votre tête, une cellule peut-être, il y a aussi une mort dans le monde extérieur: un insecte, une personne. Je vois une relation directe, mais je n'arrive pas à l'expliquer. C'est identique pour les naissances... Et maintenant, les éclatements de feux d'artifice sont semblables à ceux qui se produisent à l'intérieur du corps. Seth a bien raison: un événement extérieur est un événement intérieur. Mais je dois revenir à la session...*)

(»*Il y a une richesse incroyable dans tout cela.*» Jane appuyait ce qu'elle affirmait d'un signe de tête, en se dirigeant vers les fenêtres ouvertes. «*Il y a une corrélation insoupçonnée entre les variations saisonnières et la* durée *des pensées. Les pensées laissent des traces intérieurement. Nous pourrions en faire une représentation graphique, et leur courbe correspondrait aux changements des saisons, aux marées et aux lunaisons. Mais toutes ces choses qui nous semblent extérieures ne sont que les manifestations de nos rythmes corporels.*»)

(22 h 05. «*Je veux vraiment tenir une session, tout cela est si incroyable! On se sent si bien! Mais je vais prendre une cigarette et me brancher sur Seth.*» Avec quelques efforts, Jane se tranquillisa graduellement. Cependant, elle soutenait que ces révélations étaient là pour quelque chose. C'est ce que nous allions découvrir.)

(«*En ce moment, je sens la présence d'un GRAND SETH, dit-elle en souriant, et j'essaie de le ramener aux dimensions de la session. S'il se manifestait tel quel, sa voix serait trop forte, elle couvrirait tous les bruits du monde. C'est une analogie bien sûr... Et maintenant – et ça me prend assez fort pour le mentionner – je sens mes jambes s'enraciner dans le plancher et ma tête pousser à travers le plafond...*»)

(Elle s'est affalée dans son fauteuil berçant, les yeux fermés. Comme un signal, une saute de vent gonfla les rideaux; les feuilles de papier bruissèrent et s'envolèrent; les explosions de feux d'artifice devinrent soudain plus bruyantes. Le salon était plein de fraîcheur; finalement Jane avait ramené Seth à une taille plus convenable. Elle enleva ses lunettes.)

Bonsoir.

(«*Bonsoir, Seth.*»)

Dictée. L'affirmation, c'est donc l'"acceptation aimante" de votre caractère unique. Elle peut comporter un refus, lorsque par exemple vous rejetez le point de vue ou les dogmes des autres, pour mieux percevoir et former votre propre opinion.

Grâce à une telle affirmation, vous ferez des découvertes intérieures; vous attirerez du plus profond de votre être l'information, l'expérience ou l'éclairage dont vous avez besoin. L'acceptation aimante de vous-même vous permettra de **chevaucher à travers** les croyances comme à travers le paysage changeant de la campagne. Plus une croyance fait appel à vos facultés et à votre vitalité, plus elle contribue à votre affirmation.

Ce soir, la perception de Ruburt est très aiguisée et c'est un exemple d'affirmation mêlée de refus. Il a toujours revendiqué le caractère unique de ses facultés intuitives et créatrices. Ainsi, il rejette certains concepts acceptés par les autres. Il croit que **n'importe quelle** conscience peut entrer en contact direct et intime avec des réalités habituellement non perçues ou encore inconnues.

Il saisit que même dans le monde physique il y a différentes manières de vivre et il refuse tous les enseignements qui prônent le contraire. Cette croyance même avive ses capacités, et comme les muscles qui se développent par l'exercice, ainsi en est-il des forces psychiques et intuitives.

(*Pause à 22 h 32. De temps en temps, la brise envahissait la pièce...*)

En courant, vos jambes franchissent les distances. Elles ne peuvent pas par elles-mêmes interpréter la réalité d'en dessous. Les pieds ne savent pas qu'ils écrasent des fourmis. Peut-être sentent-ils l'herbe, le trottoir ou la route, mais le ressenti particulier du brin d'herbe ou de la fourmi leur échappe. Les pieds vivent leur réalité et ne se préoccupent de ces choses qu'en **fonction** de leur démarche.

L'esprit peut toutefois interpréter les expériences des jambes et des pieds, et à l'aide des données sensibles et de l'imagination il peut saisir dans une certaine mesure la réalité de la fourmi. Lorsque l'**esprit** explore d'autres réalités, ses activités peuvent être très difficiles à saisir pour le cerveau qui n'est pas normalement concerné par ces phénomènes, à moins de devoir y faire face.

Le cerveau de Ruburt est loin d'être conscient de toutes ces autres réalités que son esprit peut capter, mais Ruburt croit fermement en sa plus grande conscience et en ses capacités de perception. Son cerveau adhère aussi a cette croyance, il s'ouvre donc le plus possible aux activités de son esprit. **Grâce à cela** Ruburt peut, jusqu'à un certain point, **palper** physiquement certaines expériences psychiques intuitives et intellectuellement «englobantes[1]». La connaissance est interprétée à travers les rythmes corporels, ce qui lui donne une grande validité au niveau du ressenti. L'activité psychique et mentale intense se reflète alors dans l'expérience corporelle, et l'être jouit d'une bienfaisante cohésion.

J'ai utilisé ici le terme «englobant» pour qualifier les mécanismes intellectuels et intuitifs qui entrent en jeu dans un enchaînement accéléré d'activités. Votre **croyance** en un type bien précis de perception impose ses limites à votre intelligence normale.

(*22 h 45*) Il existe une forme d'affirmation de soi qui permet au cerveau de se synchroniser avec ces modes plus globaux de perception et qui font partie des caractéristiques naturelles de la pensée. Il y a de très bonnes raisons pour justifier ce type initial d'affirmation. Le cerveau (ainsi que tout le système physique) est là pour assurer votre survie physique, mais tout en suivant vos croyances conscientes au sujet de la réalité. Il y a toujours un lien harmonieux entre vos croyances et vos activités. Certaines personnes se sentent très confiantes en certains domaines et très timides en d'autres.

Certains aspects de la vie peuvent être ignorés ou même rejetés pour un temps, alors que vous vous attardez à d'autres. En passe de changement de croyances, l'individu s'engagera avec intelligence et astuce dans les domaines où il se sent confiant. Vous ne recourrez pas à votre dimension plus «englobante» tant que vous ne serez pas convaincu de sa réalité en vous et tant que vous ne serez pas capable d'assimiler les données supplémentaires qui vous seront consciemment disponibles à un degré ou à un autre. Mais votre esprit plus englobant agit à travers votre être physique; il représente des capacités latentes de la conscience qui pourraient plus ou moins être considérées comme des fonctions normales.

---

1. «Spacious» (en anglais).

Certaines structures biologiques existantes doivent être activées pour la réception de tels messages, et elles ont toujours fait partie, comme espèce, de votre nature physique. Sur une base individuelle, ces mécanismes ne seront pas déclenchés tant que vos propres croyances ne vous permettront pas de percevoir les diverses strates multidimensionnelles de votre expérience ou d'entrevoir leur **vraisemblance**.

Comme le montre ce soir l'aventure de Ruburt, même les perceptions usuelles prennent des proportions hors du commun et s'avèrent d'une richesse quasi indescriptible. Ce cadre est propice à l'apprentissage biologique, car les sens y fonctionnent plus librement et sont exacerbés. Bien que ces phénomènes ne soient pas constants, ils sont assez fréquents pour que l'expérience ordinaire en soit modifiée. Il y a enrichissement.

(*23 h*) Vous n'avez pas à être connaisseur en matière métapsychique. Un grand nombre d'individus ont cette conscience «globale», ils la tiennent pour acquise, sans s'apercevoir combien leur perception est différente.

Ruburt s'interrogeait à ce propos. Physiologiquement, vous portez des **signes** de votre évolution, des restes d'organes et autres caractéristiques depuis longtemps oubliées. Me suivez-vous?

(*«Oui.»*)

De façon similaire, vous portez aussi en vous des structures **qui ne sont pas encore** pleinement utilisées; des points de jonction avec votre futur. L'élargissement de la conscience fait appel à ces structures. À travers les âges, des individus ont expérimenté cette forme de conscience, mais jamais à sa capacité maximum.

(*Une longue pause à 23 h 05, les yeux fermés*) L'expérience d'élargissement de la conscience fait disparaître tout conflit qui, à d'autres niveaux, semble exister entre l'intellect et les intuitions. Jusqu'à un certain point, l'organisme physique fait ce lien grâce à un nouvel agencement des données sensorielles, de sorte que l'information prend un sens pour vous.

Un individu peut, sans s'en rendre compte, avoir cette «conscience-globale» deux ou trois fois dans sa vie, et vivre par la suite des expériences qu'il a de la difficulté à interpréter. C'est une affirmation transcendante où, pour un moment, la personne reconnaît sa réalité dans la chair tout en déclarant son indépendance à l'égard de celle-ci (*en souriant*); elle pressent simultanément ces deux conditions. Il s'agit d'une double perception qui active la «conscience-globale». Par «activation», j'entends que l'organisme physique est **soudain conscient** de l'existence [*de cette «conscience-globale»*].

Vous pouvez faire une pause.

(*23 h 14. Le débit de Jane fut régulier. «Mais j'ai eu du mal à entrer dans la session, dit-elle, car j'étais tellement distraite par tous les sons. Je suis toutefois contente de l'avoir fait...» Son état modifié de conscience persistait. «Même en ce moment ma voix me semble incroyable et mes mains me paraissent liquides, presque comme de l'eau...»*)

(*Le vent s'était calmé. Nous n'entendions plus les feux d'artifice, seul encore le chuintement du trafic. J'ai préparé pour Jane un sandwich au beurre d'arachide, avec du pain de blé entier. Quand elle le prit, elle dit, toute surprise: «C'est presque comme si vous deviez choisir entre croquer le sandwich, votre main qui le tient ou votre genou qui la supporte, non pas que vous soyez désorienté, mais parce que tout est un. Lorsque vous en prenez conscience vous devez faire un choix.»*)

(*La texture du pain dans sa bouche l'intriguait vraiment. «Quand je mastique ce pain, dit-elle, je sais qu'il émet des sons que je n'entends pas, et je leur substitue le bruit de la voiture qui tourne au coin de la rue. Je sens un lien étroit entre le pain qui glisse dans ma gorge et la circulation...»*)

(*Reprise, très lentement à 23 h 51*)

Lorsqu'elle fera pleinement partie de votre expérience, la «conscience-globale» enrichira extraordinairement les capacités de l'espèce; le corps jouira d'une plus grande harmonie qu'à l'heure actuelle.

Sur le plan neurologique, il existe des mécanismes latents qui **peuvent** être exploités, et lorsqu'ils le seront votre expérience concrète du temps sera transformée. De votre point de vue, la race aura subi une telle métamorphose qu'on ne la reconnaîtra plus. Comme Ruburt l'a déjà souligné, votre système [*moderne*] de communication a de beaucoup augmenté la quantité de renseignements disponibles en un temps donné, et cela au niveau strictement physique.

Vous recevez et assimilez en provenance de divers points de la planète des données qu'aucun individu ordinaire dans les siècles précédents n'aurait perçues. Les incidents à des lieues à la ronde font l'objet d'une connaissance immédiate. L'intervalle entre l'événement et l'information est réduit, même s'il se produit à l'autre bout du monde.

Un voyage en avion bouscule votre expérience du temps, et en cela il modifie votre conception à son sujet. Mais votre organisme possède des dispositifs qui vous permettront, en tant que race, d'avoir une perception plus vaste du temps comme c'est le cas actuellement pour l'espace.

(*00 h 02*) D'une façon très limitée et maladroite, votre usage des ordinateurs vous en donne un indice, avec vos calculs des «probabilités» que vous suivez religieusement. La pensée peut le faire beaucoup mieux que n'importe quel ordinateur. Si vous y croyiez, certaines parties du cerveau seraient alors activées. Le cerveau en saurait plus de ce que votre esprit connaît déjà, et la probabilité d'événements futurs vous serait consciemment disponible.

Le cerveau devra toutefois discerner cette information afin de maintenir l'organisme physique en harmonie avec la réalité présente. Quand l'homme développa ce «temps de réflexion» dont nous avons parlé (*voir les sessions 635 et 636, chapitre 9, tome I*), il fut temporairement désorienté, avant de distinguer un événement présent d'un souvenir vivace du passé. La conscience émergente devait faire la différence pour des raisons bien pratiques. Pour transiger avec les événements futurs, le cerveau devra développer cette fonction, tout en s'assurant de maintenir l'individu dans son **point de pouvoir** présent, et ainsi préserver son efficacité physique.

L'affirmation inclut toujours la reconnaissance de votre pouvoir dans le présent. En d'autres termes, la négation de soi est l'abdication de ce pouvoir. L'affirmation reconnaît donc votre capacité, en tant qu'esprit dans la chair, de former votre réalité corporelle.

Vous pouvez maintenant modifier votre présent en modifiant votre passé ou bien changer votre présent à partir du futur. (*Voir les sessions 653 et 654, chapitre 14 du présent ouvrage.*) Ces manipulations doivent toutefois prendre place dans le concret de votre expérience présente. À un moment ou l'autre, certains individus ont modifié leur comportement en réponse à des avis d'un «moi probable» du futur, sans jamais s'en rendre compte.

Supposons que, étant jeune, vous ayez en tête un but précis auquel vous travailliez. Votre intention, vos images, vos désirs et votre détermination créent une force psychique qui est projetée en avant de vous, pour ainsi dire. De votre présent, vous projetez votre réalité dans ce que vous appelez le futur.

Disons qu'à un certain moment vous devez prendre une décision et que vous ne savez pas quelle voie choisir. Vous sentez peut-être qu'il y a un risque pour vous de **dévier** de votre but, mais pour d'autres raisons vous avez très envie de le faire. Durant votre sommeil ou au cours d'un moment de rêverie, vous pouvez entendre clairement une voix qui vous conseille de poursuivre votre but initial. Cette information peut aussi vous venir autrement: un vif désir, une vision ou tout simplement une **certitude** soudaine de ce qu'il faut faire. Cela survient dans votre présent.

(*00 h 21*) En d'autres mots, le soi que vous avez projeté vous envoie un encouragement d'une réalité probable qu'il vous est loisible d'actualiser. Ce «moi» sur lequel vous misez agit cependant à partir de **son présent**; et un jour, dans votre futur, peut-être songerez-vous avec nostalgie à un moment de votre passé où, inquiet et hésitant, vous avez fait le choix approprié.

Peut-être penserez-vous: «je suis content de l'avoir fait» ou «sachant ce que je sais maintenant, quelle chance d'avoir pris cette décision». À ce moment-là, vous êtes ce «moi» futur qui un jour encouragea la personne du passé. Le futur probable a rattrapé le présent dans sa réalité concrète.

L'affirmation anticipée de vous-même projetée dans le futur a rendu possible une telle occasion. De même, l'acceptation de vous-même et de votre propre intégrité peut, à n'importe **quel moment de votre présent**, modifier votre passé et votre futur.

(*Avec force*) Fin du chapitre.

Chapitre 22

L'AFFIRMATION DE SOI,
L'AFFINEMENT DE VOTRE VIE ET
LA RESTRUCTURATION DES CROYANCES

Session 675 (suite)

(*D'un seul jet à 00 h 25*) Titre du nouveau chapitre [22]. «L'affirmation de soi, l'affinement de votre vie et la restructuration des croyances.»

Fin de la session.

(*«D'accord.»*)

(*Amusé*) Je vous donne le titre du prochain chapitre en fin de session, afin que Ruburt sache où j'en suis. Cela lui donne confiance. Une très bonne soirée à vous deux.

(*«Merci beaucoup, Seth. Bonne nuit.» Fin à 00 h 28. Les perceptions modifiées de Jane persistaient.*)

Session 676 – Le lundi 9 juillet 1973, à 21 h 32

(*Nous étions prêts pour la session à 21 h 15. Encore une fois, la soirée était chaude. Le ventilateur fonctionnait, mais au ralenti, ce n'était donc pas trop bruyant; en fait, nous l'utilisons rarement. Je lus à haute voix le titre du chapitre 22, en pensant à la fin prochaine du livre...*)

Bonsoir.

(*«Bonsoir, Seth.»*)

Si vous avez de l'estime pour vous-même, vous aurez confiance en la direction que vous avez choisie.

Vous considérerez votre position actuelle, quelle qu'elle soit, comme une étape de cette direction qui, en elle-même, porte toutes les ressources nécessaires à sa réalisation. En étant vous-même et en vous fiant à votre propre intégrité, vous aiderez automatiquement les autres.

Répéter une suggestion telle que, «je suis quelqu'un d'utile; je crois en moi et en mon intégrité», n'aura qu'un effet médiocre, si parallèlement vous avez peur de vos émotions et si vous perdez contenance chaque fois que des pensées négatives vous assaillent.

Comme des amoureux peuvent voir l'«idéal» en l'être aimé, tout en notant quelques défauts ou un écart par rapport à cet idéal, ainsi en vous aimant vous-même vous pouvez comprendre que ce que vous prenez pour des imperfections sont en fait des états intermédiaires vers un devenir plus complet. Vous ne pouvez pas vous aimer et, en même temps, haïr les émotions qui vous traversent. Évidemment, **vous n'êtes pas** vos émotions, mais vous vous identifiez si facilement à elles qu'à force de les haïr vous vous détestez vous-même.

Ayez recours à votre raison et à sa logique. Si vous vous sentez **inutile**, n'essayez donc pas simplement de remplacer ce sentiment par une croyance positive. Cherchez plutôt les motifs derrière ce vide. Si vous ne l'avez déjà fait, écrivez vos sentiments. Soyez parfaitement honnête. Que diriez-vous si quelqu'un d'autre vous apportait les mêmes explications?

Examinez ce que vous avez écrit. Comprenez que tout se réfère à un ensemble de croyances. Il y a une différence entre croire que vous êtes médiocre et l'être en fait.

(*21 h 46*) Ensuite, dressez la liste de vos capacités et réussites à tous points de vue. Ainsi, vous vous accordez bien avec les autres, vous êtes séduisant, délicat avec les plantes ou les animaux, vous excellez en cuisine ou en menuiserie. Notez chaque talent ou accomplissement aussi franchement que vous l'aurez fait pour vos moindres «défauts».

Tout être humain vivant possède des aptitudes et d'excellentes qualités, et a à son crédit des réalisations. Donc, en suivant ces instructions, vous découvrirez que vous êtes vraiment quelqu'un de valable.

Lorsque vous vous prenez à entretenir des sentiments d'infériorité, regardez votre liste de talents et de réussites. Ayez recours alors à la suggestion positive de votre propre valeur, **appuyée** de votre auto-examen. Vous direz peut-être: «Mais j'ai de grandes capacités que je ne mets pas à profit. Alors quand je me compare aux autres, je sens mon insuffisance. Qu'est-ce que cela peut bien faire de compter quelques banales réussites qui ne me différencient en rien des autres? Ma destinée contient sûrement davantage. J'aspire à des choses hors de ma portée.»

D'abord, vous devez comprendre que votre caractère unique rend vain toute comparaison avec les autres. En agissant de la sorte, vous essayez tellement de les imiter que vous finissez par renier le miracle même de votre être, ainsi que votre propre vision. Si vous commencez à vous comparer aux autres, cela n'a plus de fin. Vous trouverez toujours quelqu'un de plus talentueux que vous, ce qui vous laissera continuellement insatisfait. En travaillant sur vos croyances, dites-vous plutôt **que votre vie est importante**, telle quelle est; commencez par cela. Ne vous dépréciez pas si vous n'avez pas atteint un grand idéal, et commencez à développer de votre mieux les talents que vous possédez, tout en sachant qu'ils constituent votre propre richesse.

(*22 h 01*) Toute aide que vous apporterez aux autres viendra de l'utilisation créatrice de vos propres qualités et rien d'autre. Ne vous en faites pas lorsque vous êtes aux prises avec des aspects négatifs de votre vie. Demandez-vous plutôt, d'une manière constructive, pourquoi cela vous arrive. La réponse vous parviendra.

Servez-vous de la connaissance comme d'un pont. Laissez couler vos émotions, quelles qu'elles soient. Si vous le faites franchement, les sentiments d'inutilité ou de découragement passeront et s'évanouiront d'eux-mêmes. Ces sentiments pourront vous impatienter ou vous exaspérer au point de vouloir les chasser. Toutefois, ne vous dites pas systématiquement qu'ils sont mauvais en essayant alors d'appliquer une croyance «positive» comme on applique un pansement.

Ayez le sens de l'humour envers vous-même, non pas une ironie mordante mais un regard tendrement amusé. C'est bien d'être sérieux lorsque c'est naturel et non affecté. Mais à long terme, cela peut devenir pompeux.

Si vous prenez de plus en plus conscience de vos croyances, vous pourrez les travailler. C'est idiot d'essayer de combattre ces soi-disant croyances négatives ou même de les craindre. **Elles ne sont pas mystérieuses.** Vous découvrirez que plusieurs d'entre elles avaient leur utilité, mais qu'elles ont tout simplement été exagérées. Il s'agit plus de les restructurer que de les nier.

Faites une pause.

(*De 22 h 11 à 22 h 28*) Certaines croyances peuvent être très favorables à une époque de votre vie. Mais comme vous ne les avez pas **examinées**, vous pouvez les garder plus longtemps qu'il n'est nécessaire; elles se retournent alors contre vous.

Par exemple, presque tous les jeunes croient, à un moment ou à un autre, que leurs parents sont omnipotents; une croyance très commode qui donne aux enfants un sentiment de sécurité. À l'adolescence, ces mêmes jeunes seront bouleversés de découvrir que leurs parents ne sont que des humains et donc, faillibles; une nouvelle conviction prend alors le dessus, à savoir la médiocrité et l'infériorité des générations précédentes, et la rigidité et l'insensibilité de ceux qui gouvernent le monde.

De nombreux jeunes adultes pensent que les vieilles générations ont tout fait de travers. Cette croyance les libère toutefois d'une conception enfantine où non seulement les adultes ont toujours raison mais sont en quelque sorte infaillibles; elle leur donne l'occasion de s'attaquer à leurs problèmes personnels et à ceux du monde.

Les jeunes adultes se sentent provisoirement invincibles, pour ne pas dire surhumains; encore une fois, cette croyance leur donne la force et l'énergie nécessaire pour bâtir leur vie et pour créer collectivement leur monde. Mais concrètement, tôt ou tard, ils devront comprendre les défis et les caractéristiques de la race, devant lesquels de telles croyances générales ne tiennent plus.

(22 h 39) Si à quarante ans vous croyez encore à l'infaillibilité de vos parents, vous vous accrochez à une idée qui depuis longtemps a perdu toute son utilité. En utilisant les méthodes énoncées dans ce livre, vous devriez découvrir les raisons de cette croyance, car elle vous empêchera de prendre votre autonomie en main et de construire votre univers personnel. Si à cinquante ans, vous êtes encore convaincu de la rigidité des aînés, de leur dégénérescence rapide, de leur incompétence intellectuelle et de leur incapacité physique, c'est que vous détenez encore une ancienne croyance en l'inefficacité des générations antérieures, et en cela vous vous imposez des suggestions négatives. Par ailleurs, si à cinquante ans vous croyez toujours que la jeunesse est l'âge glorieux et efficace de la vie, vous jouez le même jeu.

Un jeune adulte doué d'un certain talent peut croire que cet atout le rend supérieur aux autres. Pendant un moment, cela l'avantagera réellement, lui procurant l'élan nécessaire à son propre développement et l'indépendance indispensable à l'épanouissement de son art. Quelques années plus tard, cette personne pourra découvrir que cette croyance a persisté si longtemps qu'elle le prive d'un important échange émotionnel avec ses contemporains ou qu'elle devient restrictive à divers points de vue.

(*Pause à 22 h 48*) Une jeune mère peut croire que son enfant est plus important que son mari et cette croyance peut, en l'occurrence, l'aider à donner l'attention voulue à son enfant, mais si l'idée persiste, elle peut avec le temps devenir très contraignante. La vie **entière** d'une femme peut graviter autour de cette idée si elle n'apprend pas à examiner le contenu de sa pensée. Une croyance salutaire pour une femme de vingt ans n'aura pas forcément les mêmes effets si, à quarante ans, elle continue de porter plus d'attention à ses enfants qu'à son mari.

Un grand nombre de vos croyances font partie de votre culture, c'est évident, mais vous n'en avez pas moins **accepté** celles qui vous convenaient. En règle générale, dans votre société, les hommes se croient logiques alors que les femmes sont dites intuitives. Les femmes qui essaient actuellement d'établir leurs droits tombent souvent dans le même piège, mais dans le sens inverse; elles essaient de développer leurs capacités logiques qu'elles **jugent** supérieures, au détriment de leur intuition.

Certaines croyances structureront donc votre vie pour un temps indéfini. Plusieurs d'entre elles passeront avec l'âge. Ainsi l'ordre intérieur se modifiera-t-il, mais vous ne devez pas bêtement donner votre accord aux croyances impropres une fois reconnues.

«Je me sens inférieur parce que ma mère me haïssait» ou «je me sens indigne, car enfant j'étais maigre et petit». Lorsque vous travaillez sur vos croyances, vous pouvez découvrir que votre sentiment d'infériorité remonte à cette époque. Il n'en tient qu'à vous, adulte, de **dépasser** ces croyances et de saisir qu'une mère qui déteste son enfant est déjà en difficulté, et que la haine en dit davantage sur la mère que sur sa progéniture. C'est à vous de comprendre que vous êtes dorénavant une grande personne et non un enfant malmené.

(*23 h 01*) Centrer.

Le point de pouvoir est dans le présent.

Ce point n'est pas dans le passé, à moins que vous décidiez de vous complaire dans des croyances complètement dépassées qui ne vous servent à rien.

Si vous vous êtes jugé indigne à cause de votre maigreur et de votre petitesse, vous vous êtes sans aucun doute servi de cette croyance comme moyen d'arriver à vos propres fins. Admettez-le. Découvrez quels étaient ces buts. Peut-être avez-vous compensé en devenant par la suite un athlète ou encore en vous servant de cette impulsion pour aller de l'avant comme vous l'entendiez. Si votre mère vous haïssait, vous avez peut-être utilisé ce fait pour prendre votre indépendance, pour vous donner une excuse ou une direction; mais, dans tous les cas, vous créez votre propre réalité, et ainsi vous y avez consenti.

(*Pause*) Certaines personnes qui m'écrivent affirment avoir de grandes capacités psychiques ou des talents d'écriture et ressentent un pressant besoin d'aider les autres. Elles comparent constamment ce qu'elles font avec ce qu'elles pensent pouvoir faire, mais souvent sans faire le premier pas pour développer ces aptitudes.

Elles veulent par exemple écrire de grandes théories philosophiques, sans jeter un seul mot sur papier ou en n'ayant jamais assez confiance en elles-mêmes pour commencer. Certains individus veulent SAUVER LE MONDE (en lettres majuscules), mais tout ce qu'ils font est d'y penser sans essayer d'accomplir quoi que ce soit de concret. Leur idéal est si grand qu'ils sont toujours insatisfaits de leurs réalisations et ils ont peur de se lancer.

La reconnaissance aimante de votre caractère unique vous permettra d'utiliser vos capacités à votre manière et de profiter de votre situation présente. L'idéal n'est pas encore là. C'est un signe de piste. Mais le chemin ne peut être trouvé qu'en vous servant de vos propres talents et des occasions qui vous sont données, et tout cela à travers le pouvoir de votre présent.

Vous pouvez faire une pause.

(*23 h 13. Le message de Jane était dans l'ensemble calme et régulier, excepté pour les mots et les phrases en caractères gras précisés par Seth.*)

(*La nuit s'était agréablement rafraîchie. «Mais sais-tu?, dit Jane. Je me sens très fatiguée maintenant...» La pause marqua la fin de la session. Après quelques moments d'hésitation, Jane décida de ne pas retourner en transe.*)

Session 677 – Le mercredi 11 juillet 1973, à 21 h 36

Bonsoir.

(*«Bonsoir, Seth.»*)

Ce n'est certainement pas mauvais de demander de l'aide lorsque vous pensez en avoir besoin, et parfois il y a beaucoup à gagner.

Cependant, certaines personnes ont pris l'habitude de rechercher l'aide des autres comme moyen de fuir toute responsabilité. Pour des problèmes physiques précis, il est bon de consulter un spécialiste, particulièrement dans des domaines que vous connaissez peu. Mais beaucoup de gens ont recours aux autres (médiums, médecins, psychiatres, prêtres, pasteurs et amis), en toute occasion. En agissant ainsi, ils nient leur propre capacité de se comprendre et de grandir.

En raison de votre système d'éducation, l'individu apprend à se méfier de son moi intérieur, comme je l'ai déjà mentionné (*voir, par exemple, la session 614, chapitre 2, tome I*); ainsi malheureusement l'homme ou la femme ordinaire cherche la solution de ses problèmes à l'extérieur de soi, là justement où il n'y a pas de résolution possible. Si vous suivez les méthodes données dans ce livre, vous vous connaîtrez beaucoup plus intimement et vous serez mieux outillé pour maîtriser votre réalité personnelle. Le seul fait de savoir que **vous créez votre réalité** peut vous libérer de certains concepts limitatifs que vous entreteniez dans le passé. Vous pouvez donc examiner vos croyances avec créativité et faire le rapprochement avec votre expérience. Le savoir conscient à lui seul déclenchera les mécanismes intuitifs du moi intérieur qui vous prodiguera des renseignements salutaires à travers vos rêves, vos impulsions et vos schèmes habituels de pensée.

(*Pause à 21 h 27*) Si vous affirmez **la grâce de votre être**, les croyances contraires à ce principe faibliront automatiquement. Vous pourrez conserver la vision d'un «moi idéal» tout en comprenant les **écarts naturels** entre celui-ci et la réalité.

(*Très lentement*) Vous partirez de ce que vous êtes et vous commencerez joyeusement à développer vos aptitudes, sans espérer qu'elles arrivent toutes à maturité. Vous vous aimerez vous-même et vous n'aurez aucune difficulté à aimer votre prochain. Cela ne signifie pas que vous deviez ignorer le décalage entre votre conception idéale de l'être aimé et ce que vous vivez. Cela ne veut pas dire non plus que vous deviez sourire constamment, mais plutôt affirmer votre authenticité et votre grâce dans le cadre de votre nature humaine.

Dès que vous comparez ce que vous êtes avec un certain idéal de vous-même, vous vous sentez immédiatement coupable. Tant que vous n'examinerez pas vos croyances, cette culpabilité ressortira aux moindres incidents et sautes d'humeurs. Il vous serait bon de dresser une liste d'actes ou d'incidents précis qui vous laissent un sentiment de culpabilité. Vous pourrez souvent les rattacher à des croyances de votre tendre enfance; certaines inculquées par un parent désirant vous protéger, d'autres entraînées par l'ignorance d'un adulte. Mises à nu, plusieurs de ces croyances s'évanouiront avec votre **compréhension**.

Lorsque vous affirmez votre authenticité dans l'univers, vous co-opérez facilement et naturellement avec les autres, eux-mêmes partageant votre propre nature. En étant vous-même, vous aidez les autres à être eux-mêmes. Vous n'êtes pas jaloux de talents que vous ne possédez pas; vous pouvez donc encourager leur développement chez les autres. Puisque vous savez que vous êtes unique, vous n'aurez pas à dominer vos semblables, ni à vous humilier en leur présence.

(*22 h 01*) Un jour ou l'autre, vous devrez prendre confiance en vous-même. Je vous suggère de commencer immédiatement. Si vous ne le faites pas, vous aurez toujours besoin des autres pour soutenir votre propre valeur et vous ne serez jamais satisfait. Vous demanderez constamment aux autres ce qu'il faut faire, mais parallèlement vous éprouverez du ressentiment envers ceux dont vous réclamez l'aide. À vos yeux, leur expérience semblera valable et la vôtre fausse. Vous vous sentirez perdant au change.

(*Pause à 22 h 06. Notre chat Willy était malade; nous l'avons donc gardé avec nous pendant la session. En s'éveillant, il s'est dirigé non-chalamment vers Jane, assise dans son fauteuil, parlant en tant que Seth. Il se préparait à sauter sur ses genoux. Je l'ai appelé; sur ce, il choisit de se pelotonner à mes côtés sur le sofa.*)

(*Jane était restée en transe. Par la suite, elle me dit que Seth avait attendu avec un «regard amusé et affectueux» que cet épisode prenne fin.*)

Vous serez porté à amplifier les aspects négatifs de votre vie et les côtés positifs de l'expérience d'autrui. Votre personnalité est **multidimensionnelle**. Fiez-vous au miracle de votre être. Ne dissociez pas dans votre vie le côté physique du spirituel, puisque le spirituel s'exprime avec la voix du corps et que le corps est la création de l'esprit.

Ne placez pas les **paroles** des gourous, pasteurs, prêtres, scientifiques, psychologues, amis – ou **mes propres paroles** – au-dessus du ressenti de votre être. Vous pouvez beaucoup apprendre des autres, mais la connaissance profonde doit être tirée de vous-même. Votre conscience est engagée dans une réalité qui, fondamentalement, ne peut être vécue par personne d'autre; elle poursuit ses propres voies de devenir dans une réalité unique et intraduisible, ayant sa propre signification.

Vous partagez une existence avec d'autres qui vivent leur aventure à leur façon; vous voyagez donc ensemble. Soyez aimable avec vous-même et avec vos compagnons.

Moi aussi je voyage. Les renseignements et la connaissance que je possède, j'essaie de vous les transmettre par Ruburt et Joseph (*pause*) qui sont des parties de moi dans votre espace-temps. Cependant, ils sont eux-mêmes, comme je suis moi.

Vous pouvez faire une pause.

(*22 h 17. La transe de Jane était normale et son débit calme. «Tu sais, dit-elle, je pensais que ce livre serait plus long, et j'ai eu cet étrange sentiment nostalgique que Seth allait le terminer très bientôt. J'en ai eu des frissons. Je ne sais pas de ton côté, dit-elle en riant, mais j'aimerais que cela continue encore pour cinq chapitres... J'ai eu cette même impression à la fin de* L'enseignement de Seth; *je suis toujours troublée lorsque la fin approche.» Je pensais moi-même que Seth terminerait le livre ce soir. Je dis à Jane en plaisantant que nous pourrions lui demander le titre de son prochain livre. «Oh! il l'a caché ici!» Jane désignait le dessus de sa tête.*)

(*Une note concernant ce qui a été donné juste avant la pause. Au chapitre 9, tome I, Seth parle de la réincarnation d'une manière générale; mais dans ce livre, il en dit très peu au sujet de ses «liens» psychiques avec Jane et moi. Des références sur cette relation parsèment* Le livre de Seth *et* L'enseignement de Seth *[voir ce dernier dans l'appendice, à la session 595], et nous avons aussi quelques renseignements inédits. Mais pour explorer nos ramifications réincarnationnelles, il faudrait un livre complet...*)

(*Reprise à 22 h 37*)

Les croyances de Ruburt concernant la nature de sa conscience ont contribué à l'éclosion de ces sessions.

Ruburt et Joseph ont tous deux exploité leur créativité, et depuis leur plus jeune âge, ils cherchent des réponses, mais avant tout ils ont cru en leur destin et en la grâce de leur être.

Peut-être se sont-ils senti désorientés par moment. À certaines périodes, ils ont pu avoir des problèmes et oublier momentanément leur but, mais leur confiance en soi, individuellement et comme couple, était assez forte pour donner naissance à ce qu'ils vivent actuellement.

De nombreuses personnes qui nous ont écrit veulent développer et utiliser de telles facultés, mais par leur lettre, on voit bien que leurs croyances les empêchent de s'abandonner à leur moi intérieur. Vous ne pouvez pas à la fois craindre votre être et espérer voyager en son sein et en explorer les replis. Vous devez d'abord faire un premier pas: affirmer votre identité. Cette affirmation libérera ces qualités que vous possédez et vous ouvrira de nouveaux champs d'expérimentation. Ce seront vos propres avenues, il ne peut en être autrement. Lorsque, par exemple, vous demandez aux autres d'interpréter vos rêves, vous repoussez automatiquement le développement de vos propres capacités. Quand vous confiez à quelqu'un l'orientation de votre vie, dans une certaine mesure, vous vous empêchez de voir que cette direction est en vous. Sans cette prise de conscience, aucune méthode ne pourra vous aider.

(22 h 49) À présent, en termes simples, ce livre ne renferme aucun enseignement ésotérique qui vous aiderait à atteindre l'«expertise» psychique ou à parvenir à un développement spirituel. Par contre, il fournit l'information de base pour tous ceux qui veulent se servir de leur être physique comme une fenêtre pour percevoir et expérimenter d'autres réalités.

Je vous l'ai déjà dit, vous ne deviendrez pas plus spirituel en niant la chair (*voir le chapitre 7, tome I*). C'est la vie que vous vivez actuellement! Ayez foi en la vie qui vous inonde. Ainsi, d'autres réalités se dévoileront d'elles-mêmes. Elles donneront du relief et de la profondeur à votre réalité présente.

Centrez:

Vous créez votre propre réalité, **partout où vous allez,**
quelle que soit la dimension où vous vous trouvez.

Avant de vous embarquer vers d'autres horizons de la conscience, comprenez que vos croyances vous suivront et y créeront votre expérience, comme elles le font ici. Si vous croyez aux démons vous les rencontrerez, en ennemis dans cette vie et en diables ou «esprits malins» en d'autres royaumes de la conscience.

Si vous avez peur de vos émotions, si vous les jugez mauvaises, alors lorsque vous tenterez des expériences «métapsychiques» vous pourrez vous croire possédé. Vos sentiments, ceux qui sont réprimés, vous sembleront démoniaques. Vous aurez tellement peur de les endosser que vous penserez qu'ils appartiennent à un esprit désincarné. Il est donc important que vous compreniez l'innocence fondamentale de **tous** les sentiments car chacun d'eux, laissé à lui-même et respecté, vous ramènera à la réalité de l'amour.

(*Pause à 23 h*) Ne croyez personne ni aucun dogme qui vous dit que vous êtes mauvais ou fautif en raison de votre nature ou de votre existence physique. Ne vous fiez à personne qui vous éloigne de la réalité de votre être. (*Une longue pause, les yeux fermés*) Ne suivez pas ceux qui vous demandent de faire pénitence, de quelque façon que ce soit. Ayez plutôt confiance en la spontanéité de votre être et en la vie qui est vôtre. Si vous n'êtes pas satisfait de votre cheminement, examinez donc vos croyances. Ramenez-les à la surface. Il n'y a rien à craindre en vous.

Séparément:

Ma vie est mienne et je la crée.

Répétez-le souvent. Créez votre propre vie maintenant, en vous servant de vos croyances comme un peintre joue avec les couleurs. Il n'est aucune condition que vous ne puissiez changer, sauf ce qui est incontestablement acquis à votre naissance en tant que créature, telles une infirmité, l'absence d'un organe ou une déficience fonctionnelle.

Si vous êtes affligé d'une maladie ou que vous déploriez une situation, prenez donc le taureau par les cornes! Regardez honnêtement vos croyances et démasquez la raison de la difficulté.

(*Avec beaucoup d'intensité*) Je parle avec cette vitalité **intérieure** qui est propre à chacun de mes lecteurs, avec cette **connaissance intérieure** qu'il possède également.

Je termine en disant, comme je l'ai déjà affirmé: vous avez reçu le don des dieux; vous créez votre réalité selon vos croyances; l'énergie créatrice qui fait le monde vous appartient; le soi n'est limité que par ce que vous vous imposez comme barrières.

Je suis Seth. Je prononce joyeusement mon nom, bien que les noms ne soient pas importants. Chaque matin dites votre nom avec affirmation.

Vous façonnez votre vie grâce au pouvoir intérieur de votre être (*pause*), dont la source est en vous et cependant au-delà du «moi» que vous connaissez. Servez-vous de vos capacités créatrices avec compréhension et abandon. Ayez du respect pour vous-même et faites votre chemin dans la divinité de votre être.

Fin du livre.

(*23 h 14. «Merci, je trouve que c'est très bon», dis-je. Seth-Jane me regardait très calmement.*)

Vous avez tous les deux votre propre voie; des rythmes de votre être propre qui coulent et se tissent. Ruburt doit faire des liens, et il y aura d'autres livres de moi, d'elle et de toi aussi; et il se passera des siècles avant que nous commencions vraiment ce qui à nos yeux semble déjà avoir pris son envol.

Fin de la session.

(«*Merci beaucoup, Seth. Bonne nuit.*»)

(*23 h 16. Pour la fin du livre, le débit de Jane fut calme et régulier comme d'habitude. Elle était surprise – elle le répétait – et triste à la fois que s'achève la part de Seth dans ce long projet. Jane a fait la semaine dernière une première ébauche de son introduction, cela aussi progresse. Elle ne voyait plus la nécessité pour Seth de faire un appendice, comme nous l'avions pensé.*)

(«*Je n'arrive pas à croire que ce soit fini!, dit-elle encore. En ce qui me concerne, tout le travail a été facile. Apparemment tout cela sortait de moi, comme ça, pendant que j'étais occupée à faire autre chose...*» *Ce qui est vrai; mais il ne faut pas ignorer sa grande complicité mentale et émotionnelle durant ces dix derniers mois, c'est-à-dire depuis que Seth a repris régulièrement ses dictées le 11 septembre 1972, à la suite du délai causé par l'ouragan tropical Agnès.*)

(*Jane et les membres de sa classe d'ESP ont cheminé avec le livre de Seth presque toutes les semaines durant sa production. Elle en a lu également des parties pour elle-même. Elle dit alors: «À présent, je veux le lire au complet; ainsi je pourrai le voir comme un tout.» Je lui ai dit que, d'après moi, elle avait fait du bon boulot.*)

(*Une note ajoutée par la suite. La remarque finale de Seth concernant les autres livres de Jane s'avérait exacte. Pendant que nous préparions ce manuscrit pour l'éditeur, deux autres de ses œuvres,* Dialogues of the Soul and Mortal Self in Time *et* Aspect Psychology *étaient acceptées par Prentice-Hall. Il en a été question dans ce livre et Jane en parle dans son introduction. C'est moi qui ferai les illustrations.*)

(Dialogues, *son livre de poésie, est décrit à la session 639, au chapitre 1 du présent ouvrage. Le livre* Aspect Psychology, *qui représente la théorie personnelle de Jane en matière métapsychique, est cité entre autres à la session 618, chapitre 3, tome I. Ce livre est tiré de ses écrits* Les aventures dans la conscience, *comme il a été souligné au chapitre 21 de* L'enseignement de Seth; *cette matière y est d'ailleurs incorporée.*)

SETH
LA RÉALITÉ PERSONNELLE
UNE VISION DE L'AU-DELÀ

«Si votre santé est défaillante, vous pouvez y remédier. Si vos relations interpersonnelles sont insatisfaisantes, vous pouvez les améliorer. Si vous êtes pauvres, vous pouvez trouver l'abondance. [...] Chacun de vous, peu importe sa position, son statut ou sa condition physique, est maître de sa propre expérience en toutes circonstances.»

Tel est le message de Seth, cette remarquable entité, cet esprit venu d'ailleurs pour communiquer avec les humains par l'entremise du médium Jane Roberts.

Contrairement aux auteurs de guides de motivation, Seth considère que la pensée positive ne suffit pas. En effet, nous subissons diverses agressions extérieures et ressassons aussi parfois de profonds sentiments négatifs. Mais Seth nous apprend que notre corps se recrée sans cesse, et que nous façonnons nous-mêmes notre propre réalité selon nos croyances. Nous ne sommes donc pas à la merci de notre subconscient, impuissants devant des forces incompréhensibles.

Il nous appartient de modifier notre schème de pensée pour vivre le quotidien dans la joie, le courage et la créativité.

Poète, auteur d'ouvrages de fiction et de littérature jeunesse, Jane Roberts a prêté sa voix pendant plus de quinze ans à ce fascinant personnage qu'est Seth.

Une vision de l'au-delà est le deuxième ouvrage de la série «Seth» et le premier de deux tomes sur *La réalité personnelle*.

Illustration: Michel Bérard

Diffusion
Tél.: (514) 641-2387
Téléc: (514) 655-6092
ISBN: 2-89074-387-X

JANE ROBERTS

TRADUIT DE L'AMÉRICAIN
PAR PIERRE LACASSE

SETH

LA RÉALITÉ PERSONNELLE

TOME I

UNE VISION DE L'AU-DELÀ

Éditions de Mortagne

Achevé   Imprimerie
d'imprimer Gagné Ltée
au Canada Louiseville